Донцова

Дарья Донцова
ВОЛШЕБНЫЙ ЭЛИКСИР

Сказки Прекрасной Долины

Читайте романы примадонны иронического детектива
Дарьи Донцовой

Сериал «Любительница частного сыска Даша Васильева»:

Сериал «Евлампия Романова. Следствие ведет дилетант»:

Сериал «Виола Тараканова. В мире преступных страстей»:

Черт из табакерки
Три мешка хитростей
Чудовище без красавицы
Урожай ядовитых ягодок
Чудеса в кастрюльке
Скелет из пробирки
Микстура от косоглазия
Филе из Золотого Петушка
Главбух и полцарства в придачу
Концерт для Колобка
с оркестром
Фокус–покус от Василисы
Ужасной
Любимые забавы папы Карло
Муха в самолете
Кекс в большом городе
Билет на ковер–вертолет
Монстры из хорошей семьи
Каникулы в Простофилино
Зимнее лето весны
Хеппи–энд для Дездемоны

Стриптиз Жар–птицы
Муму с аквалангом
Горячая любовь снеговика
Человек–невидимка в стразах
Летучий самозванец
Фея с золотыми зубами
Приданое лохматой обезьяны
Страстная ночь в зоопарке
Замок храпящей красавицы
Дьявол носит лапти
Путеводитель по Лукоморью
Фанатка голого короля
Ночной кошмар Железного
Любовника
Кнопка управления мужем
Завещание рождественской утки
Ужас на крыльях ночи
Магия госпожи Метелицы
Три желания женщины–мечты
Вставная челюсть Щелкунчика
В когтях у сказки
Инкогнито с Бродвея

Сериал «Джентльмен сыска Иван Подушкин»:

Букет прекрасных дам
Бриллиант мутной воды
Инстинкт Бабы–Яги
13 несчастий Геракла
Али–Баба и сорок разбойников
Надувная женщина для
Казановы
Тушканчик в бигудях
Рыбка по имени Зайка
Две невесты на одно место
Сафари на черепашку
Яблоко Монте–Кристо

Пикник на острове сокровищ
Мачо чужой мечты
Верхом на «Титанике»
Ангел на метле
Продюсер козьей морды
Смех и грех Ивана–царевича
Тайная связь его величества
Судьба найдет на сеновале
Авоська с Алмазным фондом
Коронный номер мистера Х
Астральное тело холостяка

Сериал «Татьяна Сергеева. Детектив на диете»:

Старуха Кристи – отдыхает!
Диета для трех поросят
Инь, янь и всякая дрянь
Микроб без комплексов
Идеальное тело Пятачка
Дед Снегур и Морозочка
Золотое правило Трехпудовочки
Агент 013
Рваные валенки мадам Помпадур
Дедушка на выданье
Шекспир курит в сторонке

Версаль под хохлому
Всем сестрам по мозгам
Фуа–гра из топора
Толстушка под прикрытием
Сбылась мечта бегемота
Бабки царя Соломона
Любовное зелье колдуна–болтуна
Бермудский треугольник черной
вдовы
Вулкан страстей наивной незабудки
Страсти–мордасти рогоносца

Сериал «Любимица фортуны Степанида Козлова»:

Развесистая клюква Голливуда
Живая вода мертвой царевны
Женихи воскресают по пятницам
Клеопатра с парашютом
Дворец со съехавшей крышей
Княжна с тараканами

Укротитель Медузы горгоны
Хищный аленький цветочек
Лунатик исчезает в полночь
Мачеха в хрустальных галошах
Бизнес–план трех богатырей

Дарья Донцова

*Н*очной клуб на Лысой горе

роман

Москва
2017

УДК 821.161.1-312.4
ББК 84(2Рос=Рус)6-44
Д67

Оформление серии *В. Щербакова*

Под редакцией *О. Рубис*

Донцова, Дарья Аркадьевна.

Д67   Ночной клуб на Лысой горе / Дарья Донцова. — Москва : Издательство «Э», 2017. — 320 с. — (Иронический детектив).

ISBN 978-5-699-95601-2

В доме Даши Васильевой жуткий переполох — умирают гости и соседи, бесследно исчезают друзья. Каким образом эти события связаны с загадочным обществом «Ведьмы Подмосковья»? Но оказывается, именно Даша главная колдунья и есть, да еще вкупе с собственным мужем, тоже, как выясняется, специалистом по черной магии. Правда, сама Даша и профессор Маневин об этом, как говорится. ни сном ни духом. А история-то началась много лет назад, во время тогда еще мало известного в России праздника Хеллоуин. Трое бывших студентов отправились на праздничную тусовку в маскарадных костюмах, и вот что получилось...

УДК 821.161.1-312.4
ББК 84(2Рос=Рус)6-44

ISBN 978-5-699-95601-2

Глава 1

За пять минут скандала узнаешь мужа лучше, чем за двадцать лет счастливого брака...

— Что ты мне приперла, коза тупая? — рявкнул Погодин, глядя на папку, которую ему подала блондинка в мешкообразном платье.

— Документы, Геннадий Алексеевич, — тихо ответила девушка. — Вы просили их из машины принести.

Тоном, от которого мог завять букет, стоявший на столе в большой вазе, наш гость произнес:

— А ну, повтори, что я тебе велел.

— Вы сказали, что вам нужны бумаги из автомобиля, — прошептала его секретарша.

— Цвет папки? — зловеще спросил Погодин.

— Ох, хотел ведь сделать имбирный чай, — засуетился Феликс. — Гена, я кладу в напиток апельсин. Ты не против?

— Можешь даже плюнуть в чашку, мне по барабану, — отрезал приятель. — Наталья, отвечай! Папку какого цвета я велел срочно доставить?

— Черного, — пролепетала блондинка.

— А какую ты сейчас мне сунула? — не успокаивался Погодин.

— Черную, — повторила помощница.

— Татьяна, разуй глаза! — заорал на нее босс. — Она темно-синяя!

Феликс прищурился.

— Гена, справедливости ради замечу, что цвет здорово смахивает на черный.

Помощница поняла, что ее пытаются защитить, и воспряла духом:

— В машине темно.

— В машине темно... — передразнил Геннадий. И расхохотался: — Это в твоих мозгах закат. Екатерина! Шагом марш за бумагами. Времени тебе — минута. Ну, отсчет пошел: раз, два...

Помощница попятилась и исчезла в коридоре.

— Ты так бедняжку запугал, что она от тебя как от иконы отходит — повернуться к тебе спиной боится, — заметил Маневин, глядя на нашего гостя.

— Вот уж не ожидала, что ты можешь по-хамски вести себя с женщиной, — неодобрительно протянула я. — И как все-таки зовут твою секретаршу — Наташа, Таня или Катя?

Гена погладил мопса Хучика, сидевшего у него на коленях, и буркнул:

— Не помню. Да какая разница? Дашенция, ты пойми, эта коза — не женщина. Конкретно говорю.

Я чуть не выронила чашку.

— А что, она мужчина? Надо же, а выглядит симпатичной девушкой.

Погодин расхохотался.

— Обожаю тебя! Нет, Елена не мужик. Но она и не баба, а сотрудница.

Я удивленно воззрилась на старинного приятеля мужа.

— Значит, получает деньги, — продолжал Погодин, — имеет соцпакет, оплачиваемый отпуск, я оплачиваю ей бюллетень. Прекрасные условия! А мне за весь этот сахар нужна от нее хорошая работа.

— Если третировать женщину, она последний ум растеряет, — заметил Феликс.

— Нельзя потерять то, чего у тебя нет, — хмыкнул Гена. — Эта овца не способна запомнить, что мне нужна именно черная папка, поэтому приносит синюю.

— Я тоже бы могла их перепутать, — сказала я. — Феликс прав, цвет у папок почти одинаковый.

— Если служащая не справляется, ее надо уволить, — подхватил Маневин, — но нельзя хамить человеку.

Геннадий стукнул по столу кулаком.

— Ха! Так ведь невозможно найти нормальную работницу. Эта Галина, или как ее там, лучшее из худшего. И на собеседовании она вела себя адекватно. Завотделом персонала доложила мне: «Наконец-то я отрыла интеллигентную столичную жительницу, которая говорит не «с Украины», а нормально по-русски «из Украины», не путает Пруса с Прустом и знает, что Моцарт не писал книг. Характеристики хорошие, диплом театрального вуза, но карьера актрисы у нее не задалась — ни в один коллектив Москвы и области ее не взяли, в кино не пригласили. Девушка окончила курсы, где готовят помощников руководителей, и служила секретарем в фирме, которая вскоре разорилась». Я обрадовался и сказал: «Ладно, вели ей одеваться как надо, пусть купит форму, и бери на испытательный срок». И вот что оказалось: девчонка все забывает. Попросишь чаю — притащит кофе. Велишь позвонить по одному телефону — набирает другой. Идиотка!

— Интересно все-таки узнать ее настоящее имя, — пробормотала я.

— Уволить это чудо дивное я пока не могу, — буркнул Геннадий, — велел кадровичке подыскать мне другую помощницу, но вокруг одни овцы, козы и прочие животные. Умные бабы работать не хотят, они и без того хорошо живут.

— Ты не прав, — возразила я.

— Ага, ага... — Погодин прищурился и заговорил вкрадчиво: — Дарья, предлагаю тебе место моего личного референта. Оклад приличный. Соцпакет. Две недели отпуска. Рабочий день не нормирован. Выходной плавающий. Ну? Соглашайся, прямо сегодня тебя оформлю.

— Спасибо, — ответила я, — но я не нуждаюсь в службе ради заработка. Готова заниматься чем-либо из интереса бесплатно...

— Вот-вот, — перебил Гена, — об этом я и веду речь. Нормальные работать не хотят, а ненормальные меня бесят.

— Твои сотрудницы обязаны носить форму? — решил покончить со щекотливой темой Феликс.

— Те, что работают в «Парке прогресса», непременно, — ответил Погодин, — а в центральном офисе служащие ходят в цивильном. Почему ты интересуешься? А, понял... Я только что сказал, что велел завотделом персонала объяснить козе, какую ей одежду носить. Поясняю! Я, Геннадий Алексеевич Погодин, владелец очень успешного бизнеса под названием «Парк прогресса», обладатель загородного дома, многокомнатной квартиры на Старом Арбате, апартаментов в Париже, толстого счета и много чего другого. Я холост. И никогда не был женат. Не имею детей, сирота. Представляете мою цену на брачном рынке? Если меня сравнить с автомобилями, то ваш покорный слуга стоит как эксклюзивный «Роллс-Ройс» из чистого золота. Поэтому девицы, которые получают ко мне доступ по работе, наряжаются в короткое

и обтягивающее. Дуры считают меня сексуально оза-
боченным идиотом, у которого при виде голого тела
слюна капает, и я, чтобы им завладеть, кинусь покупать кольцо с бриллиантом-кирпичом. Не закапает!
Не побегу! Мне не интересны кретинки. Основная
эрогенная зона господина Погодина — мозг. Поэтому козам на должности секретарши положено носить
широкие платья длиной за колено, с воротником под
горло, цвет одежды спокойный, макияж минималь-
ный, каблук у туфель пять сантиметров.

— Не очень логично получается, — улыбнулся
Маневин. — Если тебя в прекрасной половине че-
ловечества привлекает только ум, то не должна вол-
новать и мини-юбка сотрудницы. А если ты обраща-
ешь внимание на вызывающую одежду и приходишь
в ярость, то это означает, что ты пытаешься обуздать
беса похоти.

Я посмотрела на мужа. Мы с Маневиным ни разу
не поругались, и я ни разу не была свидетелем ссо-
ры супруга с кем-либо, но сейчас в нашей столовой
произошло выяснение отношений Геннадия с секре-
таршей, и мне стало ясно: Феликс может быть ехид-
ным. Вот уж действительно: за пять минут скандала
узнаешь мужа лучше, чем за двадцать лет счастливого
брака.

— И никаких замков со стразами на макушке! —
пошел в разнос Погодин. — Терпеть не могу соору-
жения из волос.

— Прямо монастырь, — хмыкнула я. — А как насчет платка на голову?

— На нем я не настаиваю, — серьезно ответил Гена.

— Здрасти, здрасти! — закричал противный те-
нор. — Кофейку сварите? Капучино! Со взбитыми
сливочками!

Собака Мафи, до сих пор мирно спавшая на диване, подпрыгнула и в одно мгновение забилась под него.

В нашем доме масса животных, которые хорошо знают, что они любимы. Мопс Хучик, пуделиха Черри, здоровенная лохматая Афина, кот Фолодя, ворон Гектор и другие не боятся людей, потому что никто никогда их не обижал. Нашим гостям зверье всегда радуется и надеется на угощение. Правда, все они прекрасно понимают, что, скажем, от моей ближайшей подруги, хирурга Оксаны, и ее сына, ветеринара Дениса, им ничего не перепадет. Ксюта и Ден никогда не дадут четвероногим и крылатым обитателям дома кусок колбасы или булки. Но ведь бывают у нас и другие гости. Вот, например, Зина Райкина при виде Хуча начинает сюсюкать:

— Ах, ах, у него такие голодные глазки!

И никакие мои заверения в том, что Хуч, а также все остальные животные прекрасно поели, несчастное же выражение на мордашке мопса сохраняется всегда, даже когда он, угостившись сыром, спит в пуховом одеяле, на Зину не действуют. Нет, она говорит:

— Хорошо, раз тебе жалко, что я угощу бедную собачку крошечкой плюшки, не стану этого делать.

Но едва я выйду из комнаты, допустим, на кухню, Райкина поступает по-своему. Вернувшись в столовую, я непременно вижу: вся стая облизывается и отчаянно вертит хвостами, а на столе блюдо из-под пирога пустое.

Мафи обожает всегда угощающую ее чем-нибудь Зину. Правда, она и строгих Оксану с Денисом встречает как родных. Почему же приветливая собачка мигом спряталась под диван, услышав голос Игоря, младшего сына Зои Игнатьевны, матери моей свекрови Глории?

Сейчас объясню. Прежде чем поселиться в Ложкине, Мафи была собакой Игоря, который сначала тренировал ее на поиск трюфелей в Подмосковье, потом обучал танцам и разным другим кунстштюкам. Он лелеял мечту разбогатеть за счет таланта псинки, строил планы, как шикарно станет жить, продавая за бешеные тысячи евро на аукционах найденные Мафушей грибы. Вот только собака не желала осваивать ни эту, ни какую другую науку. Игорь злился, наказывал беднягу, но добился лишь одного: собачка при его появлении стала прятаться. Разочаровавшись в ней, хозяин отдал ее нам. Мафи уже давно живет в Ложкине, где никто не заставляет ее добывать алмазы, копая ямы на картофельном поле. Мафуся совершенно счастлива, но как только Игорь заявляется в гости, она мигом испаряется. Думаю, боится, что Гарик ее заберет.

Честно говоря, я тоже не особенно рада визитам отпрыска Зои Игнатьевны. Чем мне не угодил дядька мужа?

Игорь постоянно фонтанирует идеями, причем он мечтает сразу получить много-много денег и без устали придумывает, каким бы прибыльным бизнесом ему заняться. Сидеть тихо в офисе, упорно и последовательно подниматься по карьерной лестнице ему скучно. Гарик — генератор экзотических идей. Например, одна из таких — выпуск туалетной бумаги со съедобной втулкой. Отлично помню, как он излагал мне эту свою гениальную идею.

— Вот сидишь ты на унитазе... И вдруг — есть захотелось. Что делать? А тут на стене висит рулон, и у него съедобная втулка со вкусом колбасы, сыра или макарон с мясом. Шикарная придумка! Я заработаю на ней миллиарды!

Я не выдержала и с издевкой предложила:

— А сама бумага должна быть с ароматом кофе, чая или лимонада. Не только поешь, но и попьешь.

Думаете, Игорь сообразил, что над ним подсмеиваются? Нет! Он восхитился:

— Дашуня, ты мигом ухватила суть и внесла мегакрутое предложение. Отлично! Значит, ты согласна?

— На что? — насторожилась я.

— Вложиться в производство, — алчно потер руки Игорь. — Вот тебе подробный бизнес-план...

И он сунул мне листок с криво выведенной фразой: «Беру пять миллионов долларов, через несколько месяцев они превращаются в двадцать, отдаю тебе долг. Будущее за съедобной втулкой». Все разговоры с Игорем заканчиваются одинаково — он просит денег, а я ему их не даю.

Глава 2

— Хорошо, что вы оба дома! — ликовал Гарик, плюхаясь на стул. — У меня для вас суперская штука.

— Нас здесь трое, — остановила я незваного гостя. — Неужели ты не заметил Геннадия?

— Привет, — не глядя на Погодина, обронил Игорь. И продолжил: — Смотрите! Вот!

Он начал рыться в своей сумке, и мне стало понятно, что любимое дитятко Зои Игнатьевны сейчас озвучит очередное гениальное бизнес-предложение. Поэтому я попыталась помешать презентации.

— Игорь, мы заняты.

Гарик, приученный патологически любящей его мамочкой к тому, что все дела откладываются в сторону, если он начинает рассказывать о каком-то своем проекте, несказанно изумился.

— Не хотите узнать, что я придумал?

— Ну... понимаешь ли, — завел мой муж, — безусловно, твоя идея может быть великолепной...

— Нет, не желаем! — отрезала я. — Сейчас мы обсуждаем с Геной презентацию новой книги Феликса. Собираемся проводить ее в замечательном месте под названием «Парк прогресса». У господина Погодина не так уж много времени, поэтому посиди тихо. Мы поговорим, а потом выслушаем тебя.

— Зря стараетесь, — махнул рукой Гарик, — ничего у вас не выйдет.

— Почему? — поинтересовался Геннадий.

— Знаете, что такое «Парк прогресса»? — снисходительно спросил Игорь.

— В некотором роде — да, — ответил Погодин, единоличный основатель и хозяин образовательно-развлекательного комплекса.

— Объясняю... — занудил Гарик. — На огромной территории построены типа дома, где детям рассказывают о разных науках. Например, «Строение человека». Там есть огромный макет тела, в него можно войти и ходить по всем органам: сердце, печень и т. д. Но какое отношение к этому может иметь лабуда, написанная Феликсом?

— Надеюсь предстать перед читателями в павильоне «Антропология», — пояснил мой муж. — Моя книга о древних людях предназначена не для ученых или студентов, а для массового читателя. Я впервые обратился к жанру научно-популярной литературы.

— Ерунда, — отрезал Гарик, — даже не мечтай.

— О чем? — спросил Феликс.

— «Парк прогресса» — очень посещаемое место, — зачастил его родственник, — вообще говоря, это была моя идея создать такую зону. Но Дарья денег не дала, поэтому я теперь вынужден наблюдать чужой успех, который по праву должен быть моим.

— Неправда! — возмутилась я. — Ты изложил идею, а Маневин сказал, что мысль хорошая, но уже давно воплощенная в жизнь — такой бизнес десять лет существует, называется «Парк прогресса».

— И что? — рассердился Игорь. — Я придумал принципиально иную концепцию и другое наименование, хотел основать «Прогресс-парк». Там должно было быть сорок зданий, посвященных разным наукам, а у того, кто мою мысль похитил, их тридцать девять.

Геннадий рассмеялся.

— Ничего смешного не вижу! — рассвирепел Гарик. — Посмотрите, что я решил выпускать... Опля!

Он развернул пакет и вытащил белую кружку.

Феликс прочел надпись на ней:

— «Козел. 22.12—19.01». Разве есть такой знак зодиака — Козел? И почему к ручке чашки цепочка приделана?

— Полагаю, речь идет о Козероге, — еле сдерживая смех, пояснил Погодин. — Я не увлекаюсь астрологией, но мой день рождения двадцать девятого декабря, поэтому я в курсе. Ваша идея состоит в том, чтобы выпускать прикольные кружки со смешными надписями? На рынке много подобных предложений, конкуренция очень велика, сливки с этого бизнеса сняли те, кто первым его начал, сейчас уже поздно на большую прибыль рассчитывать.

— Я сделал десять штук на пробу, — продолжал Игорь. — Вы ошибаетесь, никакого животного козлорога нет. А есть знак зодиака — козел.

Я потупилась. Вот еще одна отличительная черта характера горе-изобретателя — Гарик ни за какие пряники не признается, что не прав. Нет, все кругом дураки, один он умница. Вся рота шагает не в ногу, только он правильно.

— По моим абсолютно верным расчетам, чашки с такой символикой будут наиболее популярными, — тараторил «астролог». — Но вы на дно гляньте!

Гена взял в руку кружку и перевернул ее.

— Тут пробка! Похожа на ту, какими раньше затыкали сливные отверстия в ванне.

— А ты молодец, — похвалил его Гарик, нахально отбросив вежливое «вы», — уловил самую суть. Демонстрирую... Опля!

Игорь дернул за цепочку, которая прикреплялась к ручке, и затычка выскочила.

— Что мы имеем теперь? — спросил он.

— Дырку, — ответила я.

— Гениально, правда? — восхитился Игорь.

— Прости, но я пока не понял идею, — осторожно произнес мой муж.

— Люди наглые, — принялся объяснять свою задумку Гарик, — только выйдешь из офиса, как кто-нибудь твою чашку схватит и пьет из нее. Это тебе нравится?

— Не очень, — сказал Геннадий. — Можно болезнь подцепить, скажем, стоматит.

— Это еще цветочки, — ажитировался Игорь, — полно смертельных инфекций. Например, аппендицит...

— Воспаление отростка слепой кишки через посуду не передается, — возразил Феликс.

— Грипп, — словно не слыша его, вещал Гарик, — ВИЧ, туберкулез, косоглазие...

— Последнее навряд ли, — хихикнула я, — не слышала, чтобы у кого-нибудь разъезжались в разные стороны глаза после того, как человек использовал чью-то кружку.

— Да нет, — рассмеялся Гена, — это легко можно получить, если за наглость в глаз кулаком въедут.

— В офисе, где я раньше служила, одна девушка заработала герпес, — неожиданно произнес тоненький голосок. — Она попила из бутылки, а до нее кто-то заразный то же самое сделал. И теперь у несчастной постоянно губа раздувается, ведь герпес на всю жизнь приклеивается.

Я обернулась и увидела на пороге столовой секретаршу Геннадия. Блондинка стояла, прижавшись к буфету.

— Вот! — заликовал Игорь. — Она права! Как вас зовут?

— Нина, — ответила секретарша.

Я перевела взгляд на Погодина. Надеюсь, ему сейчас хоть чуть-чуть стало стыдно? Он называл подчиненную Таней, Наташей, Катей... Имя «Нина» ни разу не прозвучало.

— Молчать! — велел помощнице Геннадий. — Не лезь, когда не спрашивают. Чего притопала?

— Папку с документами принесла, — пропищала Нина.

— Вот и стой молча, пока рот не разрешат открыть, — огрызнулся босс.

— Как обезопасить себя от страшных неизлечимых недугов? — продолжал тем временем Игорь. — Например, от синдрома Крапивина-Сергеева-Петренко[1]?

— Не слышал о такой болезни, — удивился Феликс.

---

[1] Такой болезни нет. (*Здесь и далее прим. авт.*)

— А ты врач? — налетел на него Гарик.

— Нет, — честно ответил Маневин. — Но...

— Тогда не высказывайся, — отмахнулся Гарик. — Короче, я придумал гениальный, оригинальный, суперский, потрясающий прибор для испивания жидкостей — кружки с пробкой. Попользовался, вынул пробку и ушел по делам. Стопудово никто к твоей чашке не притронется — она же без дна. Кружка предназначена для обитателей коммуналок, студентов, пенсионеров, супругов, детей...

— Господин Маневин! — вдруг зачастил кто-то. — Вот счастье! Вот радость! Наконец-то я вас нашла!

В столовую влетела молодая женщина, одетая, несмотря на нехарактерный для Подмосковья теплый май, в черное шерстяное платье до пола.

— Как я рада! А это ваша замечательная, красивая, умная жена?

Дама подошла к Игорю и протянула ему руку:

— Добрый день.

Я закашлялась. Интересный сегодня день, однако... Кто такая эта незнакомка, которая спутала меня с Гариком? Конечно, я хорошо знаю, что я вовсе даже не красавица, но на мужчину категорически не похожа.

— Вы здороваетесь с Игорем, моим родственником, — пояснил незнакомке Феликс, — а моя супруга Дарья сидит в кресле, вот она.

Гостья заломила руки, театрально воскликнув:

— Боже, мне нет прощенья!

— Ерунда, — сказала я. — Извините, вы кто? К кому пришли?

— К Феликсу, — бойко заявила незваная гостья. — Господин Маневин меня прекрасно знает, мы постоянно с ним переписываемся по поводу моего вступления в общество «Ведьмы Подмосковья». И с вами, Дарья, я тоже хорошо знакома. Правда, заочно — вы иногда по телефону мне отвечаете. Меня зовут Марфа Медведева.

— М-м-м... — простонал Феликс.

— Вы же проведете обряд? — захныкала девица. И снова ажитировалась: — Пожалуйста, сегодня в полночь! Я принесла все-все необходимое!

Марфа грохнула на пол здоровенную сумку, которую держала в руках, присела, открыла молнию и начала вытаскивать содержимое, приговаривая:

— Я ничего не забыла! Вот кубок, корона, кастрюля для варки зелья и...

Медведева вынула из чехла какую-то палку и покрутила ее. Деревяшка тут же превратилась в небольшую метлу.

Геннадий радостно заржал, Игорь выпучил глаза, а на лице Феликса появилось странное выражение: смесь жалости и удивления. Я молча наблюдала за происходящим. Ну и ну! К нам прикатила Марфа! Спросите, кто такая эта незваная гостья? Попробую объяснить.

Год тому назад к нам приехал Роман Калинин, друг детства моего мужа. Разговор зашел о средствах массовой информации, и в какой-то момент Маневин сказал:

— К сожалению, люди верят всему, что написано в газетах-журналах.

— Вовсе нет, — возразил Роман. — Чтобы аудитория восприняла информацию всерьез, она должна частично походить на правду. Если в статье напишут о запуске на Марс космического корабля, экипаж которого состоит из обезьян, потому что ученые не рискнули отправить на другую планету людей, то это не вызовет сомнений. Ведь на приматах тестируют, например, лекарства. А вот ежели сообщат, что на Марс отправили рукохвостых куриц, все обхохочутся.

— Должен тебя разочаровать, — возразил Феликс, — рукохвостые наседки вызовут огромный интерес не только у простого народа, но и у представителей СМИ. Журналисты всех мастей бросятся брать у них интервью.

Калинин начал отстаивать свою точку зрения, а мой муж с ней не соглашался. Спорили друзья долго, и в конце концов Маневин предложил:

— Давай проверим наши версии на практике. Я напишу статью, полную чуши, и гарантирую тебе: ее напечатают, растиражируют в Интернете, а репортеры понесутся брать интервью у всех, кто будет в ней упомянут.

— Согласен, берись за дело! — азартно выкрикнул Роман. — Если будет по-твоему, вы с Дашуткой полетите отдыхать за мой счет куда захотите. А вот коли тебя отовсюду вон пошлют, в чем лично я ни на минуту не сомневаюсь, тогда ты, Феликс, нам с Катюхой Мальдивы оплачиваешь.

— По рукам, — кивнул мой муж.

Глава 3

На следующий день Маневин в порыве вдохновения наваял интервью, которое у него якобы взяла некая журналистка по имени Анжелика Задуйветервносчай.

Надеюсь, всем понятно, что такой корреспондентки не существует? Феликс, давясь от смеха, придумал как ее паспортные данные, так и вопросы вместе со своими на них ответами. А вот свое имя, научное звание, должность, всю информацию о себе Маневин указал правильно.

Статья начиналась так: «Вашему обществу «Ведьмы Подмосковья» вот-вот исполнится три тысячи лет, а в юбилейный год принято подводить итоги. Что интересного сделано за последнее время?» Это был первый вопрос «репортерши». Далее следовал ответ Феликса: «Организация, о которой идет речь, закрытая. Но я понимаю, почему вы пришли ко мне за информацией — недавно у меня вышла книга, рассказывающая об этом сообществе. Верховная ведьма состоит со мной в давней дружбе, поэтому я получил доступ ко всем материалам...» И далее несколько страниц откровенной чуши о том, как женщины летают на метлах, исполняют свои и чужие желания, об их бессмертии, о...

Роман, прочитав опус, азартно потер руки.

— Ты точно проиграешь, в такое никто никогда не поверит. Метла, в которую встроен навигатор, подсказывающий дорогу? Феликс, в тебе пропал писатель-фантаст, такое даже Вадиму Панову, чьи книги я уважаю, не выдумать.

Я была согласна с Калининым, поэтому посоветовала мужу:

— Перепиши статью, сделай ее хоть чуть-чуть похожей на правду. Считается, что Москва основана в тысяча сто сорок седьмом году. А у тебя общество «Ведьмы Подмосковья» празднует трехтысячную годовщину своего создания. Любой школьник сразу сообразит: твоя статья — розыгрыш.

— Давай посмотрим на реакцию людей, которые прочтут именно этот материал. Очень интересно узнать, как народ откликнется, — спокойно отреагировал мой профессор и позвонил своему приятелю Косте Боркину, владельцу крупного информационного интернет-портала.

Услышав о пари, Боркин пришел в восторг.

— Супер! Завтра же опубликую твою статью. Думаю, народ оборжется, но найдется пара дураков, которые всерьез отнесутся к «утке», а мы потом устроим дискуссию на тему: «Слухи, сплетни и ложная информация в Сети». Спасибо тебе большое, потому что на дворе май и у нас никаких интересных новостей нет.

На следующее утро в семь часов «интервью» увидело свет. Я проснулась около девяти, спустилась, зевая, на первый этаж, сварила себе какао и села за стол. Минут через десять прибежал Маневин, за ним появился Дегтярев. В отличие от всех обитателей нашего дома Александр Михайлович — фанат страшилок под названием «Новости». Полковник привычным движением схватил пульт, нажал на кнопку, на экране телевизора появилось изображение веселой блондинки, которая восторженно чирикала:

— Сегодняшний день богат на интересные события. Три тысячи лет со дня создания отмечает самая закрытая общественная организация России «Ведьмы Подмосковья»...

Я уронила чашку, та упала на спину лежащего около стула Хучика. Хорошо, что какао успело слегка остыть и мопс не пострадал. Остальные собаки немедленно кинулись облизывать брата, у стаи случился невероятный праздник.

Дегтярев, который знал о пари, завопил:

— С ума сойти! Они поверили и пересказывают написанный тобой бред! Этого просто не может быть! Надо же, цитируют Анжелику Задуйветервносчай!

— Ушам и глазам своим не верю! — изумленно вторила я толстяку.

Маневин усмехнулся.

— Ну, они и кое-что от себя прибавили. Например, я не писал, что для вступления в общество надо три месяца голодать и ходить босиком. Это уж креатив работников пера.

И началось! Потрясающую «новость» подхватили все кому не лень. Слабые голоса разумных журналистов, которые твердили: «Люди, очнитесь, перестаньте нести невероятную чушь», утонули в воплях тех, кто взахлеб рассказывал о колдуньях. Спустя день Бабы-яги всех мастей начали раздавать свои интервью. Все в один голос утверждали, что являются членами тайного общества «Ведьмы Подмосковья» и могут, естественно, за деньги приманить к любому человеку удачу, материальное благополучие и так далее...

Феликс и Рома только чесали в затылках.

— Даже в страшном сне не мог представить, сколько вокруг идиотов! — возмущался Калинин.

— Я понимал, что найдутся люди, которые поверят журналистке Анжелике Задуйветервносчай, — смущенно бормотал мой муж, — но чтобы их столько оказалось... Нехорошо получилось. Я поспособствовал популярности разного рода мошенников. Чувствую себя неловко. Не стоило затевать эту шутку.

Целый месяц мы жили в осаде. Пришлось даже поменять номера телефона в доме и мобильного Феликса, потому что ему постоянно звонили разные особы и просили его принять их в общество. Он сначала вежливо объяснял каждой:

— Простите, но это интервью — весьма неудачный розыгрыш, организации «Ведьмы Подмосковья» не существует.

Но в ответ он всегда слышал:

— Ну, пожалуйста! Я сделаю, что скажете, только поговорите со своей подругой, верховной ведьмой. Я так хочу стать колдуньей!

Далее шел рассказ минут на десять о несчастной по всем направлениям жизни звонившей: денег нет, муж кретин, дети уроды, начальник мерзавец... Вступление же в организацию сделает ее счастливой, она отомстит всем своим врагам, превратит их в жаб, а себе нашаманит денег...

Вал глупостей достиг апогея дней через пять-семь после публикации «интервью». Маневина стали называть верховным колдуном, гуру, который может сделать любую женщину волшебницей, рассказывали о том, как вступают в ведьминскую армию, детально описывали церемонию приема, некоторые газеты опубликовали рисунки метел. И никто из нас — ни Рома, ни Феликс, ни Костя Боркин, ни я, ни Дегтярев — не знал, как остановить шквал мракобесия.

Вскоре после начала всеобщего шабаша Феликс приехал домой в глубокой задумчивости и сказал:

— Не поверишь, кто и что мне сегодня предложил... Из одного крупного американского университета позвонил профессор Вортфельд. До сих пор я считал Майкла нормальным человеком с трезвым умом ученого. Мы с ним пересекаемся на разных международных конференциях, я с удовольствием слушаю его доклады, они всегда интересны, информативны. И вдруг! Майкл попросил разрешения приехать к нам, чтобы посетить заседание общества «Ведьмы Подмосковья». Он сказал: «Феликс, у меня очень сложная ситуация и дома, и на работе. Жена ушла к другому, запретила встречаться с детьми. Год назад мне обещали должность декана, даже гарантировали, что место мое, если я поддержу на выборах одного кандидата и объясню всем, что он самая подходящая кандидатура. Я же веду телепрограмму, зрители к моему мнению прислушиваются. Так вот, я выполнил это условие. И что? Деканом стал другой. А через месяц канал закрыл мою программу. То есть у меня в жизни по всем пунктам провал. Я заплачу членам твоего союза, пусть вернут мне удачу. У нас тут пишут, что ты работаешь с кровью черных куриц. Могу привезти наседку с собой. Или ее можно там у вас на месте приобрести?

— Было бы смешно, если бы не было так грустно, — протянула я, — надо же, профессор университета, антрополог... Ну и что нам теперь делать?

— А ничего, — вздохнул Маневин. — Само утихнет, народ забудет про интервью.

Муж, как всегда, оказался прав. Интерес к колдуньям через какое-то время погас, нас перестали терроризировать. Но одна наиболее упорная дама, которая представилась Марфой, продолжала приставать к Феликсу. Она постоянно звонила ему на мобильный, потом принялась терзать наш домашний номер. Маневин регулярно блокировал сию мадам, но она приобретала новую симку. Мы опять поменяли все контакты и некоторое время жили спокойно, однако вскоре сия Марфа опять появилась во всех трубках.

— Снова пишем заявление оператору? — спросила я после того, как мой муж в очередной раз терпеливо объяснил докучливой особе, что он не может научить ее колдовать.

— Не вижу смысла в этом, — пожал плечами Феликс, — она снова его раздобудет. Похоже, эта Марфа весьма активная сумасшедшая.

Через пару месяцев Маша, в очередной раз пообщавшаяся с надоедливой особой, сказала мне:

— Если не можешь от кого-то избавиться, полюби его. Марфа, наверное, одинокая несчастная пожилая женщина. Личной жизни у нее нет, вот она и думает, что, став колдуньей, превратит своего кота в жениха и обретет счастье в браке.

— Голос-то у нее не старческий, — перебила я Манюню.

— Вспомни Ирочку, бабушку Юры Субботина, — возразила дочь, — те, кто с ней не знаком, услышав ее «алло», обращаются к ней: «Девушка, позовите, пожалуйста...» Давайте относиться к Марфе как к пенсионерке, которая слегка выжила из ума. На такую разве можно злиться?

— Нет, — вздохнула я.

— Правильно, мусик, — кивнула Маруся, — ее просто жалко.

Слова Маши неожиданно успокоили всех. С той поры мы, услышав в трубке слова: «Алло, алло, это Марфа. Когда профессор начнет набирать новых членов в общество «Ведьмы Подмосковья»?» — без всяких эмоций отвечали:

— Доброе утро, Марфа. Господин Маневин сейчас за границей. Связи у нас с ним нет.

Бабуля беспокоила нас раз или два в неделю в восемь-девять утра. Разговор с ней, как правило, занимал минут десять. Услышав об отсутствии профессора, сумасшедшая задавала тому, кто взял трубку, вопросы. Ну, например, такие: «Сколько времени приходится ждать удачу?», «Нужно ли приделывать седло к метле?», «Можно ли надевать в полет брюки? А то в юбке не очень прилично нестись по небу — вдруг дунет ветер, и я продемонстрирую всем внизу свое белишко»... Мы старательно отвечали и обещали Марфе, что все у нее будет хорошо. Члены нашей семьи настолько привыкли к утреннему общению с безумной старушкой, что очень забеспокоились, когда она вдруг перестала звонить.

— Может, она заболела? — предположила Маша.

— Или ей телефон за неуплату отключили? — нервничала я. — Мобильная связь — дорогое удовольствие для пожилого человека.

Несколько дней мы пребывали в тревоге, потом налетели на полковника, требуя, чтобы он нашел Марфу.

— И как это сделать? — отбивался Александр Михайлович. — Вы же знаете, что у нее номер не определяется.

— Надо отталкиваться от имени, — посоветовала я. — Марфа — это тебе не Татьяна или Наталья. Сомневаюсь, что в столице зарегистрировано много женщин с этим именем. Или вот что. Дегтярев! Раздобудь нам список Марф, которые есть в нашем городе, я отсеку всех, кто моложе сорока, и пробегусь по адресам...

Александр Михайлович скривился.

— Ты обчиталась Смоляковой, поэтому несешь чушь. Список тебе ничего не даст. Масса людей прописана по одному адресу, а живет по другому. И эта тетенька, вполне возможно, вовсе не столичная жительница. Что, если она звонит, скажем, из Питера? Тебе не приходило в голову, почему старушка, которая легко узнает ваши номера телефонов после того, как вы их меняете, ни разу не приехала к нам в гости? Такая ведь и адрес на раз-два выяснит. Вдруг она живет в Новосибирске? Тогда билет ей, слава богу, купить не по карману. В противном случае Марфа бы давно у нас появилась.

Тут я призадумалась. И правда, по какой причине старушка до сих пор нас не навестила? И где ее искать?

Но через пару недель бабуля снова нам позвонила, и домашние обрадовались: она жива-здорова. А я с тех пор уверилась, что бедняжка не москвичка, и стала с ней беседовать еще ласковее. Очень жалко было Марфу, которая тратит копеечную пенсию на междугородние разговоры.

И вот, пожалуйста! Кандидатка в ведьмы проникла-таки в Ложкино, привезя с собой кучу всякого барахла. Но она, похоже, вовсе не бедная — в ушах незваной гостьи сверкают симпатичные сережки, а на пальце кольцо в комплект к ним. И одежда у Марфы модная, и сумка совсем не дешевая, и обувь. Но самое главное — она не пенсионерка, а миловидная молодая блондинка. Вот вам и несчастная нищая старушка...

— Метлу я заказала в Интернете, — щебетала тем временем гостья, — там есть специальный магазин «Магия». Смотрите, какая удобная, складная. С обычным помелом не очень комфортно ходить повсюду, люди глупые вопросы задают: «Зачем тебе метелка?» И как им объяснить, что с ее помощью ведьмы летают?

Марфа перевела дух и добавила:

— Правда, я пока не научилась по-ведьмински летать, не получается у меня. Продавщица из Интернета объяснила: «Летательный аппарат работает на силе мысли». Но сколько бы я ни думала: «Поднимаюсь в небо», — ничего не выходит. Очень надеюсь, Феликс, что вы меня научите. Давайте сегодня в полночь попробуем? На Лысой горе.

— На какой горе вы желаете попробовать летать? — оторопела я.

— Ой, никогда не поверю, что верховная колдунья про шабаши не знает, — рассмеялась Марфа.

— Я догадалась, что ты здесь! — неожиданно закричал еще один незнакомый женский голос, и в столовую вбежала стройная брюнетка. — Ужас в какое положение меня Марфа поставила!

Глава 4

— Вы кто? — удивленно спросил Феликс.

— Вероника Балабанова, — ответила незнакомка.

Я, опешившая от количества нечаянных гостей, постаралась взять себя в руки.

— Если вы тоже решили стать ведьмой, то прошу вас покинуть наш дом. Институт благородных колдуний здесь не работает.

Вероника прижала руки к груди.

— Простите, Дарья, мне такая глупость никогда в голову не придет. Уж извините, я не из отряда дурочек, которые мечтают с помощью магии счастье обрести.

— Мы знакомы? — удивилась я.

— Заочно, — сказала Балабанова и пояснила: — Вы дружите с Настей Цветковой, она у вас спрашивала, не сдает ли кто в Ложкине коттедж.

— Верно. А вы откуда знаете? — удивилась я. — Сама Настя давно осела в Пронине, это в паре километров отсюда, но там маленький поселок, только десять хозяев и все на месте. Наш намного больше, и я дала Настюше несколько адресов. У нас на Еловой, Осенней, Центральной улицах есть пустующие дома.

— Коттедж на Еловой заняла я, — улыбнулась Вероника. — Делала для Цветковой проект, я хозяйка рекламного агентства «Фэшн-красота» и как-то пожаловалась, что не могу приличный домик себе найти, вот она к вам и обратилась.

— А-а-а, — обрадовалась я, — Настя выводила на рынок новый товар — замороженные котлеты, поэтому искала, кто бы мог сделать ей рекламный ролик, но все требовали ну очень большие деньги. Цветкова приуныла, потом приехала ко мне довольная, показала запись и пояснила: «Создатель ролика — агентство «Фэшн-красота». Отличная фирма. Цена у них тоже немаленькая, но ниже, чем у других. И посмотри, какая девушка задействована — просто красавица!» Актриса и правда была очень хороша собой. Настя вас хвалила. Вот только название у котлет было странное — «Радость семьи», что ли.

— «Счастье в доме», — рассмеялась Балабанова. — Согласна, довольно глупо звучит. Но не я это придумала, а заказчица. Настя мне рассказала, что адреса в Ложкине дала ей Даша Васильева, таким образом благодаря вам мне чудесный дом в аренду достался. Поэтому я и сказала, что мы с вами заочно знакомы. Извините, пожалуйста, я знаю, что Марфа... э...

Феликс, который на протяжении последних минут медленно пятился в сторону двери, исчез в коридоре. Кандидатка в ведьмы ринулась за ним с воплем:

— Стойте! Во сколько мне сегодня нужно прибыть на Лысую гору?

— Вы такая спокойная, — восхитилась Вероника. — А я бы точно наглую особу по башке вон тем кофейником треснула!

Услышав последнюю фразу, я вспомнила о гостеприимстве:

— Присаживайтесь, пожалуйста! Хотите чаю?

— С удовольствием, — ответила Балабанова и села напротив Геннадия.

— Вы часто снимаете рекламу? — неожиданно спросил Погодин.

— Конечно, — ответила Балабанова, — это мой бизнес.

— Значит, котлеты «Счастье в доме» вы делали? — не утихал Гена.

— Не сам продукт, только ролик, — усмехнулась Вероника.

— Вы привлекаете к работе очень красивых актрис, — сказал Погодин. — Меня зовут Геннадий, я владелец развлекательно-научного комплекса «Парк прогресса».

— Вот как? — обрадовалась Ника. — Была там в павильоне кинематографии, и мне понравилось.

Минут пять я слушала диалог Гены и Вероники. Увидев, что они увлечены беседой друг с другом, я направилась в коридор и позвала:

— Ира!

Домработница не отвечала.

Я увеличила громкость звука:

— Ира! Ты где?

— Кого-то ищете? — спросила вышедшая следом за мной секретарша Погодина.

— Свою помощницу по хозяйству, — пояснила я. — И куда она подевалась? В особняк беспрепятственно входят посторонние, а чай гостям приготовить некому...

— Я легко справлюсь с этой задачей, — перебила меня Нина, — только подскажите, где заварка.

— Да дело не в чае, — вздохнула я. — Просто у меня возник вопрос: чем сейчас занимается Ира? Последние несколько лет она жила вместе с Машей в нашем доме под Парижем, набралась от французов лени и растворяется в воздухе, когда нужно работать.

— Парижане ленивые? — удивилась помощница Погодина.

Я пожала плечами:

— Вроде нет, и все же... В кафе там вам придется ждать заказ очень долго, а если вы рассердитесь, услышите от официанта: «Мадам, я не сплю, я занят». И такой же ответ получите в магазине, пытаясь привлечь к себе внимание продавца. Мой стилист Вадик зарыдал, услышав, что его коллега Марк, который причесывает нас с Машей в Париже, работает с десяти утра до шести вечера, имеет два выходных и никогда не записывает клиенток на час дня, потому что в это время каждый француз непременно садится обедать. Вадюша-то пашет с семи утра до последнего клиента, свободный день у него первое января и только. А об обеде он и не мечтает, равно как и о завтраке с ужином. Вадик привык хватать что-то на лету, потому что перерыва между посетителями у него нет. Кстати, если вы соберетесь в Париже в воскресенье вечером сделать прическу, то большинство салонов окажется закрытым. И, делая укладку, нечего надеяться одновременно на маникюр. Чтобы покрыть ногти лаком — подчеркиваю, просто покрыть, — придется идти в студию, где работают китаянки. А за полноценной процедурой надо шагать в заведение с вывеской «Медицинские услуги».

— С ума сойти, — удивилась Нина.

— Да, — кивнула я. — В Москве с этим дела обстоят куда лучше. Наши мастера ради своего клиента хоть на всю ночь останутся на работе, а Марк, услышав один раз, что мне надо причесаться в пять сорок пять вечера, ответил: «О, мадам, вы моя любимая клиентка, но у вас волос на пять собак, я никак не успею до восемнадцати управиться». И все! Ни за какие деньги Марк не задержится даже до четверти седьмого... Пойду искать Иру.

— Не волнуйтесь, я заварю хороший чай, — пообещала Нина. — Вообще-то я нормальный работник, просто до смерти боюсь господина Погодина. Он как глянет! У меня после его взгляда прямо-таки колени от ужаса подламываются.

— Геннадий не злой человек, — пояснила я, — просто гневливый и перфекционист. Дело не в дурном характере или плохом воспитании. Он рос в интернате, где царствовал злой директор, был вороватый персонал и буйно цвела дедовщина.

Нина схватилась руками за щеки.

— Ой, я не знала!

— Я рассказала вам о непростом детстве Погодина, чтобы вы поняли: ключ к его сердцу — идеальное выполнение своих обязанностей. В детстве Гену били за то, что он четверки получал, постель небрежно заправлял, не так со старшими здоровался. Мальчик оказался живучим, умным, упорным. Вырос, стал успешным бизнесменом и теперь требует от своих подчиненных безупречной службы, — пояснила я.

— Наверное, с ним в быту тяжело, — вздохнула Нина.

— Наоборот, — улыбнулась я, — по части еды, уборки дома и прочего Геннадий абсолютно не придирчив. Вы уж постарайтесь больше папки не путать.

Нина схватила меня за руку.

— Спасибо за совет! Приложу все усилия! Господин Погодин очень хорошо платит.

— Он не жадный, — согласилась я. — Если сработаетесь, он к вам привыкнет, а вы к нему, тогда станет легче. Хотя градус перфекционизма Гены не уменьшится.

Нина кивнула и убежала в столовую. А я пошла искать Иру.

Нашла домработницу я в хозяйственной комнате, она стояла спиной к двери у гладильной доски. Ира не отреагировала на мой оклик, пришлось подойти к ней и потрясти ее за плечо.

— Ау! Избушка, повернись ко мне передом, к лесу задом!

— Аттандэ ун минут, же оккупэ. Трэ![1] — пробормотала Ирка, не отрывая взгляда от работающего телевизора.

— И последняя цифра... сорок восемь! — заорал ведущий во фраке, доставая из прозрачного барабана красный шар.

Ирка стукнула кулаком по доске.

— Да чтоб тебя разорвало! Опять не угадала!

— Ты играешь в лотерею? — возмутилась я.

Ира обернулась. Выглядела она как пьяная.

— Бонжур! Кес ке ву вулэ?[2]

Живя несколько лет во Франции, Ирка научилась лопотать на иноземной мове. Произношение у нее отвратительное, грамматика хромает на обе ноги, но с местными лавочниками домработница договаривалась без особых проблем. Ирине даже удавалось находить общий язык с местным водопроводчиком. А тот, кто имел дело с коммунальными службами города Парижа и предместий, прекрасно знает: слесари — это привидения, которые, пообещав прийти в дождливую осеннюю пятницу, чтобы исправить текущую на кухне трубу, появляются поздней весной и сообщают, что ваша проблема не устранима, необходимо заменить в доме всю систему, включая и отопление. Так вот, после того как Ирка пару раз побеседовала с месье Стефано, тот стал забегать

---

[1] Подождите одну минуту, я занята. Очень! (До невозможности исковерканный французский).

[2] Добрый день. Что вы хотите? (Ужасный французский).

к нам раз в неделю просто так, для профилактического осмотра.

Когда я рассказала об этом моей подруге Анриетте, та недоверчиво сказала:

— Дорогая, твоей лжи даже в День дураков[1] никто не поверит. Чтобы водопроводчик пришел без вызова? Скорей уж наш булочник снизит цену на субботнюю выпечку!

Да я и сама пребывала в недоумении. Ну чем Ирка так очаровала Стефано? Думаете, в истории замешан амур? Как бы не так! Ирина замужем, Ваня тоже работает у нас, он жил с женой в Париже, правда, в отличие от супруги, на иностранном языке Иван может произнести лишь «Guten Tag!»[2], поскольку в школе учил немецкий. Сами понимаете, пообщаться с французом Стефано эта фраза ему не поможет. Но — вот же удивление! — Ира, Ваня и Стефано могли больше часа весело смеяться на кухне. Они друг друга прекрасно понимали.

— Кес ке ву вулэ? — протяжно повторила домработница.

— Не смей играть в лотерею, — приказала я Ире.

Та моргнула, потрясла головой и стала оправдываться:

— Да я просто смотрела, не звонила им в студию, ставку не делала. Гладила белье, случайно на этот канал попала и всего секундочку глядела.

— За эту «секундочку» ты превратилась в зомби, а в дом успела войти куча посторонних, — недовольно проворчала я.

Послышался грохот, затем звон и женский крик.

— Разбила!

---

[1] 1 апреля во Франции называют Днем дураков.
[2] Добрый день.

Мы с Иркой кинулись на звук, прибежали в столовую, увидели на полу лужу пролитого чая, руины заварочного чайника и трясущихся Нину и Марфу. Последняя зачастила:

— Она принесла чай и — плюх! Мы с ней тут вдвоем остались. Ваш гость все Нику допрашивал, очень его какая-то актриса заинтересовала, прямо прилип к Балабановой: «Скажите мне ее имя, дайте адрес». А Нина с чайником на кухне возилась. Балабанова в конце концов имя той девушки назвала, но телефон не дала. Геннадий стал его требовать, прямо танком попер. Тут как раз Нина чай притаскивает, а ваш гость в угол Балабанову загнал: «Дай адрес и телефон актрисы! Любые деньги заплачу!» А она...

— Ну вот, чайник уронила, — прошептала секретарша. Затем показала пальцем на Хучика: — Налетела на эту милую собачку и упала. Хорошо, что песика не поранила. Геннадий Алексеевич пообещал меня уволить, обозвал гадко...

— Она мне заварки налила, — защебетала Марфа, — решила поставить чайник в центр стола, начала его обходить и — шлеп! Ваш знакомый так разозлился! У-у-у, прямо жуть!

Кандидатка в ведьмы взяла кружку и стала пить, приговаривая:

— Отличный чаек.

— А где Погодин? — спросила я.

— За Вероникой побежал, — всхлипнула Нина.

— Ира, живо вытри лужу, — велела я. — А ты, Нина, немедленно перестань убиваться из-за ерунды. Геннадий тебя не выгонит, я поговорю с ним. Лужа высохнет.

— Темное пятно останется, ковер-то светлый, — заметила Марфа.

— Чепуха, — отмахнулась я, — Афина уже сто раз на него писала, ковер привык, чаем его не испугаешь.

Глава 5

Пробежало десять дней. Странное дело, но Гарик больше не приезжал, денег на производство чашек с пробкой не требовал. Я тихо радовалась: неужели он отложил свою «гениальную» идею. Зато Марфа три дня подряд прибегала к нам с вопросом: «Ну когда же Феликс отвезет меня на Лысую гору?» В конце концов я узнала на охране телефон дома, который снимала Ника, соединилась с Балабановой, рассказала ей о визитах Медведевой и попросила оградить нас от непрошеной гостьи.

— Боже, простите, пожалуйста, сейчас же прекращу это безобразие, — запричитала та.

Не знаю, какие аргументы нашла Вероника, но больше мы ненормальную девицу не видели.

И вот спустя десять суток после нашего знакомства с Марфой меня ночью разбудил звонок телефона. Я пошарила рукой по тумбочке, схватила мобильный и прошептала:

— Алло...

В ответ не раздалось ни звука.

— Говорите! — рассердилась я.

И снова ничего не услышала.

— Отличная идея, — зашипела я, — это очень весело — поднять человека среди ночи и молчать.

Снова раздался звонок. Я осеклась. Откуда идет звук? Трубка в моей руке, и в ней тишина.

По дому опять понеслась трель, и лишь тогда до меня дошло: вызов идет не из телефона, кто-то стоит на пороге особняка и звонит в дверь.

Стараясь не разбудить мирно похрапывающего Феликса, я встала с кровати и побежала к лестнице босиком. Спустилась по ступенькам и заорала —

у двери в прихожую маячил толстый медведь, который, увидев меня, вытянул вперед лапы и прохрипел:

— Не бойся, это я.

— Совершенно не боюсь вас, — стараясь справиться с дрожью в голосе, произнесла я, — обожаю мишек. Но как вы проникли в наш дом? Пришли из леса? Не предполагала, что в Подмосковье водятся медведи, думала, вы в Сибири живете.

— Даша, это я, — повторил Топтыгин и сделал пару шагов в мою сторону.

Я в мгновение ока метнулась под лестницу и спряталась в расположенной там кладовке, где хранится запас туалетной бумаги и прочая ерунда. Дверка чулана затряслась.

— Перестань идиотничать, — недовольно велел Топтыгин. — Нашла время комедию ломать, выходи.

Продолжая сидеть молча, я сообразила, что совершила невероятную глупость. Дверь хлипкая и запирается не изнутри, а снаружи. Сейчас хищник догадается потянуть за ручку, и вот она я перед ним во всей своей красе. Ну конечно, я, как всегда, вечером приняла душ и намазалась кремом с запахом меда, поэтому представляю собой лакомый кусочек для медведя. Правда, веса во мне сорок пять кило, мяса маловато, зато костей, как у всех людей, полный набор, двести шесть штук. А какой зверюга не любит поглодать мосольчики?

Створка распахнулась, в проеме показалась лохматая фигура с круглой головой, на которой виднелись крупные уши. Я схватила с полки какой-то баллончик, выставила его вперед и нажала на распылитель.

— С ума сошла? — разозлился медведь. — Это же пакость для протирки стекол. Фу, она со вкусом банана! Тьфу, тьфу!

Мишка стал отплевываться и тереть лапами лицо.

— С банановым вкусом? — удивилась я. — Кому могло прийти в голову улучшить вкус очистителя стекол? Его же никто пить не станет.

Снова послышался звонок.

— Пока ты тут дурью маешься, кто-то в дом упорно рвется, — укорил меня хищник.

Я опешила и только сейчас наконец-то полностью проснулась.

— Простите, вы человек?

— С ума сошла? — буркнул Топтыгин. — Это же я, Дегтярев.

В ту же секунду я сообразила: передо мной стоит Александр Михайлович, одетый в карнавальный костюм, на голове у него капюшон, к которому пришиты уши. Хотите спросить, почему я раньше не поняла, что у мишки лицо полковника? Что ж, у меня встречный вопрос: а вы хорошо соображаете, если вас разбудить посреди ночи? Лично у меня мозг после сна активизируется не сразу, ему требуется время, так сказать, для прогревания мотора.

— Зачем ты влез в новогодний наряд? — спросила я.

— Это халат, — пояснил Александр Михайлович, — Маша позавчера мне подарила. Я его примерил, чтобы продемонстрировать Марусе, что в восторге от ее презента. Он оказался очень удобным, мягким, поэтому сегодня я опять его натянул. И голове, кстати, тепло.

Дегтярев умолк, потом удивленно спросил:

— Эй, а ты что, приняла меня за настоящего медведя?

— Конечно нет, — соврала я.

— Почему тогда под лестницу забилась и в меня всякой дрянью брызгала? — засмеялся полковник. —

Вот умора! Никто не поверит, когда расскажу, что Дашенция реально приняла меня за пришедшего из леса зверя!

— Я просто пошутила, — начала отбиваться я.

А мой друг, продолжая смеяться, двинулся в прихожую, говоря на ходу:

— Меня не обманешь!

Я поплелась за ним, с грустью размышляя. Ну, теперь Александр Михайлович радостно доложит всем, как я посчитала его кровожадным косолапым, опишет все подробности произошедшего, что-нибудь присочинит-приукрасит, но забудет упомянуть маленькую деталь: все случилось ночью, когда меня выдернули из состояния глубокого сна и я еще толком не проснулась.

Дегтярев открыл дверь. В холл с воплем «Помогите!» влетела Марфа.

В общем-то, я миролюбивый человек, но сейчас мне очень захотелось выпихнуть дамочку вон. С огромным трудом я заставила себя приветливо произнести:

— Добрый вечер. Или утро? Честно говоря, не знаю, как лучше назвать два часа пополуночи. Если вы решили узнать у моего супруга дорогу на Лысую гору, то он не может сейчас ответить, поскольку спит.

— Нет, речь не об этом, — всхлипнула Марфа. — Пожалуйста, помогите!

— Что нужно сделать? — вздохнула я.

— Приютите меня, — зашмыгала носом кандидатка в колдуньи, — мне жить негде.

— Вроде вы остановились у Вероники, — напомнила я.

— Я убежала от нее, — прошептала Марфа. — Прямо в тапочках, вот, смотрите.

Действительно, на ногах ее были пантофли в виде кроликов. Хорошо, что сейчас май, теплая обувь без надобности.

— Вы поссорились с Балабановой? — осведомилась я.

— Нет. Понимаете, она меня не видела, — зашептала Марфа. — Там такое... Я жутко испугалась... меня прямо заколбасило, когда Ника ее убила...

Дегтярев втянул ноздрями воздух. Я поняла, в каком направлении заработали мысли приятеля, и тоже принюхалась. Но нет, алкоголем совсем не пахло, Марфа вроде была трезвая.

Девица судорожно всхлипнула и опустилась на пуфик.

— Мне некуда идти. Я к Веронике приехала после того, как квартиру, дачу и магазин продала в ожидании московской недвижимости. Ой, понимаете, Ника выстрелила... Ба-бабах! Женщина упала... я испугалась и удрала... А куда мне идти? Никого тут не знаю, кроме вас.

Полковник подошел к Марфе и положил ей на плечо руку.

— Вы стали свидетельницей убийства?

— Да, да, да, — закивала Медведева. — Я ей все деньги отдала. У меня ни копейки нет! Даже на мороженое. Я его очень люблю, поэтому и пошла в чулан.

Александр Михайлович потер шею.

— Даша, можешь сделать нам фруктовый чай? Сядем в столовой, обсудим произошедшее.

Я зевнула.

— Конечно. Сейчас заварю.

Минут через десять, когда Марфа получила из моих рук чашку с напитком, Дегтярев попросил ее:

— Рассказывайте все от яйца.

— От яйца? — растерянно повторила Марфа. — Кур у меня никогда не водилось, только кошка была, но давно.

— Александр Михайлович имеет в виду, что нужно изложить все с самого начала, — пояснила я. — Что случилось в доме Вероники? Кого она лишила жизни?

Конечно, я ни секунды не сомневалась, что Марфа выдумала всю эту историю, ей просто хочется на правах гостьи пожить в нашем доме, чтобы оказаться поближе к Феликсу, который, по мнению Медведевой, научит ее летать на метле. Дегтярев тоже, похоже, не встревожился. В противном случае он бы уже несся к особняку, снятому Балабановой, вызывая на ходу свою бригаду.

— Излагать с самого начала? — уточнила Марфа.

— Желательно, — кивнул полковник, — иначе трудно будет понять, что к чему.

— Родилась я в одна тысяча девятьсот... — завела гостья.

— Лучше я буду задавать вопросы, — решил взять бразды правления беседой в свои руки Дегтярев. — Кого убили в доме Балабановой?

— Ну... сначала я увидела мертвую Веронику, — прошептала Марфа, — а потом Ника задушила в своей спальне тетку.

Ага, значит, Ника кого-то задушила. А пару минут назад незваная гостья говорила о выстреле. Нестыковочка в показаниях.

— Так... — протянул Александр Михайлович. — Вы нашли труп Балабановой?

Марфа закрыла глаза.

— Да! Ужас! Я чуть не умерла от страха! Потом побежала по коридору. В полной темноте, мобильным дорогу освещала. Слышу вопль из спальни. Дверь приоткрыла, а там... Жуть! Ника ее душит...

— Интересно, — сказала я. — Если я правильно вас поняла, то сначала вы нашли труп своей подруги, а потом она ожила и лишила жизни какую-то женщину?

— Да, да, верно, — закивала гостья.

— Может, все было наоборот? — вздохнул полковник. — Вначале Балабанова расправилась с кем-то, а затем некто убил ее? Так логичнее.

Я пнула приятеля под столом по ноге. Неужели он не понимает, что Марфа врет? Она хочет поселиться у нас, чтобы вынудить Феликса превратить ее в ведьму. У сей мадам большие проблемы с головой, ей нужна помощь психолога. Или даже психиатра.

— Она лежала там в снегу, — прошептала Марфа, — и улыбалась.

Интересно, где в мае можно найти в Подмосковье снег? В особенности если на дворе необычно для весны тепло, вчера градусник показывал плюс тридцать.

— Зачем я только за мороженым пошла? — всхлипнула гостья. — Сейчас бы ничего не знала, спала бы себе спокойненько!

Я вздрогнула. Где в мае можно найти снег? В холодильнике! Дегтяреву в голову пришла та же мысль, он уставился на Марфу.

— Вы обнаружили тело в морозильнике?

— В самом дальнем, который Ника строго-на-строго запретила мне открывать, — подтвердила гостья, — в чулане, куда ходить нельзя. Вы не даете мне по порядку рассказать!

— Хорошо, — сдался полковник, — излагайте подробно.

— От курицы? — уточнила Медведева.

— Да, — согласился толстяк. — Прямо от несушки!

Глава 6

Марфа родилась и выросла в маленьком подмосковном городке Бугайске, все население коего работало на фабрике, где производили постельное белье. Самой главной начальницей там была ее мать. Местный мэр и все остальное руководство вскакивало и вытягивалось в струнку, когда Евдокия Тимофеевна Медведева входила в здание, в котором располагались их чиновничьи кабинеты. Догадываетесь, как к доченьке царицы относились в местном детском садике, а потом в школе? Девочка воспитывалась как наследная принцесса, ей все кланялись в пояс, и большинство родителей велело своим отпрыскам дружить с Марфой. На днях рождения у младшей Медведевой плясала армия гостей, а из дорогих подарков складывалась башня до потолка. Вот только Марфе не нравилась толпа, она росла тихим ребенком, больше всего на свете любившим читать сказки. Но мамочка велела ей дружить с теми ребятами, чьи родители по разным причинам были нужны директрисе фабрики. Единственной девочкой, с которой дочь Евдокии Тимофеевны проводила время по своей воле, была Вероника Балабанова.

Честно говоря, Ника не могла считаться подходящей компанией для наследницы самой Медведевой. Балабанова росла в неблагополучной семье, ее воспитывала одинокая мать. Правда, плохо у Балабановых стало не сразу. Лидия Алексеевна заведовала местной библиотекой, а Сергей Петрович был начальником автобазы. Он иногда выпивал по воскресеньям рюмочку, да и во время обеда опрокидывал стопочку, но никто не видел его валявшимся в канаве. Лидия же Алексеевна не прикасалась даже к сидру, домашнему яблочному вину крепостью в два градуса. Но все изменилось после неожиданной смерти Балабанова.

За полгода вдова превратилась в алкоголичку, к бутылке она прикладывалась с завидным постоянством, начисто забывая, что у нее есть дочь. Ника, когда мамаша валилась мертвецки пьяной на диван, бежала к подружке, а у Медведевых в холодильнике всегда было полно вкуснятины. Зинаида Ефимовна, няня Марфы, жалела сиротку, всегда кормила ее, отдавала девочке платья, которые уже не хотела носить ее воспитанница.

Протрезвев, Лидия вспоминала о существовании дочурки, приходила к Медведевым с вопросом: «Моя, случайно, не у вас?» — и получала жесткий выговор именно от няни.

В девяностые фабрика постельного белья закрылась, местное население осталось без работы и быстро превратилось в нищих. Продать дома-квартиры, уехать в Москву, устроиться торговать там на рынке люди не могли. Накоплений у них не было, жилье в Бугайске стоило копейки, на вырученную от продажи сумму в столице даже комнатенку в коммуналке нельзя было приобрести. Ну кому может понадобиться жилплощадь в Бугайске?

Почему местный люд не стал ездить в столицу на заработки, как поступали жители почти всех близлежащих к мегаполису населенных пунктов? Главное слово в предыдущем предложении «близлежащих». Бугайск же находится на границе с Тверской областью. Хозяева всех московских мелких торговых точек, владельцы ларьков требовали от продавцов вставать за прилавок в шесть тридцать утра, чтобы не упустить покупателей, которые спешат на работу. Москвич может проснуться в пять, оказаться в назначенное время на рабочем месте и вовремя начать торговать. А что делать человеку из Бугайска? Первая электричка отправлялась из городка в столицу в шесть. Можно было, конечно, снять угол в Бутово, но ведь за него весь заработок отдашь.

Сначала местный люд растерялся, потом стал жить за счет огорода и каких-то ремесел. Женщины шили, вязали, раз в месяц ехали торговать своими изделиями в Москву, кое-кто устроился няней, домработницей с проживанием, мужчины нанимались на стройки, дорожные работы. А вот Евдокия Тимофеевна первая открыла в Бугайске супермаркет, стала торговать продуктами, одеждой, всякой мелочью и — преуспела.

Девочки-подружки получили аттестаты о среднем образовании, и Ника предложила Марфе:

— Поехали навсегда в Москву жить.

— Зачем? — испугалась Медведева-младшая.

— В столице больше возможностей, — ответила Балабанова. — Что нас в Бугайске ждет? Замужество с уродом или бутылка, как мою мамашу.

— О мертвых плохо не говорят, — вздохнула Марфа.

— А что хорошего о ней сказать можно? — спросила Вероника и задрала кофту. — Ты забыла про шрам? Кто в меня горящей сигаретой ткнул? Мамочка любимая! Померла, и ладно. Отдельное выпивохе «спасибо» за то, что на тот свет отправилась, когда мне уже шестнадцать исполнилось, поэтому угроза приюта отпала. Я все продумала. Денег нам Евдокия Тимофеевна в долг даст. Слушай, что мы сделаем...

Идея, которую озвучила подруга, захватила Марфу, и девочки помчались к старшей Медведевой. Ника выложила перед ней свой бизнес-план. В Москве есть агентство, которое нанимает девушек семнадцати-двадцати лет для работы за границей в качестве аниматоров. Развлекать отдыхающих дело нехитрое, тем более что сначала предлагают три месяца учиться на бесплатных курсах. Потом тебя отправят на год на какой-то курорт, жить предстоит в гостинице, еда и номер бесплатные. Оклад солидный, пять-семь тысяч долларов в месяц, да еще чаевые в придачу. Марфа и Вероника хорошо заработают, вернутся в Москву, купят себе квартиры... и начнут выпускать журнал мод.

Евдокия Тимофеевна выслушала не перебивая страстную речь Вероники и поинтересовалась:

— А от меня-то что надо?

— Денег на съем квартиры в столице, на еду, транспорт, — начала загибать пальцы Балабанова. — Мы потом вернем.

— Где же ты нашла фирму, которая такие выгодные условия предлагает? — задала следующий вопрос владелица супермаркета.

— В Интернете, — пояснила Балабанова. — Там много организаций, я выбрала самую солидную, у нее лицензия от правительства, на сайте ее фото есть.

— Ладно, — кивнула Евдокия Тимофеевна, — ступай домой, мне подумать надо. Бизнес сейчас на спаде, свободных средств почти нет.

Когда Ника убежала, мать налетела на Марфу:

— Только через мой труп! Ника глупость затевает! Ни в какой гостинице вы не окажетесь, семь тысяч долларов в месяц за хороводы вокруг бассейна не дают. Да, вас, дурочек, доставят за границу, но в качестве проституток.

— Ты ошибаешься, мама, — попыталась спорить дочь, — это агентство с хорошей репутацией.

— Никогда! — отрезала Евдокия. — Точка! Хватит чушь нести. Пора тебе перестать баклуши бить и о ерунде думать, впрягайся в семейный бизнес. Завтра поедешь в Москву, у меня проблемы с поставщиками. Автобус уходит в четыре утра, на базу надо прибыть не позже семи. Сейчас объясню, что делать надо. Вот телефон, Вера Ивановна тебя на постой возьмет.

— Мне в столице долго жить придется? — испугалась Марфа.

— Столько, сколько надо, — не дрогнула мать. — Решила, что я одна и дальше семейную повозку тянуть буду? Пора тебе взрослеть и работать начинать.

Марфа задержалась в Москве на две недели. А когда вернулась, узнала, что Ника покинула Бугайск. Нить, с малолетства связывавшая Балабанову и Медведеву, оборвалась. Вероника как в воду канула, о ней не было никаких сведений.

Марфа очень скучала по единственной подруге, позднее пыталась ее найти с помощью Интернета, но безуспешно. Номер телефона Балабановой она не знала, в Бугайске у Ники мобильного не было.

Шли годы, Марфа работала у матери в магазине продавщицей. Замуж она не вышла — не нашлось достойного мужчины. Жизнь в Бугайске потихоньку наладилась, пара предпринимателей снова открыла там фабрику, наняла Евдокию Тимофеевну управляющей. Город разрастался и даже похорошел. Да только Марфа понимала: для нее здесь будущего нет. Ей очень хотелось замуж, родить ребеночка, но женихи на горизонте не маячили, а часики тикали. Свободные вечера она проводила в Интернете — лазила по чужим аккаунтам и тихо плакала. У всех женщин бурлила красивая личная жизнь, они имели свои квартиры, машины, модную одежду, проводили время в кафе, веселились с подругами, играли свадьбы, не нуждались в деньгах... А что у нее? Продуктовый магазин? Вечер у ноутбука?

— Пошла бы ты погуляла, — говорила дочери мать. — Чего сидеть дома в выходной?

Марфа привыкла не спорить с родительницей, поэтому молча одевалась, выходила на улицу и — замирала. Куда отправиться? Подруг-то нет. В супермаркете, кроме нее, работали еще четыре женщины, но им было хорошо за сорок, у каждой семья, разговаривали они о кулинарных рецептах, детях, свекровях. Марфа не могла поддержать ни одну из тем, отношения с коллегами у нее не сложились.

Постояв на улице, девушка брела в кино, смотрела какой-нибудь фильм и возвращалась домой.

— Хорошо провела время? — спрашивала мать.

— Очень! — врала Марфа. — Повеселилась от души, мы с приятельницами были в кафе.

Год назад в ее жизни случилось два события — внезапно умерла Евдокия Тимофеевна и магазин перешел к Марфе. А через шесть месяцев, когда она стала законной наследницей, ее неожиданно отыскала Вероника.

Медведева когда-то пыталась связаться с Никой, потом поняла, что подругу не найти, и прекратила поиски. И вдруг! Войдя вечером в свой аккаунт, где не было никаких друзей, Марфа увидела, что на нее подписалась некая «Фэшн-красота». Она удивилась, открыла сообщение, прочла его и заплакала от радости. Ее нашла Ника! Балабанова появилась в самый трудный час, когда Марфа, потеряв мать, ощутила себя абсолютно одинокой, никому не нужной, неинтересной. На нее даже в Интернете никто внимания не обращал, а в телефонной книге мобильного Марфы было всего несколько номеров: продавщиц из магазина, мамы и няни Зинаиды Ефимовны, которую Евдокия Тимофеевна, став снова управляющей фабрики, сделала директором своего супермаркета.

И вот объявилась Вероника!

Глава 7

Ника усиленно зазывала Марфу в Москву. Балабанова жила очень хорошо, владела рекламным агентством, снимала ролики, много зарабатывала.

«Хватит гнить в Бугайске, — писала она, — продавай квартиру со всем содержимым, магазин, дачу и ко мне. Я устрою тебя на приличную работу, найду мужа, знаю много холостых богатых парней».

А Марфа все не решалась. С одной стороны, ей очень хотелось стать счастливой женой и мамой двух прелестных деток, девочки и мальчика. Но с другой стороны, было страшно — ну как это, все продать и податься в Москву?

Зинаида Ефимовна, у которой Марфа спросила совета, ответила, как отрезала:

— С ума сошла? Сколько лет ты с Никой не общалась?

— Много, — вздохнула ее воспитанница.

— Вот теперь и подумай, — продолжала бывшая няня, — почему Вероника раньше не появлялась, а сейчас вдруг, нате, прорезалась.

— Она меня найти не могла, — пояснила Марфа.

— Ты что, скрываешься? — прищурилась Зинаида Ефимовна. — Прячешься в Интернете под чужим именем или кличкой?

— Нет, — засмеялась девушка. — Зачем? Я там Марфа Медведева со своим фото. Но, поверь мне, человека в Сети не так легко обнаружить. Я вот Нику не отыскала.

— Так твоя подруженция называется как-то по-глупому, — поморщилась бывшая няня, — фи... фе...

— «Фэшн-красота», — подсказала Марфа.

— Ну и словцо, — неодобрительно заметила старушка. — Красота — это, конечно, хорошо, а этот... фишн... что вообще это такое?

— Мир моды, — объяснила девушка. — Ника интернет-журнал с таким названием выпускает. Я его видела, очень интересный.

Няня скрестила руки на груди.

— Следовало тебе давно правду рассказать, да Евдокия Тимофеевна не хотела, чтобы ты знала, и я молчала. Думаешь, почему мать одна Веронику воспитывала?

— Ее муж, отец Ники, умер, — пояснила Марфа. — Зачем спрашиваешь? О его смерти все знают.

— Верно, — кивнула Зинаида Ефимовна. — Но скончался Сергей не тогда, когда дочка в первый класс пошла, а позже, ей уже лет тринадцать стукнуло.

— Ты путаешь, — возразила воспитанница.

— А вот и нет, — вскинула подбородок бывшая няня. — Когда мать Нике соврала, что ее отец на тот свет уехал, его на самом деле арестовали. За мошенничество. Балабанов брал у людей деньги, обещая продать им машину по цене завода, и в начале аферы отдавал покупателю автомобиль за смешные рубли. Он открыл в столице офис, народ в его контору рекой потек, Сергей нахапал миллионы и — скрылся. Кинул всех. Семью тоже бросил. Да все равно его нашли, осудили, за решетку отправили. И очень правильно — не воруй! На зоне он туберкулез подцепил, сгорел быстро.

— Ошибаешься, — затрясла головой Марфа. — Кто-то из соседей наверняка бы проговорился про тюрьму, но ни один человек слова об аресте не вымолвил. Все говорили: Балабанов скоропостижно умер, погиб, его поездом в метро задавило.

Зинаида Ефимовна усмехнулась.

— Так это Лидка, мамаша Ники, народ надула. Ей из московской милиции позвонили, она в город поехала, правду о муженьке-аферисте узнала. Когда назад вернулась, хватило ума никому не проболтаться. Только к Евдокии Тимофеевне пришла и все как есть выложила, в ноги ей упала, денег на адвоката попросила. Твоя мать ей десять тысяч долларов дала. Но не помог законник, отбыл Сергей на зону. Лидия же всем наврала, что он с платформы свалился, в коме лежит в столице. А когда приговор озвучили, мужа мертвым объявила и пить начала. Долг, конечно, не вернула. Да твоя мама на возврат денег и не рассчитывала. Евдокия Тимофеевна суровой казалась с виду, но в душе была жалостливой. Ну а через несколько лет Балабанов и впрямь умер. Повезло Лидке, никто правду не выяснил. Мне вот что интересно: а Нике она истину открыла, или та до сих пор пребывает в неведении? Даже если и так, получается: Сергей мошенник, Вероника ему хоть дальняя, да родственница, генетику салфеткой не смахнуть.

— Дочь нельзя назвать дальней родственницей, — поправила Марфа.

На лице Зинаиды Ефимовны появилось странное выражение, старушка пожала плечами.

— У тебя пока детей нет, а когда своего родишь, воспитаешь, тогда и поймешь: очень часто собственные отпрыски дальше чужих. Но я вообще-то о другом хотела сказать. Неужели ты не понимаешь, что в Интернете вранья много? У Ирины, нашей продавщицы, дочка фотографируется на фоне чужих машин и в магазинах дорогой одежды, потом пишет под снимками: «Мне подарили новые колеса», «Покупаю очередную шубу». На самом деле у нее ничего этого нет. Думаю, Вероника такая же аферистка, как Сергей. Тебя небось она давно отыскала, видела фото, но не собиралась объявляться. Зачем ты Балабановой? Что с тебя состричь можно было? А теперь... Признайся, ты писала в компьютере, что наследницей матери стала, все ее имущество получила?

— Да, — смущенно улыбнулась Марфа, — дневник там веду. Откровенный. Но у меня подписчиков нет, я для себя пишу. Легче становится на душе, когда переживания хоть куда-то выплеснешь.

— Вот уж глупость! — вскипела няня. — Уверена, поэтому Ника и появилась на твоем горизонте, кружит, как ястреб над цыпленком. Ой, сожрет она тебя! Наверняка девице твои деньги нужны.

Наивная Марфа расплакалась, а Зинаида Ефимовна велела ей:

— Сиди в Бугайске. У тебя здесь хорошая квартира, дача, магазин.

— Хочу замуж, — прошептала Марфа, — а в нашем городе жениха не найти.

— От мужиков одни неприятности, — поморщилась пожилая женщина. — Не дай бог, забеременеешь от друга милого, а он удерет, придется тебе одной с малышом мучиться. Лучше живи в свое удовольствие.

Бедная Марфа оказалась меж двух огней. Ника каждый день звала ее в столицу, писала, что непременно устроит судьбу подруги наилучшим образом. А Зинаида Ефимовна постоянно говорила:

— Аферистка тебя оберет и на помойку выкинет. Она вся в Сергея, отца своего, — назанимала в свое время перед отъездом в Москву у людей денег, пусть и небольшие суммы, но до сих пор никому ни копейки не вернула.

Марфа ничего не знала о долгах Ники, поэтому спросила у нее, правду ли говорит Зина.

Вероника возмутилась:

— Вранье! Кто мне, кроме твоей матери, мог хоть копейку дать? Да только Евдокия Тимофеевна отказала. Знаешь, почему Зинаида тебя против меня настраивает? У нее племянник есть.

— Витя, — подтвердила Марфа. — И что?

— А где он сейчас? — продолжала Балабанова.

— Работает в Питере. Кем — понятия не имею, — пояснила Марфа, — в Бугайск он давно не прикатывает.

— Твоя наивность беспредельна, что ни скажут, всему веришь! — расхохоталась Ника. — Витя наркоман, на игле сидит. Нужны деньги на *его* лечение, и нянька твоя бывшая у тебя хочет их взять. А мне твои копейки без надобности, я владелица многомиллионного бизнеса. Когда Зинаида тысячи клянчить у тебя станет, спроси ее: «Что, опять племянничек за старое принялся? Хочешь его в клинику положить? Неужели не надоело из Виктора человека делать?»

Ника словно имела экстрасенсорные способности. Буквально на следующий день Зинаида Ефимовна обратилась к воспитаннице с просьбой дать ей в долг денег на ремонт квартиры. И Марфа задала ей вопрос, посоветованный Вероникой. Бывшая нянька разрыдалась, потом закричала:

— Это все неправда!

Вышла некрасивая сцена.

Когда Зинаида Ефимовна вся в слезах убежала, Марфа решила написать Нике. Открыла ноутбук и в ленте новостей соцсети обнаружила сообщение про общество «Ведьмы Подмосковья»...

Девушка прервала рассказ, схватила со стола бумажную салфетку, прижала ее к глазам и начала всхлипывать.

— Я поняла сразу: если стану колдуньей, получу все, чего мне не хватает. Стала писать профессору, проситься к нему. Он сначала не отвечал, затем пришел ответ: «Простите, это была шутка, такой организации не существует». Ясно же, что он наврал, не хотел меня брать...

Медведева затряслась.

— И вот тогда я решила: все продаю и переезжаю в Москву, буду жить у Вероники и искать Маневина. А когда найду, стану перед ним на колени... Так я оказалась в поселке Ложкино. И тут обнаружилось, что профессор — сосед Ники по поселку. Невероятное везение! Даша, понимаете, какое это счастье?

Марфа схватила меня за запястье, и я вздрогнула — на секунду мне показалось, что руку обожгло огнем, такими горячими были пальцы гостьи.

— У вас температура? — спросила я.

— Нет, прекрасно себя чувствую, — заверила Медведева.

Дегтяреву надоело слушать ее биографию, он решил выяснить, что же случилось у Балабановой.

— Итак, вы приехали к Нике, поселились у нее в доме, потом пришли к Дарье, чтобы упросить Маневина принять вас в общество «Ведьмы Подмосковья»...

— Нет, — вдруг возразила Марфа. И стала объяснять: — Туда, в смысле в организацию, берут только колдуний, а я еще ничего не умею. Хочу учиться в Академии магии, которая открыта при обществе. Но мне говорят, что можно только заочно. А я хочу очно! Потому что там преподает сам профессор и лучшие Бабы-ёги!

— Бабы-ёги... — эхом повторила я. — Но мой муж не читает лекции нечистой силе!

— Даша, подожди, — попросил меня Александр Михайлович. — Марфа, что сегодня произошло в коттедже Ники?

Медведева покачала головой.

— Я так сумбурно не могу рассказывать, надо по порядку. Значит, слушайте. Продала я в Бугайске все: квартиру, магазин, дачу. Хорошие деньги получила. Ох и страшно же было, когда их сюда везла! Вдруг кто догадается, что у меня такие ценности при себе?

Она помолчала.

— Хорошо, что Ника за мной примчалась, — продолжала Марфа.

Я встрепенулась.

— Вероника вас сопровождала?

— Да, — кивнула собеседница, — на станции меня ждала. До платформы я добралась с дядей Колей, он в магазин продукты на своем грузовичке доставлял, а в поезд мы вместе с Никой сели. В вагоне она у меня сумку отняла, между нами поставила и велела: «Не идиотничай, сиди как ни в чем не бывало». И в Москве сама ее несла. А в Ложкине сразу спрятала.

— У Балабановой же есть машина, — удивилась я, — видела ее за рулем. Почему она за вами на ней не приехала? Опасно путешествовать на общественном транспорте с большой суммой денег.

— Да, у нее были колеса, — подтвердила Марфа, — но Ника авто продала, заказала в салоне новое. А магазин подвел, не пригнал «БМВ» вовремя. Только через несколько дней после моего приезда Вероника купила джип. Такой красивый! Белый, салон из кожи молочного цвета... Я прямо сесть в него не решаюсь.

— Квартиру себе вы подыскали? — спросила я.

— Вероника этим занимается, — пояснила Медведева. — У нее есть знакомый, владелец «Инвестзданиемонтаж», Ника меня уже водила в два дома. Но ни ей, ни мне апартаменты не понравились.

— Так, про деньги я понял, — остановил Медведеву полковник, — теперь хочу услышать, из-за чего вы к нам среди ночи прибежали.

Марфа затряслась. И начала опять «по порядку», то есть издалека.

— Вечером я помылась, легла спать. Ворочалась-ворочалась и надумала мороженое съесть. У Ники три холодильника, два на кухне, один в кладовке. Балабанова велела к нему не приближаться, сказала, там еды нет. Но в первых двух я пломбира не нашла, поэтому решила в чулане поискать. Да, я помнила, что туда заглядывать нельзя, но подумала: может, Ника так сказала именно потому, что в том морозильнике полно вкусного мороженого, а она им делиться не хочет? Холодильник длинный такой, прямоугольный, у него не дверь, а крышка. Я подняла ее, а там... Ника. Мертвая! В инее вся! Я испугалась, помчалась назад в комнату. Бегу по коридору, мобильным дорогу освещаю и слышу в ее спальне голоса... Осторожно заглянула — Вероника душит Зинаиду. Ох... И лицо у Ники такое... До смерти я перетрухнула! Как же, одна Вероника во льду, а другая няню мою убивает...

— Подождите! — попросила я. — Вы в начале разговора не сказали, что жизни лишили няню, которая вас воспитывала. И заявили, что Ника выстрелила.

Медведева закрыла лицо руками.

— Я так испугалась! До жути! Не поняла сразу, кого она на тот свет отправить решила. И мне показалось, что Ника стреляет. «Ба-бах» услышала. А затем... Нет, я видела, как она ей шею сдавила. Но это я уже потом, когда у вас очутилась, сообразила. А позже меня осенило: Балабанова Зинаиду Ефимовну убила. Прическа была как у няни. И бусы. Вероника с ума сошла, точно! Знаете, она себя с момента моего приезда странно вела. Я ей по дороге в Москву про общество «Ведьмы Подмосковья» рассказала, попросила помочь мне найти Феликса Маневина, объяснила ей все. Телефонные-то номера я легко узнавала. Мой сосед в Бугайске работает в офисе мобильного оператора, и он мне их на раз сообщил. И адрес профессора из клиентской карточки добыл. Я отправила по нему посылочку, но та вернулась. Сосед объяснил: «Такое часто бывает. Может, человек место жительства сменил, а нам не сообщил». Ну и пришлось мне к Нике обращаться. Она пообещала и через день сказала: «У меня есть приятель, который любую информацию раздобудет в минуту. Так вот, Маневин из Москвы уехал, работает за границей».

Рассказчица тяжело вздохнула, будто снова переживая неудачу в своих поисках.

— Я ужасно расстроилась. Потом спросила: «Я часто беседовала и с ним, и с членами его семьи, в том числе по городскому номеру. Как же такое получалось, если они не в России?» Вероника пояснила: «Так они только что отбыли. А квартиру сдали. Не звони больше туда, не беспокой посторонних людей». Потом Ника дала мне компьютер и предложила: «Посмотри, какие женихи тут есть, пока я в магазин схожу». И убежала. А мне через десять минут скучно стало — мужчины все противные были, старые, лысые. Вышла во двор, смотрю — Маневин идет с собакой! Я прямо онемела. Ну этого не может быть! Профессор в Ложкине живет? Невероятно! Скорее всего, это не он, просто похожий человек. Я крикнула: «Добрый день, господин Маневин, как дела?» Мужчина остановился, улыбнулся. «Здравствуйте. Рад вас видеть. Все прекрасно. Вот, псина наша, как обычно, через забор перелезла и удрала. Еле поймал ее. Хорошего вам дня». И в дом вошел. А я так растерялась, что онемела, разговор продолжить не смогла. Потом очнулась, оделась и к вам кинулась. Видела ведь, в какой дом Маневин вошел, — улица-то прямая, я заметила, какую калитку он открыл.

— Мафи любит удирать и через забор ловко перелезает, — пробормотала я. — А мой муж человек вежливый, всегда скажет пару приветливых фраз, если с ним здороваются.

— Выходит, знакомый Вероники ошибся, — продолжала Марфа, — не уезжали вы за рубеж. Очевидно, профессор не хочет ни с кем общаться. Но мне-то очень надо! Правда, Анастасия Задуйветерврылокашу...

— Кто? — подпрыгнула я.

— Личный секретарь профессора, Анастасия, — пояснила Марфа. — Фамилия у нее смешная — Задуйветерврылокашу.

— Задуйветервносчай, — машинально поправила я.

— Ой, точно! — смутилась гостья. — Она организует консультации самого профессора и ваши. Дарья, вы мне чайку не нальете?

— Мои? — изумилась я и пошла к чайнику. Взяла с полки белую чашку, наполнила ее напитком и подала гостье.

— Спасибо, — улыбнулась Медведева. — Ну да, вы же ведьма, поэтому и работаете с мужем.

Дегтярев издал всхлип. Затем выдал:

— Дарья не просто колдунья, она главарь шабаша.

Я разозлилась на полковника. Ну разве можно так шутить с психически больной женщиной? Феликс с Романом уже повеселились один раз, и вон что получилось.

— Знаю, — прошептала Марфа. — Вы шикарная Баба-яга, лучше всех научите меня ведьминской науке. Вот я и говорю: хочу очно обучаться в Академии магии. А мне отвечают: «Такой нет». Но мне же очень надо!

Я тряхнула головой. Час от часу не легче...

— Марфа, о каких консультациях вы ведете речь?

Гостья залпом опустошила чашку и показала на айпад, лежавший около вазочки с печеньем.

— Там же есть ваш сайт.

— А-а-а... — протянула я. — Можете его открыть? Понимаете, я не умею пользоваться компьютером. У нас всем Анастасия Задуйветерейвмозггеркулес заправляет.

— Это легко, — кивнула Марфа и вздохнула. — Можно взять ваш планшетник?

Я подала гаджет гостье. Марфа начала водить пальцем по экрану.

— Вот, смотрите... Это ваша страница. Узнаете?

— М-м-м, да, — сквозь зубы процедила я.

— Красивый дизайн, — похвалила Медведева. — Тут рассказ об обществе и можно посмотреть отзывы посетителей, как им ведьмы помогли, работу наворожили, мужа, ребенка... Теперь нажимаем на кнопку «Помощь»... Читайте!

Я схватила айпад и увидела на экране текст: «Если хотите получить совет профессора Маневина, ведьмы Дарьи, оракула Григория или еще кого-то из списка, изложите свою проблему и отправьте нам».

— Я вам тридцать писем отправила, — призналась гостья. — Аккуратно оплатила и получила рецепт, как мужа приманить. Делала обряд с сахаром по вашему совету, но ничего не вышло. Поэтому я и стала вам звонить — решила профессиональной ведьмой стать с помощью очного обучения. Заочно-то у меня не получалось. Наверное, я очень тупая. На странице полно отзывов тех, кто с помощью Интернета колдуньей стал, а у меня полная неудача. В конце концов я написала: «Хочу брать очные уроки». А мне ответили, что только заочные можно, в Сети. Но мне, повторяю, очно надо! На сайте очень хорошие фото. Феликс просто красавец, а вы, Даша, такая лапочка-лапочка! Хорошо, что вы придумали снимки разместить, иначе б я профессора не опознала, когда он по поселку гулял.

— При первой нашей встрече вы меня перепутали с Игорем, — напомнила я.

— Это от волнения, — смутилась Марфа. — Так обрадовалась, что вижу вас! Жаль только, что подготовка к походу на Лысую гору шесть месяцев занимает. Ой!

Марфа зажала рот рукой.

— Что такое? — хором поинтересовались мы с полковником.

— Я так испугалась, что забыла об условии, — всхлипнула Марфа. — Ну вы же знаете... таблетки...

— Какие? — спросил Дегтярев.

— Ведьминские, — прошептала Медведева, — Дарья мне их прислала.

Александр Михайлович нежно улыбнулся.

— Я к ведьмам отношения не имею, уж поясните мне.

Гостья робко тронула меня за руку:

— Может, вы сами?

Я быстро придумала ответ:

— Нет, хочу послушать ваш рассказ, удостовериться, правильно ли вы все поняли.

Марфа поежилась.

— Я к вам после того, как у вас в гостях побывала, все звонила, звонила... А потом вы передали через Нику коробочку для меня, а в ней розовые пилюли, кругленькие, на них буква «W» нарисована. Вероника объяснила: Маневин оценил мою настойчивость, решил обучать меня очно, а затем принять в общество ведьм. Но без особой чистки организма этого сделать нельзя, надо сначала избавиться от токсинов. Мне следовало ложиться спать в девять вечера, не есть мяса, питаться умеренно, не пользоваться телефоном, ни с кем, кроме Балабановой, не общаться и принимать два раза в день таблетки. Буква «W» на них от слова «ведьма». С вами и Феликсом полгода встречаться нельзя. Если я нарушу это правило, отсчет времени сначала пойдет.

Я слушала психически нездоровую девицу, которая, словно мантру, повторяла: «Мне говорят: только заочное обучение, а я хочу очное, мне надо очное», и поражалась буйной фантазии Ники Балабановой, которая придумала эту историю. Вот почему Марфа оставила нас в покое — она готовилась к обряду. Интересно, какое лекарство глотает Медведева? Скорей всего это витамины.

— А я сейчас у вас, — всхлипывала Марфа, — нарушила условие. Придется все заново начитать.

— Думаю, вам простят несколько дней, — заверил Дегтярев.

— Ох, спасибо! — радостно прощебетала бедолага. — Дарья, вы очень хорошая ведьма.

— М-м-м, — пробормотала я.

— Такие простые тексты пишете, — продолжала Медведева, — и совсем не так уж дорого берете. Хотя, конечно, не дешево.

— Ага, — процедила я, — ну да, ну да, консультации стоят денег. Марфа, до сообщения про ведьминские таблетки мы как раз обсуждали советы Маневина, мои и других специалистов. Надеюсь, у вас не было проблем с оплатой? Я имею в виду способ расчетов. Как вы деньги передавали?

— Вот тут на сайте даны все реквизиты, — пояснила Марфа, нажимая пальцем на слово «платеж». — Кредитная карта, киви-кошелек, яндекс-деньги, Билайн, пэй-пал... Прайс подробный. Самая дорогая, конечно, консультация Маневина — пять тысяч, ваша — три, остальные по полторы штуки. Здесь же список ведьм. Арина специализируется на проблемах с детьми, Ванда поможет наладить отношения в семье... Оплатили консультацию, задали вопрос — и вам на почту приходит ответ.

Я посмотрела на Дегтярева. Тот развел руками, но промолчал.

— Очень благородно, что все средства, которые вы зарабатываете, отправляются в фонды помощи больным детям, — прошептала Марфа, — не только получаешь добрый совет, но и делаешь доброе дело. Видите сообщение: «Доход отправляется по милосердным адресам, к детям-инвалидам». Ой, что-то душно у вас... Как будто воздух из комнаты исчез...

Марфа закашлялась. Я встала и открыла окно.

— Мед положите в чай, — предложил Дегтярев, — он простуду купирует.

— И так очень сладко, — сдавленным голосом произнесла гостья. И вдруг упала лбом на стол.

Глава 8

Спустя несколько часов, когда от нас, забрав с собой труп Марфы, уехал эксперт Леонид, мы с полковником пошли к Веронике.

— Была вроде физически здоровая женщина и — раз... умерла, — бормотала я. — Только что нормально разговаривала, пила чай, и все, нет человека. Ладно бы Марфе исполнилось девяносто лет, в таком возрасте всякое случиться может. Но она молодая!

— Наверное, тромб оторвался, — предположил Дегтярев. — Может, Медведева принимала какие-то лекарства, которые увеличивают вязкость крови.

— Я решила, что у Марфы с головой беда, она выглядела странно, — призналась я. — Что, если она состояла на учете у психиатра? Врачи иногда прописывают таблетки, помогающие бороться с основной болезнью, но плохо влияющие на печень, сердце. Вдруг у бедняги случился инфаркт?

— Не стоит гадать, — остановил меня полковник, нажимая на кнопку домофона, который висел на калитке. — Панин разберется.

— Я обиделась на него, — поморщилась я.

— За что? — не понял Александр Михайлович.

Я удивилась.

— Неужели ты не слышал, как Леонид сказал своим подчиненным: «Упакуйте чашку, из которой пила Медведева. Да поаккуратней, там остатки чая. Его надо отправить на токсикологический анализ»?

— Все верно, — кивнул полковник, — нельзя исключать отравление.

Меня охватило возмущение.

— И ты туда же! Неужели думаешь, что я подсыпала гостье яд? А я вот полагаю, что это мог сделать ты!

— Никого нельзя исключать, — без тени улыбки заявил Дегтярев. — Порой преступником оказывается человек, на которого и подумать нельзя.

Я молча слушала приятеля. Здорово! Толстяк живет с нами много лет в одном доме, и он, член семьи, включил меня в список подозреваемых? Ну, погоди! Велю Ирке каждый день готовить на завтрак геркулесовую кашу — все наши едят ее с большим удовольствием, а вот Александр Михайлович овсянку ненавидит. И это еще не вся месть, только начало! Смотреть мне прямо в глаза и говорить про анализ чая в чашке? Конечно, кто Марфе чай заваривал, а потом наливал? Я... Ну, Дегтярев, держись! Александр Михайлович даже не догадывается, на что я способна, если разозлюсь!

Калитка щелкнула и открылась, мы с полковником вошли во двор и увидели на крыльце Веронику, одетую в синие джинсы и серую майку.

— Проходите, — предложила она. — Хотите кофе?

— К сожалению, у нас неприятная новость, — произнес Дегтярев. — Относительно Марфы.

— Да? — удивилась Балабанова. — Думала, она до сих пор спит — дверь в гостевую закрыта, в спальне тихо. Подруга опять к вам пришла? Снова приставала к господину Маневину? Мне казалось, что я убедила ее этого более не делать.

— Марфа прибежала к нам в районе двух ночи, — перебила я ее.

— Совсем с ума сошла! — возмутилась Ника. — Ну точно, голову потеряла окончательно! Умоляю, не сердитесь. Понимаете, Марфа всю жизнь под гнетом матери прожила...

— Она скончалась, — решился наконец сообщить Дегтярев.

— Да, да, — кивнула Вероника, — Евдокия Тимофеевна умерла, поэтому мне удалось уговорить подругу...

— На тот свет ушла Марфа, — уточнил Александр Михайлович.

На лице нашей визави неожиданно появилась улыбка, которую буквально через мгновение сменило сердитое выражение.

— Вы шутите? Но, уж простите, это очень глупая шутка.

— Увы, нет, нам не до веселья, — вздохнул полковник, — ваша приятельница скончалась у нас за столом.

Балабанова схватилась рукой за косяк.

— Умерла? Марфа? Вы что такое говорите? Вчера она спокойно легла спать... Почему вдруг ночью помчалась к вам? Что произошло?

— Давайте сядем и поговорим, — попросила я.

Вероника посторонилась.

— Входите. Боже! Марфуша! Этого просто быть не может. Нет, не верю... Неправда!

Глава 9

Услышав от нас подробный рассказ, Вероника встала.

— У Марфы были проблемы. И я вам о них расскажу. Но если она ночью решила полакомиться пломбиром и открыла холодильник, который, по ее словам, похож на сундук, то на самом деле увидела там тело.

— Труп? — уточнил полковник.

Я вцепилась пальцами в подлокотники кресла. Так... Медведева была не совсем здорова психически, и Балабанова ей под стать.

— Пойдемте, покажу Аню, — усмехнулась Вероника.

— Мертвую женщину зовут Анна? — спросил Александр Михайлович. — Фамилию можете назвать? Адрес прописки?

— Живет она здесь, в Ложкине, — ответила Балабанова. — Но лучше вам самим взглянуть, трудно объяснить словами.

Полковник встал.

— Подожду вас здесь, — малодушно сказала я.

— Нет, нет, пойдемте, — настаивала Вероника.

Делать нечего, пришлось плестись за ней.

Мы вошли в небольшую комнату без окон.

— Это чулан для запасов, — пояснила Ника, — слева полки со всякими банками. Дом я снимаю, консервы делала не сама, а хозяйка, очень милая женщина. Она мне сказала: «Ешьте что найдете и сколько хотите». Еще здесь находился морозильник, похожий на здоровенный сундук, он был пустым, поэтому я поселила там Аню...

Вероника подняла крышку, я зажмурилась.

— Ого! — воскликнул полковник. — Интересная штука. Почему на льду ее держите? Даша, открывай глаза, все нормально.

Я глянула внутрь гигантского холодильника и взвизгнула.

— Ника! Мертвая!

Балабанова посмотрела на меня.

— Стою тут совершенно живая. Перед вами манекен.

— Он в платье, — передернулась я, — с волосами. Кажется трупом. Жутко и отвратительно! Зачем вам эта кукла? Почему вы храните ее замороженной?

— Думаю, теперь нам лучше вернуться в гостиную, — ответила Ника, — там и поговорим спокойно.

Ежась, я поспешила назад, села в кресло и отказалась от любезно предложенного Балабановой чая. Дегтярев тоже не пожелал баловаться напитком.

— Значит, Марфа увидела куклу и решила, что перед ней ваш труп, — сказал он. — Ее можно понять — манекен очень натурально сделан. К тому же у него ваше лицо. Что все это значит?

Вероника пустилась в объяснения.

— За пару дней до приезда Марфы ко мне в офис приезжал заказчик, на редкость недоверчивый человек. Я объяснила ему технологию съемок, показала готовые работы. Нет, он уперся: хочу увидеть все собственными глазами. Пришлось его домой приглашать. Ох, пожалуй, надо все по порядку... Я владелица рекламного агентства, привлекаю для съемок только моделей, актрис.

Ника вынула из буфета альбом.

— Полистайте.

Дегтярев начал переворачивать страницы.

— Красивые женщины. Но некоторым, на мой взгляд, лет пятьдесят.

— Есть и постарше, — уточнила хозяйка, — в рекламе требуются разные типажи. Недавно мы делали ролик для производителя недорогих байковых халатов. Понимаете, кто их приобретает? Контингент не поверит, что бордовый кошмар из фланели может носить Настя.

Ника показала пальцем на снимок эффектной блондинки.

— А Мария Ивановна... — Вика перелистнула странички. — Вот она. Возраст ближе к семидесяти, на голове химия, внешность простецкая. Тетя Маша чудесно ужасные халатики, белье и унылые платья для пожилых демонстрирует. Люди смотрят на модель и думают: «О! Да она прямо как моя бабушка!» И берут домашнюю одежду.

— У вас тут вес, рост, фото, все объемы, размер ноги указаны, но нет телефонов, — заметила я. — Хотя по-

нятно, почему. Клиент может, минуя вас, с манекен-
щицей договориться. Полагаю, и имена не настоящие?

— Псевдонимы, — кивнула Вероника. — Да, это
мера безопасности. Есть клиенты, которые хотят поближе познакомиться, допустим, с Настей, просят
у меня ее контакт. Естественно, я не даю его. Если
человек сам искать начинает, то он ищет Анастасию
Ростову, студентку. А на самом деле девушку зовут
иначе, и она не учится в институте. Без моей помощи никто никогда настоящую модель не найдет. Де-
вицам я никогда не сообщаю, что ими заинтересовались. Зачем соблазнять? Кстати, многие из них замужем, подрабатывают себе на мелкие радости, мужьям
о съемках не сообщают. Теперь об Ане.

Хозяйка устроилась в кресле поудобнее.

— Я получила ее в подарок от бывшего мужа.
Гражданского. Энрике итальянец, мы с ним прове-
ли вместе несколько лет, потом мирно разошлись, но
сохранили дружеские отношения. Энрике не последний человек в фэшн-бизнесе, он постановщик шоу-
показов, много идей мне подсказал. Манекен — его
презент на прошлый Новый год. Аня ростовая фигура, но не дурацкая плоская картонка, фото на под-
ставке, а продукт новейших технологий, кукла, невероятно похожая на человека. Не так давно я возила
Аню на презентацию книги одной телеведущей, так
даже ее друзья бросились свою «Танюшу» обнимать.
На фигуру надевается любой парик, любое платье,
а лицо переводится с фотографии клиентки. Как это
делается, не скажу, коммерческая тайна. В рабочем
состоянии Анечка теплая, на ощупь прямо как человек, руки-ноги сгибаются, может принять любую
позу. Единственное неудобство — хранить манекен
нужно в замороженном состоянии, потому что вну-

три особый гель. В момент превращения наполнителя из льда в мягкую субстанцию выделяется много тепла. Видели когда-нибудь в аптеках пакеты от мышечной боли? Упаковка, вынутая из морозилки, холодная, твердая, но мнешь ее в руках, и она делается мягкой, горячей. Вот и с Аней так же. Кукла держит температуру тридцать семь градусов шесть часов, потом медленно остывает.

Балабанова сделала короткую паузу.

— А теперь о том упрямом клиенте. Чтобы получить заказ, то есть, как вы понимаете, заработок, я привела Аню в рабочее состояние, сделала ей лицо из своего фото, потом усадила манекен в гостиной, открыла дверь и сказала недоверчивому клиенту: «Проходите, располагайтесь. Сейчас сварю кофе. Вы не против минут десять провести в компании с Анютой, моей сестрой-близнецом?» Мужик вошел в комнату, а я в коридоре стою и слушаю, как он говорит: «Добрый вечер, Анна, я Владимир. Вы невероятно похожи на Веронику. Наверное, здорово иметь двойника? Прекрасно выглядите». Он еще пару минут кукле комплименты расточал, потом раздался вопль: «А-а-а! Она не живая!»

Вероника засмеялась.

— Заказ я тут же получила. Клиент, который ранее сомневался, что Аню с настоящей женщиной спутать можно, согласился на все мои условия.

— Понятно, — кивнула я. — Значит, Марфу напугала кукла. Но ваша подруга еще видела, как вы душите Зинаиду Ефимовну, ее бывшую няню.

Собеседница вдруг вытянула вперед руки.

— Видите объем моих запястий? У меня с руки все браслеты падают — костная система, как у мыши, я вешу меньше вас. Мне с моим запасом сил только людей душить... Ладно, допустим, я лишила жизни няню... Хотя зачем бы мне это делать, а? Я уехала из родного города очень давно, назад не возвращалась, никаких дел с людьми из своего детства давно не имею. И где пожилая женщина могла выяснить мой адрес, чтобы сюда заявиться? Я не прописана в Ложкине, зарегистрирована в комнате, которую купила, когда в Москву перебралась. Но ни одного дня там не ночевала, приобрела трущобу, чтобы получить статус столичной жительницы. Это я к тому, что соседи по квартире о Веронике Балабановой ничего не знают. Хорошо, будем считать, что я вас обманываю. Скажем, я сама зазвала сюда Зинаиду Ефимовну и убила ее. А куда дела труп? Закопала в саду? Для начала: мне ее тела с места не сдвинуть. И в детстве-то моем нянька Марфы килограммов восемьдесят весила, а сейчас, думаю, за центнер перевалила.

— Марфа вас видела, — остановил Балабанову Дегтярев.

Ника скривилась.

— Она и меня бездыханную в холодильнике обнаружила. Медведева вам сказала, где я с теткой разделалась?

— В своей спальне, — пояснил полковник. — Марфа шла по коридору в кромешной тьме, освещая дорогу мобильным, услышала крик из вашей комнаты и заглянула туда.

— Ага, — усмехнулась Вероника. — Посидите тут минут пять, сейчас вернусь.

Мы с Александром Михайловичем остались вдвоем.

— Когда Балабанова открыла морозильный сундук, на какую-то секунду я подумал, что вижу настоящий труп, — признался полковник. — А у тебя какие были ощущения?

— Самые неприятные, — вздохнула я. — В кладовке горит тусклая лампочка, при таком свете подробностей не разобрать. Жуткая вещь эта Аня. Марфа, наверное, до одури испугалась.

— Идите сюда, — закричала издали Вероника.

Мы с полковником поспешили на зов.

— Я создала те же условия, что в два часа ночи, — затараторила хозяйка. — Поясню, я не могу спать, если в комнате есть хоть одна полоска света. Даже крохотная. Мне для полноценного отдыха необходима абсолютная темнота. Поэтому на окнах непроницаемые рулонки и тяжелые портьеры. В коридоре лампа не горит.

Ника щелкнула выключателем.

— Еще я закрыла гардины на всем первом этаже. Итак, в доме ночь...

— Тьма кромешная, хоть глаз выколи, — пробормотала я, держась за стену.

— Марфа сказала вам, что шла, светя себе под ноги экраном мобильного. Дарья, достаньте трубку, включите фонарик, подойдите вот к этой двери и откройте ее, — скомандовала Ника. — Но не нараспашку, а чуть-чуть, так, как это сделала моя подруга, решив тайком посмотреть, что за шум доносится отсюда. Сделать это надо в момент, когда вы услышите женский крик: «Убью тебя, дрянь!» Поняли?

Я кивнула.

— Отлично! — воскликнула Вероника и шмыгнула в спальню.

Через пару секунд я услышала чуть надтреснутый голос пожилой женщины:

— Господи, что ты делаешь? Нет! Нет! Не надо!

— Зачем приехала? — зло спросил молодой женский голос. — Решила мне навредить?

— Нет, нет, я сейчас уйду.

— Убью тебя дрянь! Убью гадину! Задушу!

Я быстро приоткрыла дверь и обомлела. В спальне горел ночник. В его неярком свете было видно стоящую спиной ко входу стройную женскую фигуру в джинсах, сером пуловере, с прической «конский хвост». Ее руки вцепились в горло женщины лет шестидесяти пяти. Лица старухи я не могла рассмотреть, потому что ее голова откинулась назад, но седые мелкие кудряшки оказались на виду, равным образом, как и жемчужное ожерелье, которое спускалось с шеи на грудь жертвы. Пожилая дама была одета в темное бесформенное платье.

— Ах ты скотина! — выкрикнула молодая женщина и изо всех сил тряхнула свою противницу.

Та всхлипнула и рухнула на пол.

— Сдохла! — радостно выкрикнула победительница. — Сама виновата, надо было дома сидеть, а не в Москву переть.

В эту секунду вспыхнул верхний свет.

— Телевизор! — закричала я. — Кино!

— Новая технология, — кивнула Ника, — называется «эффект присутствия». Я, лежа в кровати в полной тьме, смотрела российский детектив, а картинка на экране объемная.

— Марфа убежала из кладовки, напуганная видом «трупа», услышала крик, приоткрыла дверь... а тут перед ее глазами умершая подруга душит Зинаиду Ефимовну. Было от чего бедняге голову потерять, — пожалела я Медведеву.

— Лица старухи не разглядеть, — подхватил Дегтярев, — но прическа, бусы, платье... Так выглядят многие пенсионерки — плотная женщина с седыми кудряшками и искусственным жемчугом на шее.

А убийца одета, как Ника: синие джинсы, серая майка. И волосы такие же, темно-русые, собранные в хвост... Медведева была в состоянии сильного стресса после посещения кладовки, вот и не сообразила, что наблюдает сцену из сериала.

— Хоть я и не напугана так, как Марфа, но тоже не поняла, что вижу работающий телевизор, — призналась я. — У этой модели экран словно в воздухе висит, у него отсутствует черная или серая окантовка. А изображение очень четкое. Я подумала, что присутствую при совершении преступления.

Глава 10

На следующий день вечером, вернувшись домой, Дегтярев показал мне фотографию пожилой женщины.

— Узнаешь?

— Седые кудельки, лишний вес, искусственный жемчуг, — перечислила я. — Это Зинаида Ефимовна?

— Ее фамилия Измайлова, — кивнул полковник. Взял с полки чашку, налил в нее заварку и залпом выпил ее. — Бывшая няня Медведевой живет в Бугайске. В Москву очень давно не ездила. Прекрасно себя чувствует.

— У страха глаза велики, — пробормотала я. — Несчастная Марфа. Отчего она умерла?

— В желудке девушки обнаружено вещество, название которого я не могу даже по бумажке прочитать, — вздохнул толстяк. — Этил метил, фосфат бомат... както так. Оно безобидно. Имеет приторный вкус.

— Когда ты предложил Марфе положить в чай мед, который поможет ей справиться с кашлем, она ответила: «И так очень сладко», — вспомнила я.

— Вопрос: где она этого фосфата нахлебалась?.. — начал Дегтярев и замолчал.

Я повернулась к холодильнику.

— Ну, продолжай.

Дегтярев не издал ни звука, я обернулась.

Александр Михайлович стоял молча.

— Всем привет! — весело объявила Маша, входя в комнату в сопровождении стаи наших любимцев. — Хочу познакомить...

Полковник кашлянул, и из его ноздрей неожиданно вырвались клубы красного дыма.

— Мама! — взвизгнула Маруська.

Александр Михайлович зашелся в кашле.

Одновременно со звуками изо рта толстяка вылетела туча разноцветных искр.

— А-а-а! — вскрикнул Дегтярев.

Теперь бравого бойца с преступностью окутало темно-синее облако.

Маша молча бросилась под стол, за ней туда же кинулся Хучик. Собака Афина, обладательница слабого мочевого пузыря, от ужаса мгновенно напрудила огромную лужу.

— Поганка, — сказал оконфузившейся псине ворон Гектор, сидевший у нее на спине, и, замахав крыльями, взлетел к потолку.

Поднимаясь вверх, он случайно задел хвостом симпатичного молодого человека, который, войдя вместе с Марусей, скромно стоял в сторонке.

— Зачем приперся? — вопросил Гектор.

Юноша, не ожидавший столь любезного приема, опешил. Дегтярев грозно вопросил:

— Кто это придумал?

Из ноздрей полковника повалили розовые клубы.

— Саша, что с тобой? — удивился Маневин, появляясь в столовой. — Что ты выпил? Кровь зеркального дракона?

— Нет, — ответил Александр Михайлович и снова стал кашлять.

При каждом звуке изо рта толстяка валили разноцветные клубы не то дыма, не то пара, которые тут же медленно поднимались к потолку.

— Офигеваю, — высказался ворон. — Предупреждали тебя, толстый, не ешь много, заболеешь!

Я уставилась на Гектора. Однако он намного умнее, чем я до сих пор считала.

— Я нашел спонсора! — заорал из коридора Гарик. — И модель для съемки! Здрасьти, Геннадий. Вот вы все отказали мне в финансировании, так я договорился с другим инвестором. Грызите колени от зависти, не вы прибыль от вложения получите.

Мафи встрепенулась, как всегда, испугалась, что Игорь заберет ее от нас, и бросилась под стол, где уже сидели Маша и Хуч. Мафуся не очень крупная, но крепкая, с сильными ногами. В момент опасности она движется со скоростью пушечного снаряда, сейчас траектория ее полета пролегала, на беду, там, где стоял неизвестный мне юноша. Мафи неслась, не разбирая дороги, и ткнулась пареньку головой под колени. Гость замахал руками, попытался устоять на ногах, но шлепнулся ничком на пол. Мафи пробежала по его спине и спрятала голову под стол. Ее задние лапы и филейная часть с загнутым хвостом остались снаружи. Может, дедушка Мафуси был страус? Иначе почему она считает, что в случае опасности, спрятав башку, останется целой и невредимой?

Вошедший в комнату Игорь споткнулся о ноги незнакомца и рухнул рядом с ним.

— Наш дурак дурнее всех, — выдал Гектор, который терпеть не мог Гарика.

— И что здесь случилось? — заорал Погодин, тоже входя в столовую и почему-то громко икая.

— Куча-мала, — объяснил ворон. Потом спланировал вниз, легонько тюкнул клювом Мафи в попу и радостно заявил: — Ранена!

Мафи живо вползла под стол целиком. Гектор издал звук, похожий на смех, и пропищал, изображая не пойми кого:

— Когда ужин дадут?

— Что происходит? Ик-ик, — сдавленным голосом спросил Гена. — О, Дегтярев радугой чихает! Ик-ик...

— Кто насыпал в чайник дрянь? — возмутился толстяк.

— О чем ты говоришь? — спросила я.

Маша вылезла из-под стола и подошла к юноше.

— Юра, ты жив?

— Да, — ответил парень, — все хорошо.

— Вставай, — велела Маруся.

Паренек поднялся.

— Никто не хочет узнать, как я себя чувствую? — обиженно спросил Гарик. — Не ушибся ли, упамши?

— Как дурак, — объявил Гектор. — Упамши! Ха-ха!

Юра тихо засмеялся.

Ворон сел к нему на плечо.

— Надо мной смеешься?

— Нет, Гектор, — улыбнулся юноша. — Я восхищен твоим умом. Знал, что вороны очень умны, но ты, пожалуй, многих людей по интеллекту превосходишь.

Птица начала тереться головой о щеку парня и мурлыкать, как кот Фолодя.

— Мяу, мр-мр, мяу...

— Ужин дадут? — осведомился Погодин. — Ик, ик... Кто написал на пол?

— Даша, — сказал Гарик, вставая.

Я взяла бумажное полотенце и начала промокать лужу. Маруся мигом притащила тряпку и вымыла пол.

— Где Ира? — удивился Феликс.

— Куда-то делась, — вздохнула я. — Сейчас поставлю чайник.

— Минуточку! — крикнула Маша. — Прежде чем...

— До того, как вы все начнете есть и ссориться, — перебил Манюню Гарик, — хочу познакомить вас с Наташей Кузнецовой. Она мега-супер-модель. Будет сниматься в рекламе моей чашки с пробкой.

Я окинула взглядом комнату и только сейчас заметила, что Игорь заявился не один. Около буфета молча стояла худенькая девушка чуть выше меня ростом. У нее были темные волосы длиной до середины шеи, а на носу большие очки. Стройную фигуру обтягивала белая футболка, подчеркивая высокую грудь, невероятно узкую талию обхватывал красный ремень, на гостье была короткая синяя юбка в складку, а на ногах лодочки цвета пожарной машины. Незнакомка походила на ожившую картинку в стилистике пин-ап.

— Здравствуйте, — сказала Наташа.

— Добрый вечер, — улыбалась я. — Садитесь, пожалуйста. Извините за суматоху, Александр Михайлович почему-то начал чем-то разноцветным кашлять.

— Это действие этил, бнетил, метил... не могу произнести название, — сказал полковник. — Его в чае, который вчера Марфа у нас пила, нашли целую гору. Медведева нахлебалась заварки и умерла.

— Марфа отравилась? — ахнула Маша. — Ты же говорил, что у нее тромб оторвался.

— Высказал предположение до вскрытия, — возразил полковник. — А теперь выяснили — это отравление. Получается, что Медведеву на тот свет Даша отправила.

Я возмутилась.

— Леонид сошел с ума?

— Этот самый этил-метил, или как его там, находился в чае, — продолжал полковник, — вещество найдено как в желудке жертвы, так и в чашке. А кто принес Марфе чай? Дарья.

Я потеряла дар речи.

— Не кошерно, однако, — заметил Игорь.

— Мусик не виновата! — ринулась на мою защиту Маша. — А тот, кто думает иначе, пусть отправляется из нашего дома на все четыре стороны!

— Зачем Даше кого-то убивать? — спросил Юра. — Мотив есть?

Я воспряла духом.

— Да! Спасибо, Юра!

— Преступный умысел? — продолжал парень.

Дегтярев открыл рот, но юноша опередил его, заговорил сам:

— Была ли между жертвой и подозреваемой неприязнь? Личная вражда? Давние отношения? Вы уверены, что отраву налила Дарья? Есть свидетели? То, что она подала чашку, не имеет значения, потому что...

Юра коротко вздохнул и, вскинув подбородок, понесся дальше:

— Первое. Яд могли налить в чай, когда Дарья отвернулась. Второе. Отраву капнули до того, как хозяйка дома взяла чашку. Кто еще присутствовал в помещении в момент смерти Марфы?

Я злорадно показала пальцем на Дегтярева.

— Он!

Юрий склонил голову.

— Значит, вы, Александр Михайлович, тоже под подозрением. И то, что вы большой полицейский начальник, в данной ситуации не имеет значения. Если я правильно понял, в столовой находилось трое: Дарья, полковник и жертва. Последняя умерла. Остальные автоматически попадают под подозрение.

Маневин зааплодировал.

— Юрий, вы мне нравитесь. Давайте познакомимся. Феликс, муж Дарьи.

— Я хочу сказать... — начала Маша.

— Котлеты! — воскликнул Гена, подходя к Наташе. — Вы — котлеты! Ик...

— Должен тебя разочаровать, — произнес мой муж, — перед тобой красивая девушка, а не изделие из фарша.

Погодин снова смачно икнул и заявил, не спуская с гостьи взгляда:

— Вы снимались в рекламе котлет, ее в Интернете крутили. Ик...

— Да, — согласилась Наташа, — я актриса. Но иногда соглашаюсь поучаствовать в каком-нибудь ролике. Из финансовых соображений.

— Это вы! — выдохнул Геннадий. — О, это вы! Не верю своим глазам! Выходите за меня замуж, а? Прямо сейчас!

— Э... э... э... — залепетала Наташа, — это как-то неожиданно...

Гена в очередной раз икнул, сел на пол, потом лег и захрапел.

— Да он нажрался как свинья! Нализался коньяка! — закричал Гарик. — Поэтому и сделал предложение Наташке!

Девушка потупилась.

— Игорь, думай, когда говоришь, — не выдержала я.

— А что? — удивился любимый сынок бабушки Феликса. — Геннадий где-то наклюкался, поэтому решил жениться на Наталье. То-то он икал!

Ну и как объяснить этому фрукту, что любой женщине неприятно слышать, что ее зовут под венец с пьяных глаз.

Кузнецова улыбнулась.

— Все в порядке. Я прекрасно понимаю: после трех секунд знакомства девушку в загс не ведут. Наверное, мужчине неудобно на полу лежать. Можно простудиться. Его надо поднять и где-то положить. У меня к вам просьба: когда он очнется, не напоминайте ему о желании вступить со мной в брак.

— Конечно, — кивнула я. — Игорь, Феликс, Дегтярев! Несите Гену в маленькую гостевую.

— Я помогу, — сказал Юра. — Пьяный человек очень тяжелый.

— Эх, дубинушка, ухнем... — прокряхтел Александр Михайлович, хватаясь за правую ногу владельца «Парка прогресса».

Из носа полковника повалил оранжевый дым.

Маневин взялся за вторую ногу, Юре и Игорю достались руки.

— На счет «три» поднимаем и транспортируем, — скомандовал толстяк. — Раз, два, три!

Мужчины оторвали Геннадия от пола. Похоже, Погодин влил в себя много алкоголя, потому что он не очнулся, а захрапел еще громче.

— Ну, потащили... — пропыхтел Маневин.

— Эй, эй, нельзя ногами вперед, — занервничал Дегтярев, — это плохая примета. Так только трупы выносят.

Мужчины начали разворачиваться, Игорь наступил на Хуча, мопс взвизгнул, Гарик подпрыгнул.

— Люди! — закричал женский голос из прихожей. — Люди! Тут полиция живет, да? Тут?

Мужчины замерли. В столовую вбежала полная тетушка в вишневом платье и фартуке.

— Охрана сказала, что тут полиция живет, — повторила она. — Кто из вас полиция? Скорей! Вероника умерла! Насмерть!

— Балабанова? — ахнула я.

— Да, да, — закивала незнакомка. — Я ейная горничная Люся. Совсем она убралась! Навсегда! А мне зарплату должна за несколько месяцев, теперь не отдаст...

Дегтярев и Маневин разжали ладони, Гарик отпустил руку Погодина, и Юра не смог в одиночку удержать его. Геннадий с грохотом упал на пол, но даже не открыл глаз.

— О! — затряслась домработница. — Вам уже принесли одного мертвеца?! А что, мне надо самой сюда того, кто окочурился, тащить?

— Нет, я пойду с вами, — мрачно произнес полковник, изо рта его на сей раз вырвались голубые клочья дыма.

— Мама! — взвизгнула домработница. — Нечисть болотная! Цветной оборотень! А-а-а!

Закатив глаза, Люся рухнула на похрапывающего Погодина.

На секунду в комнате стало тихо, я очнулась первой.

— Юра, только не подумайте, что у нас такое каждый день происходит!

— Сегодня спокойный вечер, — прокряхтел Дегтярев, — обычно жизнь в Ложкине более насыщенная. Все, я пошел к Балабановой.

Я бросилась за полковником.

— Иду с тобой.

82 .... Дарья Донцова

— Ты мне не нужна, — отрезал толстяк. — Кстати! Мне интересно узнать, кто насыпал сейчас порошок этил-борметила... в пустую чашку? Кто задумал по-идиотски пошутить над тем, кто нальет в нее чаек?

Но я, не обращая внимания на слова Дегтярева, уже летела в прихожую.

Глава 11

В шесть утра мы с Александром Михайловичем вдвоем пили кофе в столовой.

— Хорошо тебе, — вздохнул полковник, — сейчас в кровать заползешь, а я, не сомкнув глаз, на работу порулю.

— Совсем спать не хочется, — сказала я.

— Это пока ты на адреналине, — пояснил Дегтярев. — Скоро гормон на убыль пойдет и тебя свалит с ног. Слушай, а Юра этот где? Когда мы возвращались, я видел во дворе джип бежевого цвета, а ни у кого из наших такого нет. И ботинки выпендрежные в прихожей стоят — голубые замшевые, на белой подошве.

— Думаю, парень ночевать остался, — ответила я.

— И где он спать лег? — побагровел Дегтярев.

Я пожала плечами.

— Мы с тобой ушли к Балабановой, понятия не имею, куда Юра делся.

Дегтярев убежал, я продолжала пить кофе. Через некоторое время раздался топот, гневное сопение, и полковник, цвет лица коего походил на сочную свеклу, вновь возник в столовой.

— В маленькой гостиной храпит Геннадий. В большой спит домработница Балабановой. Где Юрий?

Я развела руками.

— Где-то в доме.

Александр Михайлович стукнул кулаком по столу.

— Он в детской! У Маши!

Мне стало смешно.

— Манюня давно взрослая. Вполне естественно, что у нее появился любимый человек. И слава богу! А то я уже волноваться начала, как бы она не посвятила свою жизнь собакам-кошкам-хомячкам.

Дегтярев задохнулся от возмущения.

— Ты не мать! Ехидна подколодная! Девочка еще маленькая!

— Подколодные бывают змеи, — поправила Маша, входя в столовую, — они под камнями прячутся. А ехидна — яйцекладущее млекопитающее, которое строит защитную нору. Поэтому мусик или змея подколодная, или ехидна норная.

— Вот только лекций по ботанике мне не хватало! — заревел полковник.

— По зоологии, — улыбнулась Маруська.

— Поумничай еще тут! — пошел в разнос толстяк. — Отвечай, где он спал?

Палец Дегтярева уткнулся в Юру, который стоял рядом с Манюней.

— В моей комнате, — пояснила Маша.

— Вот, вот, вот! — заорал Дегтярев. — Молодой человек! Я, как отец Марии... то есть я не биологический папа... я больше... я ее... я... да, я ее на горшок сажал... А ты пришел и в спальне моей девочки устроился? Без спроса? Немедленно выметайся отсюда, пока я тебя не посадил за растление!

Маша рассмеялась:

— Папа Дегтярев, не нервничай. Юра спросил. Меня. Я согласна.

— А я нет! — заорал полковник. — Не готов к тому, чтобы не пойми кто с моим ребенком в одной комнате спал! Дарья, где мой пистолет?

— В сейфе на работе, — хихикнула я. — Но в библиотеке на стене висит сабля, можешь ее взять.

— И возьму! — взвыл толстяк. — И порублю наглеца в капусту! Накрошу на салат! Пущу на фарш! На тефтели! На пюре!

Продолжая вопить, Дегтярев убежал. Маша расхохоталась.

— Юра, — защебетала я, — вы не бойтесь, Александр Михайлович очень хороший человек, добрый, отзывчивый. Сабля не настоящая, из картона, и если даже полковник ею человека ткнет, «оружие» мигом сломается. Дегтярев не на вас злится, просто он не может осознать, что Маша давно стала взрослой.

— Всем привет, — сказал, входя в комнату, Маневин. — Завтрак дадут?

— Несу кашу! — крикнула из кухни Ирка.

— Лучше дайте таблеток от головной боли, — простонал Геннадий, появляясь вслед за Феликсом. — Отвечайте, только честно, чем вы меня вчера напоили? Виски производства фермерского хозяйства «Рассвет над мглой»?

— Ты уже приехал веселый, икал, — объяснила я. — Между прочим, предложил Наташе руку и сердце. Затем упал на пол и захрапел.

— Кому предложил? — попятился Погодин. — Какой такой Наташе? Где я ее взял?

— Мусик, мы же не хотели ему про это рассказывать, — напомнила Манюня. — Но раз уж ты начала... Ты увидел у нас Кузнецову, обозвал ее котлетой и попросил руку с сердцем.

— Офигеть... — протянул Погодин. — Я это сделал?

— Да! — хором подтвердили все.

Все, кроме Ирки, которая воскликнула:

— Ой, а я-то ничего не видела! Сериал глядела, самое интересное пропустила...

— И что, она согласилась? — ужаснулся Погодин.

— Не успела, — хихикнула Маша, — ты заснул.

— Елки-палки, — простонал Гена.

— Тебе не следует пить, — сказал Феликс. — Где вчера назюзюкался?

— Я не принимал ни капли! — отрезал Погодин.

— Верится с трудом, — вздохнула я. — Трезвый человек не станет так себя вести.

— Я был у Нечаева на юбилее, — изменил показания Гена, — всего-то пару порций вискаря опрокинул. Наверное, алкоголь паленый был, вот меня и развезло. Точно фальшак.

— Всем привет! — заорал Игорь, появляясь на пороге. — А вот и я! А вот и Наташа! Вчера не удалось поговорить, но сегодня, надеюсь, все срастется. Вы завтракали? Я хочу омлета с беконом, колбасой, помидорами, зеленым горошком и сыром.

Мафи, до сих пор мирно спавшая на диване, подскочила, словно ее ужалила змея, и бросилась в привычное убежище — под стол.

— Налейте кофе в мои кружки, — командовал Гарик. — Ира! Раздай их всем!

Он открыл пакет, который держал в руках, и стал вынимать оттуда кружки с пробками.

— Ну и уродство, — фыркнула домработница. — Как этой дрянью пользоваться?

— Молча, — обозлился Игорь.

— Почему на них написано «Козел»? — не утихала Ирка. — Кружки только для мужиков? Значит, хозяйке и Манюне давать их нельзя.

— Где он? — заорал Дегтярев, влетая в столовую. — Где? Проведите, проведите меня к нему, я хочу видеть этого человека!

— Вот уж не предполагал, что ты любишь стихи Сергея Есенина, — изумился Маневин.

— Чего? — не понял Дегтярев.

— Сейчас ты процитировал строки из поэмы «Пугачев», ее написал Есенин, — растолковал мой муж.

— При чем тут Пугачев? — опешил Александр Михайлович. — Его давно осудили и отправили к месту отбывания наказания.

Маневин сел за стол.

— Если память мне не изменяет, Пугачева казнили на Болотной площади в январе одна тысяча семьсот семьдесят пятого года. С одной стороны, ты прав, это не вчера случилось, но с другой — нет, в тюрьме после приговора он не сидел.

— Не пори чушь! — возмутился полковник. — Серийный маньяк Сергей Пугачев осужден к пожизненному...

— Я говорю о Емельяне, — уточнил Феликс, — о том, кто, выдавая себя за царя Петра Третьего, поднял восстание во времена царствования государыни императрицы Екатерины Второй.

— Про него я ничего не знаю, — махнул рукой Дегтярев, — не работал по его делу...

Я посмотрела на палку с розовыми перьями, которую полковник сжимал в кулаке.

— Зачем тебе метелка для сбора пыли? Вроде ты за саблей помчался.

— Она от стены не отдиралась, — неожиданно спокойно пояснил Александр Михайлович.

В ту же секунду раздался грохот.

— Ой, в библиотеке что-то упало! — всполошилась Ира и умчалась.

— Вы котлеты? — спросил Гена, глядя на молча стоявшую у буфета Наташу. — Да, котлеты? Вы котлеты «Счастье в доме»?

— Дежавю, — хихикнула Маша.

— Да, я снималась в рекламе этих мясных изделий, — подтвердила гостья.

Погодин сделал шаг вперед.

— Я тебя нашел! Я тебя наконец-то нашел! Не верю своим глазам! Я нашел тебя!

Феликс дернул Погодина за плечо.

— Гена, тебе сейчас лучше выпить кофе! Не говори ничего более. Не надо.

Кузнецова улыбнулась.

— А с моей стороны не будет наглостью попросить чашечку эспрессо?

— Здравствуйте, — прошептала Люся, домработница Ники, входя в комнату, — спасибо, что оставили ночевать у себя. Что мне теперь делать?

— Нам надо побеседовать, — деловито заметил Александр Михайлович, не выпуская из руки метелку. — Позавтракаем и двинем ко мне на работу.

— Нет! — испугалась Люся. — Я ничего плохого не делала! Нет! Нет!

— Мы просто поговорим, — уточнил полковник.

— У меня нет российского гражданства, — впала в панику горничная, — я нелегально здесь.

Дегтярев попытался ее успокоить.

— А я не имею отношения к миграционной службе. Занимаюсь маньяками, серийными убийцами и другими лицами подобной направленности.

Люся в ужасе отшатнулась к стене.

— Послушайте, я хочу кое-что пояснить, — сказала Маша, — Юра...

— Ах да, Юрий! — заорал полковник. — Сейчас я с тобой разберусь!

— Александр Михайлович, — забасил эксперт Лёня, входя в комнату, — я все собрал, уложил, труп покатил в морг, я за ним. Ты со мной или как? Привет, Дашунь. Слушай, дай мне телефон своего ветеринара Паши-кудесника, а то Танюшкиного пуделя тошнит и мама волнуется.

— Я тебя в качестве Айболита не устраиваю? — обиделась Маша. — Между прочим, Паша в моей клинике работает.

— Кофе попью, и поедем, — процедил Дегтярев. — Но сначала я пристрелю парня, который без моего разрешения ночевал в комнате Маруси.

— Из метелки? — уточнил Лёня. — Хочу посмотреть, как это у тебя получится.

— А почему Юра должен спрашивать твоего благословения? — удивился Феликс.

— Потому что я отец Манюни! — топнул ногой полковник.

Маневин вскинул брови и повернулся ко мне:

— Дорогая, я чего-то не знаю?

— Никогда! — отрезала я. — Вообще ни разу! Среди армии моих мужей Дегтярева не было. И Маша ни мне, ни полковнику не родная по крови, она мне досталась готовым младенцем. Я же тебе эту историю в подробностях рассказывала.

— Мусик, ты лучшая на свете мама, — сказала Маруся. — А Дегтярев чудесный папа. Только пусть он положит метелку, с нее пыль на стол сыплется. Выслушайте же меня наконец! Со вчерашнего дня пытаюсь вам сказать. Юрец, показывай...

Юра положил на стол какой-то бланк.

— Мы вчера поженились, — объявила Маруся. — Можете все хором спеть марш Мендельсона. Александр Михайлович, успокойся, Юрец ночевал здесь на правах законного супруга. И вообще мы уже давно вместе. Три года.

— Почему же ты раньше нас не познакомила? — выдохнула я.

— Решила показать Юрцу свою семейку после того, как штамп в паспорте появится, — захихикала Маша. — А то он и сбежать мог. Кому хочется получить впридачу к жене кучу ее безумных родственничков? Лично я, посидев вчера за ужином, а сегодня пытаясь позавтракать, живо бы навострила лыжи и смылась за тридевять земель от Ложкина.

— Сейчас весна, на лыжах далеко не уедешь, — поправил Игорь, — лучше взять велосипед.

В столовую вернулась Ира.

— В библиотеке зачем-то пытались отодрать от стены шкаф, в котором всякая дрянь хранится. Нет бы дверцу открыть! Безумный слон мебель расшатал и ушел, а шкафик-то и ухнул. Что вы молчите? Еще кто-то помер? Хучик, Мафи, Афина, Гектор, Черри, Фолодя...

Животные стали подтягиваться к домработнице. Мафи высунулась из-под стола и тихо гавкнула.

— Слава богу, никто не пострадал, — выдохнула Ирка.

Я хихикнула: люди нашу домработницу не волнуют, главное, чтобы члены стаи были здоровы.

Лёня посмотрел на свои руки и стянул перчатки.

— Совсем я заработался, как был, так и пришел.

— Кровь! — закричала Люся. — У него на пальце кровь!

— На перчатке, — поправил Леонид. — Извините, зарапортовался.

— Маньяк! — завопила горничная. — Это он, он застрелил Веронику! Я его видела! Видела!

— Во-первых, я эксперт, — спокойно сказал Лёня, — во-вторых, Балабановой раскроили череп, в-третьих...

Люся закатила глаза, сползла по стене на пол и замолчала.

— Охохонюшки... — вздохнул Лёня, — вечно у Васильевой в доме бардак с кавардаком. Окровавленных перчаток тетка не видела? Дашунь, принеси мой чемоданчик, я бросил его в прихожей.

Гена повернулся к Игорю:

— Наташа, выходи за меня замуж!

— Да? Соглашусь, если ты станешь соинвестором моего проекта «В каждый дом чашку с пробкой», — не растерялся Гарик.

Глава 12

Часа через два в доме не осталось никого, кроме меня, Ирки и животных. Маша с Юрой уехали в клинику. Оказалось, что мой зять занимается компьютерами и делает сайт ветеринарной лечебницы Манюни. Феликс умчался читать лекцию. Гена, Игорь и Наташа ушли вместе, но куда они направились, я понятия не имею. Эксперт Лёня укатил в морг, полковник Дегтярев повез Люсю в свой офис.

На мое заявление, мол, хочу послушать, что расскажет горничная Балабановой, толстяк сердито ответил:

— Вот только тебя мне сейчас не хватает!

Я обиделась и не сказала Александру Михайловичу, что он зачем-то воткнул в свой портфель метелку для сбора пыли, да так и направился с ней к автомобилю.

Подождав, пока машина нашего бравого борца с преступностью скроется из вида, я позвонила Леониду.

— Что ты хочешь? — спросил эксперт. — Хотя я и так знаю. Не надейся, ничего не расскажу про Балабанову.

— И не надо, — заверила я. — Мне нужен твой совет. Понимаешь, с Дегтяревым происходит нечто странное. Вчера вечером у него изо рта и носа валили разноцветные клубы дыма, потом он стал кашлять и всякий раз окутывался то синим, то красным, то зеленым облаком. Это не заразно? В доме много собак, птица, кот. Не хочется, чтобы они подцепили от полковника какую-то дрянь. Хорошо помню, как вы с Александром Михайловичем работали где-то на помойке с бомжами и подцепили там блох, а потом Хучик и Черри начали бешено чесаться.

— Не беспокойся, — ответил Лёня, — это «Веселый чай». Кто-то у вас дома пошутить любит. Марфа тоже его выпила.

— Не понимаю... — пробормотала я. — «Веселый чай»? Мне Дегтярев сказал, что в чашке, из которой пила бедная девушка, обнаружили этил... метил... буртил...

— Не старайся, не выговоришь, — вздохнул Панин. — Сейчас продается много всякой фигни, и «Веселый чай» одна из таких заморочек. К благородному напитку она ни малейшего отношения не имеет. Сие есть порошок, который создан для прикола, чтобы поржать над приятелями. Одного пакетика хватает на компанию из двенадцати-четырнадцати человек. Надо взять чистые сухие кружки и насыпать в них несколько крупинок. Человек, наливающий в чашку обычный чай, ничего не заметит. И ничего не заподозрит, когда станет пить, — вкус, цвет, запах напитка никак не изменится, ну разве что слаще покажется. Ты, конечно же, знаешь, что в нашем желудке содержится кислота. Так вот, когда она соединится с чаем, начинается химическая реакция, в процессе которой образуется разноцветный газ. Он будет вырываться наружу, когда человек разговаривает, чихает, кашляет, пукает. У разных людей этот эффект наступает в разное время, у одних через минуту, у других через полчаса.

— Значит, Марфа выпила «Веселого чая»? — уточнила я.

— Да, — согласился Лёня.

— Но из нее ничего разноцветное не валило, — возразила я.

— Я ж тебе объяснил: после употребления растворившегося порошка должно пройти некоторое время, — пояснил эксперт, — химическая реакция начинается не мгновенно. Это тебе не цианистый калий. Медведева умерла до того, как заработал дурацкий прикол.

— Ты же только что говорил, что это средство безвредно, — напомнила я.

— Кабачок — прекрасный овощ, — издалека стал объяснять Лёня, — как правило, с него начинают прикорм младенцев. Но кое у кого от него бывает золотуха. У Марфы остановилось дыхание. По какой причине? Пока не отвечу. Смесь для идиотского розыгрыша безопасна для человека. Но, как я уже упоминал, аллергия может случиться на все. Например, я был свидетелем возникновения отека Квинке из-за вилки. Вернее, его вызвал материал, из которого она была сделана. Вот так. Ну все, не отвлекай, я работаю. А вообще это похоже на анафилактический шок. Но это предварительное заключение. Пока у меня такое мнение: кто-то решил пошутить над Марфой, и вышло очень плохо.

— В нашем доме таких дураков нет! — воскликнула я. — Я непременно бы заметила порошок на дне чистой чашки.

— Нет, — возразил Панин, — он белый, кружка изнутри такая же, несколько крупинок не разглядишь.

— Возможно, Медведева где-то до нас выпила «зараженного» чая, — предположила я.

— Она только-только приехала в Москву, друзей, кроме Ники, не имела, — возразил Лёня.

— Могла у Балабановой угоститься, — предположила я, — потом побежала к нам.

— Отличная идея, — пробурчал эксперт. — Восстанавливаю примерную цепь событий. Ночь. У Марфы возникает желание сожрать мороженое. Она идет в кладовку, находит там «труп» Ники, пугается до полусмерти, бежит по коридору, слышит из комнаты громкие голоса, приоткрывает дверь, видит, как «Вероника» душит «Зинаиду», идет на кухню, угощается чаем из кружки, куда кто-то натрусил дурацкий порошок, и в панике мчится к соседям. Тебе не кажется, что чай явно лишнее звено в цепочке? Странно спешно глотать что-то, пусть и воду, став свидетельницей убийства. В такой момент многих, наоборот, тошнит. Послушай, Дашута, Танюша на тебя обижается. Почему ты на ее звонки не отвечаешь?

Татьяна — это мать Лёни. Долгое время я не знала, что Панина не родная Леониду по крови, а потом у нее случился юбилей. Возраста своего она не скрывает, и я вдруг сообразила: получается, что она родила сына в... пятнадцать лет. Слегка шокированная, я сказала Дегтяреву:

— Всегда считала Максима Михайловича Панина, отца эксперта, прекрасным педиатром, искренне любящим детей. Мне трудно представить покойного врача в образе Гумберта, и...

— Татьяна Николаевна никогда не была Лолитой[1], — перебил полковник. — Когда она вышла замуж за Панина, у него, вдовца, уже был сынишка. Биологическая мать Леонида заболела вскоре после родов и не могла воспитывать малыша, поскольку постоянно лечилась в разных психиатрических больницах. Лёня ее совсем не помнит. Таня пришла в дом Панина хозяйкой, когда его сыну исполнилось то ли девять, то ли десять лет, и он вскоре стал называть ее мамой. Татьяна Николаевна уникальный человек, она ему и впрямь мать, обожает Лёньку.

Я тоже очень люблю Панину, которая просит всех называть ее просто Таней, поэтому удивилась, услышав обвинение, что я не отвечаю на ее звонки. Не помню, чтобы она меня искала.

— Раз, два, три, четыре, пять, надо зайца нам поймать, — вдруг завопил дискант. Это у Панина заработал другой мобильный.

— Минуту, — бросил мне Лёня. — Алло! Нет, не с Веркой треплюсь. Что? Уверен? На теле Балабановой? Супер! Одежду проверил? Как? Почему? Что значит «не успел, работы много»? Вот скажу Дегтяреву, и у тебя времени навалом станет, потому что вон вылетишь!

---

[1] Гумберт, Лолита — главные герои романа Владимира Набокова «Лолита» (издан в 1955 г. в парижском издательстве «Олимпия Пресс»). В середине 60-х книга была переведена на русский язык самим автором, который опасался, что другие переводчики не смогут качественно перевести текст. Речь в романе идет о любви взрослого мужчины Гумберта к девочке Лолите. Во Франции книгу посчитали порнографической, изъяли тираж, с 1955 по 1959 г. она была под запретом и в других странах, например, в Англии. Сейчас роман признан классическим, издается во всем мире, был несколько раз экранизирован.

— Что случилось с телом Вероники? — полюбопытствовала я.

— Все в порядке. Некогда мне, потом поговорим, — выпалил Леонид и прервал разговор.

Меня скрутило жгучее, как кайенский перец, любопытство. Дегтярев мне ничего не расскажет, Лёня тоже не намерен откровенничать. Но эксперта можно подкупить, пообещав ему, например... Что? О чем Леонид мечтает так страстно, чтобы выложить результаты исследования? Кому позвонить? С кем посоветоваться?

За спиной послышались шаги. Я подпрыгнула на стуле и обернулась.

— Кто там?

Глава 13

— Простите, не хотел вас напугать, — начал извиняться Юра, — забыл сумку.

Послышалось тихое блямканье, я увидела лежащий на столе ноутбук и кинулась к нему.

— Ой, Дегтярев не взял компьютер... Тут письмо пришло, определенно в нем то, что мне надо. Хм, почта-то запаролена... Как это некрасиво! Зачем полковник так поступил? Что он скрывает? Юра, ты же вроде специалист по всяким гаджетам?

— Можно и так сказать, — согласился зять. — Хотя это утверждение не совсем верно...

— Открой послание, — перебила я парня.

Юра почесал щеку.

— Не могу.

— Почему? — расстроилась я.

— Оно не мне адресовано.

— Это не важно!

— Я не читаю чужую почту.

— И не надо, — усмехнулась я, — этим я сама займусь. Просто вскрой послание.

— Зачем?

Роскошный вопрос! И на него надо дать достойный ответ.

— Чтобы я его прочитала. Там важная информация.

— М-м-м... — протянул Юра. — Маша меня предупреждала, что вы можете об этом попросить.

— Что именно она сказала? — прищурилась я.

Зять запустил в волосы пятерню и заговорил слегка измененным голосом. Видимо, изображая Манюню.

— «Юрец, когда мама попросит тебя пошарить в Интернете, хорошенько подумай, с кем хуже поссориться, с ней или с Дегтяревым».

— Вот-вот! — обрадовалась я. — Ну же, Юрец, активируй батареи мозга. От кого можно ждать крупных неприятностей?

— От вас двоих, — вздохнул зять.

Я склонила голову набок и вкрадчиво завела:

— Дегтярева никогда нет дома, а я и утром, и вечером в Ложкине. С Машей полковник разговаривает только за ужином или завтраком, да и то редко, я же постоянно в контакте с дочерью, могу ей много чего сказать, посоветовать. И вообще, теща — это чума египетская. Но от сей болезни существует прививка: открой письмо, и будем друзьями. Ты мне поможешь, а я тебе пригожусь.

— Это похоже на шантаж, — продолжал слабо сопротивляться зять.

— Да, — кивнула я, — верно.

— Некрасиво так поступать.

— Да! Да! — согласилась я.

— Вы со мной согласны? — удивился парень.

— Хорошая теща всегда поддерживает зятя, — заявила я. — К тому же ты говоришь правильные вещи. В самом деле чужие письма читать отвратительно. Но мне очень надо!

— Александр Михайлович разозлится, — пробормотал Юра.

— Если мы ему ничего не скажем, он и не узнает, — возразила я.

Юра улыбнулся.

— Видите значок? Он свидетельствует о том, что послание не вскрыто. А вот так, посмотрите, выглядит прочитанное — если текст кто-то видел, значка нет.

— Поняла, — перебила я. — И как сохранить значок? Юра сел за стол.

— Можно потом удалить присланное, но тогда оно окажется в папке «Корзина».

— Дегтярев еле-еле научился почтой пользоваться, — засмеялась я, — хитрые тонкости ему неизвестны. Он просто подумает, что ничего не приходило, пропало по дороге. Так же бывает?

— Возможная ситуация, — кивнул зять.

— Открывай! Потом скинь письмо на мою почту и удаляй, — распорядилась я.

— Не могу, — вздохнул парень. — Дегтярев ведь рассвирепеет, если поймет, что к чему.

— Трус не играет в хоккей! — воскликнула я. — Полковник в компьютерах не разбирается, ни о чем не догадается. Кстати, Юра! Здесь где-нибудь указывается, кто полазил в ноутбуке? Если Александр Михайлович откроет его, он увидит надпись: «Было послание, которое вскрыл Юра, а читала Даша»?

— До этого прогресс еще не дошел, — улыбнулся парень. — Нет, думаю, полковник просто сообразит, что кто-то...

— Не сообразит никогда в жизни! — перебила я. — Дегтярев компьютерный идиот. Он с трудом научился в поисковик заходить, однако найти в нем что-то нужное до сих пор не умеет. Но если все же он вдруг неведомым образом выяснит, что некто ознакомился с содержанием отправления, я возьму всю вину на себя. Твое имя ни разу не прозвучит.

— Нет, — уперся мой новоявленный зять. — Извините, не могу.

— Ладно, — согласилась я, — понимаю. Сделай одолжение, перед уходом принеси из дальнего чулана, что за баней, упаковку минералки. В ней шесть бутылок, мне тяжело.

Юра повеселел.

— С радостью.

Когда муж Маши ушел, я подождала пару минут, потом на цыпочках подкралась к двери, которая ведет из прихожей в баню, заперла ее и притаилась в холле. Как и ожидалось, вскоре Юра попытался открыть дверь, потерпел неудачу, начал стучать и вопить:

— Даша! Ау! Помогите!

— Что случилось? — отозвалась я.

— Не могу выйти.

Я подергала за ручку.

— Ой! Ой! Замок заклинило! Надо мастера вызывать. Юра, не беспокойся. Включи в комнате отдыха при бане телевизор, ложись на диван... Ничего страшного — проведешь время до ужина в прекрасных условиях, отдохнешь, поглядишь какой-нибудь фильм или шоу. В кладовке полно еды-воды-соков, туалет тоже есть.

— Мне здесь придется сидеть до вечера? — занервничал зятек. — Но мы с Машей через два часа должны быть в одном месте!

— Позвони Манюне, объясни ситуацию. Уверена, она поймет, — посоветовала я и ушла к себе.

Через десять минут мне на ватсапп пришло сообщение: «Муся, выпусти Юру, он все сделает».

Хихикая, я спустилась на первый этаж, открыла замок, подергала ручку и воскликнула:

— О! Ура!

Юра выскочил в холл, рысью кинулся в столовую, открыл ноутбук Дегтярева и через пару минут сказал:

— Готово. Все у вас.

— Ты гений! — заликовала я. — А какой у полковника пароль?

— Я решил ввести degtjarev1234, — ответил парень, — и угадал.

— Могла бы и сама догадаться, — пробурчала я.

— Посоветую ему сменить код, — вздохнул зять, — нельзя так...

— Можно, можно, — сказала я, отпихивая Юру от компьютера, — лучше не сбивать Александра Михайловича с толку. Спасибо, Юра, ты настоящий друг!

— Не за что, — вздохнул парень и ушел.

Я схватилась за мышку. Так, где отчет, который прислал Леонид? Ага, вот он... Чем дольше читала, тем сильнее разочаровывалась. Ничего интересного! Просто биография Марфы, которую я уже знаю. Стоило ли ради нее так долго упрашивать Юру?

Резкий звонок мобильного заставил меня вздрогнуть. Взяв трубку, я поняла, что номер того, кто сейчас мне позвонил, не включен в мои контакты.

— Дарья? — спросил хриплый бас.

— Да, — ответила я. — Простите, с кем я разговариваю?

— Со своей смертью, — ответил незнакомец. — Потому что я тебя ... убью! Да, ты получишь за все!!!

На этом разговор оборвался.

На секунду мне стало неприятно, но потом я успокоилась. «Дарья» — весьма распространенное имя, наверное, мужчина перепутал номер. Кроме того, на свете есть неадекватные люди, глупые шутники, которые просто нажимают пальцем на случайные кнопки, а затем говорят ответившему какую-нибудь гадость. Не стоит нервничать, я стала жертвой идиота или не совсем здорового, неадекватного человека.

Трубка тихо блямкнула — ко мне прилетела эсэмэска. Вернее, фотография. Я посмотрела на снимок и лишилась дара речи.

На деревянном столе лежал труп женщины в длинном темном платье. Ноги у нее были босыми, на одной с большого пальца свисала бирка. Руки умершей сложили на груди, в пальцах торчала зажженная свеча с бумажной «юбочкой». Голова несчастной оказалась полностью обрита. Снимок сделали в каком-то странном помещении, но не в морге, там столы из нержавейки или особого пластика.

Справившись с оторопью, я набрала номер, с которого прислали снимок, и услышала уже знакомый бас.

— Что? Теперь поняла, кто тебе звонит?

— Нет, — спокойно ответила я. — Примите мои соболезнования, но вы отправили послание не по адресу. Наверное, у вас в контактах неправильно номер записан.

— Вона что! — зло рассмеялся незнакомец. — Ты Дарья?

— Верно, — подтвердила я.

— Васильева?

— Правильно, — согласилась я.

— Так зачем выделываешься? — выругался мужик. — Что ж, ведьма Дарья, пришла тебе пора расплатиться за все!

Я подпрыгнула на стуле.

— Погодите! Вы ищете Дарью, которая оказывает услуги в Интернете? Главную колдунью общества «Ведьмы Подмосковья»?

— Хорошо, что перестала выжучиваться и прикидываться, что не знаешь ничего про Лену, — неожиданно спокойно ответил собеседник.

— Кто такая Елена? — спросила я.

— Та, кого ты убила! — снова впал в раж мужик. — Моя бедная сестра умерла, осталось двое сирот. Кто их теперь на ноги ставить будет? Мужа у Ленки не было, в твою поганую секту она двинула как раз для того, чтобы себе спутника жизни наколдовать. И что вышло? Идиотка прошла обряд посвящения в колдуньи, во время которого ей что-то дали выпить, потом вернулась домой и скончалась.

— Подождите, подождите, подождите! — затвердила я. — Дайте мне сказать! Никакого общества реально нет. Сообщение о нем в прессе глупая шутка, и...

— Молчать! — взвизгнул голос в трубке. — С тебя пять миллионов рублей. Сутки на сбор денег. Потом позвоню, объясню, как их передать.

— Сожалею о смерти вашей сестры, но ни малейшего отношения к ней не имею, — ответила я. — Да, в Интернете есть сайт общества «Ведьмы Подмосковья», но его создали какие-то мошенники.

— Например, твой муж, — перебил меня брат покойной.

— Нет! — возразила я.

— Все! — вспылил шантажист. — Пять миллионов, и точка! Если завтра не получу денег, всем расскажу, чем профессор со своей бабой занимаются. Потом на мыло изойдешь, доказывая, что не верблюд. Маневин всех заграничных контрактов лишится, иностранные университеты преподов с подмоченной репутацией не держат. А мне нужно бабло на воспитание детей бедной моей сестры, которую вы убили.

Я положила замолчавшую трубку на стол, посидела мгновение в раздумьях. Потом снова схватилась за телефон и набрала номер, который помню наизусть.

— Привет, моя радость! — услышала я голос Семена Собачкина. — Сколько лет, сколько весен! Совсем ты нас забыла.

— Но мы не переживали, — донесся издалека голос Кузи[1]. — Ведь если Дашутка не беспокоит, значит, у нее полный о'кей по всем позициям. А вот когда она проявляется, то стопудово вляпалась в неприятность.

— Что на сей раз? — поинтересовался Собачкин.

— Вы очень заняты? — спросила я.

— Подъезжай, — милостиво разрешил Сеня.

— Если у тебя завалялась лишняя чурчхела, которую ты покупаешь на рынке у Светы, можешь привезти ее нам, — крикнул Кузя.

— Клянчить неприлично, — сделал ему замечание Семен. — Даша не дурочка, сама догадается, с чем ей к нам рулить.

— Буду через десять минут, — пообещала я и, радуясь тому, что приятели живут в соседнем поселке, помчалась в кладовку.

_____

[1] Кто такие Семен Собачкин и Кузя, как Даша с ними познакомилась, рассказывается в книге Дарьи Донцовой «Тормоза для блудного мужа».

Глава 14

— О! Столько чурчхелы! — обрадовался Собачкин, впуская меня в дом. — Давненько мы ее не едали.

— Там еще рулет из сливы с грецкими орехами, — сообщила я, вручая ему пакет, — и вяленые персики, которые начинены не знаю чем, но очень вкусным.

— Судя по количеству даров, ты впендюрилась во что-то серьезное, — подал голос из комнаты Кузя. — Обычно ты притаскиваешь лишь коробочку пирожных.

— Неправда, — обиделась я, — не страдаю жадностью. Но ты прав, происходит нечто странное.

— Топай в кабинет, вещай без стеснения, — приказал Семен. — Пойду поставлю кофеек.

Я вошла в просторное помещение, где за длинным столом со множеством компьютеров сидел Кузя.

— Некрасиво так надолго пропадать, — упрекнул он меня.

— Не сердись, пожалуйста, — попросила я. — Между прочим, вы сами виноваты в этом. Знаю, что зарабатываете на жизнь добыванием информации, но с меня денег брать не хотите. А мне очень неудобно эксплуатировать друзей.

Кузя оттолкнулся руками от стола и выехал на стуле на середину комнаты.

— Друзей? Хорошее слово. Ты нас таковыми считаешь?

— Конечно, именно друзьями считаю, — удивленно ответила я. — Вы ведь всегда приходите мне на помощь.

Кузя потянулся и продолжил упреки:

— К друзьям иногда приезжают просто так, без повода. Привозят им от чистого сердца пирожные, интересуются, как у них обстоят дела. А ты появляешься лишь тогда, когда у тебя возникает необходимость.

Однобокая дружба получается. Сколько времени ты нам не звонила?

Мне стало стыдно.

— Очень долго.

Кузя кивнул:

— У тебя все супер складывалось. Замуж вышла?

Я кивнула.

— А мы об этом случайно узнали, — ухмыльнулся Кузя. — С друзьями так себя не ведут. С близкими людьми хочется разделять не только неприятности, но и радости. Ты же ведешь себя как клиент. Но тогда должна нам платить.

Я молча слушала Кузю, а он продолжал:

— Жаль, Сеня к тебе прекрасно относится, никогда деньги с тебя не возьмет. Уж извини за откровенность, мне за него обидно — он расстроился, что ты его покричать «горько» не позвала.

— Мы не устраивали пир горой, — попыталась оправдаться я, — собрались в узком кругу.

— А-а-а... — протянул Кузя. — Значит, мы с Сеней знакомые седьмого ряда.

— Вот и кофе! — весело объявил Семен, ставя на стол поднос. — Эй, чего вы оба такие мрачные?

— Все хорошо, — лихо соврал Кузя. — Я попросил Дашенцию рассказать, в чем дело, и она ответила: «Без моего любимого товарища Сени не стану ничего говорить».

Мне стало еще неприятнее. А Собачкин расплылся в улыбке.

— Дашуля, я тут. Начинай.

Но я уже решила: надо уходить. Что ж, обращаться к Сене и Кузе я более не стану.

Я неоднократно предлагала деньги за их работу, но Собачкин всегда от них отказывался, даже обижался, говорил:

— У своих бабки не беру.

Один раз я оставила конверт у Сени на тумбочке. И что? Он вернул мне его через пару часов. Как всучить гонорар человеку, который категорически не желает его принимать? Но Кузя в чем-то прав, надо было звонить ребятам просто так, заезжать к ним не только тогда, когда необходимо разузнать некие сведения, приглашать парней в Ложкино. Но я этого не делала, и теперь Кузя пестует обиду. Ладно, попытаюсь наладить отношения, но сейчас лучше уйти. И как это сделать, чтобы окончательно не поссориться?

— Можно руки помыть? — спросила я.

— Конечно, — улыбнулся Сеня, — все полотенца чистые.

Войдя в санузел, я написала Маше сообщение: «Позвони мне через две минуты и отсоединись, когда отвечу». Потом ополоснула лапки, вернулась в комнату, села за стол, и тут в моем кармане завопила трубка. Я быстро вытащила ее.

— Алло! Да, Ирина. Что случилось? О, уже еду!

— Неприятность дома? — напрягся Сеня.

— Мафи, как обычно, сбежала, — соврала я. — Перемахнула через забор и удрала, домработница ее найти не может. Простите, ребята, хотела с вами поболтать, да не получилось.

— Отыщешь беглянку и возвращайся, — предложил Собачкин, — мы тебе непременно поможем.

Я встала.

— Сеня, у меня ничего не случилось. Просто решила вас навестить, рулет привезти.

— Да? — изумился Собачкин. — Ты уверена?

— Абсолютно, — улыбнулась я. — Если быстро обнаружу Мафушу, то непременно опять прикачу. Но коли пробегаю пару часов, тогда зарулю как-нибудь на неделе. Мы с Феликсом сегодня в театр идем.

— Культурный досуг — это здорово! — восхитился Кузя. — Нам с Сеней его не хватает. Вообще скоро мхом зарастем. Как Егор Бочков появился, ни минуты свободной нет.

— Это наш злейший приятель, — скривился Сеня. — Взяли на свою голову парня помощником, а он с нами потусовался и — опля! — свою контору открыл. В Интернете себя называет «Егор Всемогущий». Но, надо заметить, Бочков неплох. И клиентов у него тьма. В общем, нам пришлось цены снизить. А раз меньше денег берем, то надо больше заказчиков обслуживать. Закон рынка.

— На какой спектакль вы собрались? — поинтересовался Кузя.

Я на мгновение растерялась. Жизнь лжеца тяжела, ему отовсюду приходится ждать неприятностей. Солжешь сущую ерунду, тебе зададут простой вопрос по теме, и оказываешься в луже. Вот и сейчас у меня нет ответа. Потому что не ходок я по театрам, понятия не имею, что сейчас там показывают.

— Не помнишь названия? — продолжал Кузя, явно догадавшийся, что я решила удрать, и получавший удовольствие от моего смущения.

— Фамилию автора забыла, — придумала я.

— А название пьесы? — решил доконать меня Кузя.

— Общество «Ведьмы Подмосковья», — ляпнула я.

— Ух ты! — восхитился Сеня. — Про нечистую силу, значит? Потом расскажешь о своих впечатлениях.

— Непременно, — пообещала я и поспешила на выход.

В спину мне полетел смешок Кузи, который он быстро замаскировал под кашель.

Глава 15

Вернувшись домой, я еще раз посмотрела на снимок, который прислал мне незнакомый мужчина, потом позвонила Леониду и зашептала в трубку:

— Слушай, случилась скверная история.

— Да ну? — лениво спросил эксперт. — Дегтярев предупредил, что ты...

— Меня не волнует ничего, что связано с полковником, — заверила я, — у меня личная неприятность.

— Правда? — уже иным тоном осведомился Лёня. Я быстро рассказала ему про шантажиста.

— Пять миллионов? Не хило! — восхитился он.

— Мошенники, которые сделали сайт, работают только в Интернете. Марфе они отказали в очном обучении, а покойной сестре звонившего мне мужчины дали что-то выпить, и Елена умерла. Значит, аферисты изменили стиль, теперь чем-то поят народ. Вдруг они еще кого-то отравят? Можешь проверить, кому принадлежит номер, с которого мне звонил и прислал фото шантажист? — спросила я.

— Легко. Но это тебе не поможет, — сказал Панин.

— Почему? — удивилась я.

— Парень контакт не скрыл, значит, не боится, что его личность установят, — ответил Лёня, чем-то щелкая.

— Пожалуйста, — заныла я.

— Так уже работаю, — ответил приятель, — подожди... Ага. Этот номер принадлежит фирме «Бумстрой-инвест». Конкретно Иванову Ивану Ивановичу.

— Вот видишь, — обрадовалась я, — не все так плохо.

— Иванов Иван Иванович, — повторил эксперт. — Что-то мне подсказывает, что сотрудника с таким именем в сей организации нет.

— Подскажи адрес конторы, — попросила я.

— Да пожалуйста, — ответил Лёня, — уже на ватсапп тебе выслал. А ты мне фото трупа на столе отправь.

— Сейчас, — засопела я, — секундочку, нажимаю...

— Получил! Ну, ты хакер! — восхитился Леонид. — Эге, что-то мне оно напоминает... где-то... м-да... Я тебе минут через десять перезвоню.

— Только Дегтяреву ничего не рассказывай! — взмолилась я.

— Когда в Париж полетишь? — деловито спросил Панин.

— Сама пока не собираюсь, а Маша в конце месяца на пару дней отправится, — ответила я.

— Пусть привезет мне килограмм черного чая «Марко Поло» фирмы «Марьяж фрер», и все останется между нами, — пообещал Лёня, — прямо сейчас забуду о твоей просьбе.

— Прямо сейчас не надо, — ответила я, — сначала перезвони и объясни, что интересного увидел на снимке. Считай, что чай уже у тебя. Завтра же его получишь, у меня запас есть.

— Круто! — обрадовался Леонид. — Жди, скоро проявлюсь.

Я открыла айпад, вбила в поисковик: «Общество «Ведьмы Подмосковья», нашла сайт и нажала на окошко «вход». Появилось объявление: «Наберите логин и пароль. Или нажмите на «гость», если не зарегистрированы». Я совершила предписанное действие и увидела текст. «Добрый день! Мы рады помочь вам. Напишите, что вас волнует. Вам непременно ответят. Оставьте свой электронный адрес».

Я почесала кончик носа, быстро покинула сайт и позвонила Маше.

— Юра с тобой?

— Да, — подтвердила Манюня. — А зачем он тебе?
Я решила не отвечать на ее вопрос, снова задала свой:

— Можешь его позвать?

— Здрассти, — сказал через секунду Юрий.

— Сделай мне новый адрес, безразлично какой, — попросила я. — Главное, побыстрей.

— М-м-м... — протянул зять. — Зачем?

— Отличный вопрос! Для какой цели люди заводят ящик? Чтобы получать письма, — ответила я.

— Да мы тут... э... далеко от компа, — занил Юра.

— Очень надо! — занервничала я. — Ну, или объясни, как это сделать.

Послышался шорох, потом прорезался голос Маруси:

— Мусик, пока Юрец тебе порядок действий объяснит, мы поседеем. Тебе нужна почта?

— Да, — подтвердила я.

— Так ведь уже имеешь одну, — заметила Манюня.

— Нужна вторая, — не сдалась я.

— Спрашивать зачем, полагаю, бесполезно, — вздохнула Маша. — Готовая тебя устроит?

— Да! — обрадовалась я. — Хотя... Она на чье-то имя? Письма будет посторонний человек получать?

— Нет, — сказала Маруська, — она была моей, но я ею не пользуюсь. Сейчас вышлю адрес, логин, пароль.

— Здорово! — заликовала я.
Вскоре мое заявление появилось на сайте общества «Ведьмы Подмосковья». Не успела я закрыть айпад, как раздался звонок Панина.

— Ну-ка изучи внимательно фотографию, — велел мне Леонид. — Ту, что шантажист прислал.

— Видела ее, — сказала я.

— Еще раз глянь, — приказал приятель.

Я уставилась на снимок.

— И? — поторопил меня эксперт. — Что интересного наблюдаешь?

— Ничего, — вздохнула я. — Комната, стол, похоже, деревянный. Это не морг. Там, как правило, другой интерьер.

— А тут занавески на окнах типа бархатные, — перебил Лёня, — люстра под потолком хрустальная, справа и слева видны шкафы с посудой...

— Квартира? — предположила я. — Покойную оставили дома?

— Не-а, — возразил Панин. — Хотя... Ты права, это личные апартаменты. И я знаю, где они расположены. В самом центре Москвы — Варваркин переулок, дом два, квартира десять. В них живет художник Змей.

— Это фамилия такая или имя? — удивилась я.

— Псевдоним, — пояснил Леонид, — в миру Федор Михайлович Касьянов. Змей известный мастер провокаций, устраивает всякие мерзопакостные инсталляции. Слава его началась в тот день, когда в центре Москвы люди увидели прибитый к тротуару труп собаки. Около него стояло объявление: «Смерть всем войнам».

— Ужас! — передернулась я. — Бедное животное.

— Народ отреагировал так же, как ты, — сказал эксперт. — Вызвали полицию, и завертелась карусель. Несчастную собачку доставили в морг, и там выяснилось, что она... ненастоящая.

— В смысле? — не поняла я.

— Муляж, кукла... назови как хочешь, — объяснил Лёня. — Манекен был сделан очень искусно, даже когда его в руки берешь, в первый момент нет сомнений, что мертвую псину держишь. Акция была расценена как хулиганство. Но организатора ее не особо искали. Да и не нашли бы, если бы он сам о себе не рассказал. Да, да, Змей пришел в редакцию самой рейтинговой в России газеты и сделал громкое заявление: он является пацифистом, поэтому хотел привлечь внимание общественности к вооруженным конфликтам, которые постоянно вспыхивают на Земле. По его мнению, на планете должны существовать только любовь, цветы и солнце. Потом Федор прошелся голым по Тверской, затем приковал себя цепями к какому-то банку, в общем, совершил с десяток подобных акций. Но народ, пошумев, забывал о мужике. Федя пропал на некоторое время, и вдруг в вольер со львами частного зоопарка «Мир Африки» свалилась женщина. Хищники к ней кинулись, разодрали на части.

— Ужас! — ахнула я.

— Неприятная история, — согласился эксперт. — Сейчас расскажу подробнее. Группа посетителей с гидом — среди экскурсантов было несколько детей — подошла к вольеру. Звери содержались в специально оборудованном отсеке — это здоровенная яма, обложенная дерном, там несколько «спален», место для прогулок, бассейн. Посетители ходят по дорожке на самом верху, смотрят вниз на прайд. Чтобы никто не упал ко львам, сделали очень высокое ограждение из прозрачного пластика.

— Несчастная решила покончить с собой столь жестоким образом? — поежилась я. — Перелезла через...

— Ты плохо слушаешь, — укорил меня Лёня, — я сказал ведь: «очень высокое ограждение из пластика». Специально построили, чтобы его просто так не перемахнуть.

— Как же бедняжка туда свалилась? — поразилась я.

— В момент, когда львы начали рвать тело, никто не думал, как и почему несчастная шлепнулась, — остановил меня Панин, — пара посетителей упала в обморок, остальные закричали. Зрелище воистину было чудовищным — ошметки кровавого мяса летели в разные стороны, внутренности наружу... Примчались спасатели и... Ну, ты не поверишь.

Леонид сделал паузу.

— И? — повторила я. — Неужели несчастная осталась жива?

— Специально обученные люди выстрелили во львов шприцами со снотворным, спустились в вольер. И вместо трупа нашли манекен, до тошноты похожий на настоящую женщину. Внутри он оказался полым, там лежали куски говяжьего мяса, свиная печень, ну и так далее.

— Отвратительная шутка! — возмутилась я. — За такое надо хорошенько наказывать! Автор мерзости Змей?

— Верное предположение, — согласился эксперт. — Сей, с позволения сказать, художник выложил в соцсеть видео «убийства» экскурсантки и сопроводил его своими комментариями. Суть их проста: все переполошились из-за кончины одного человека, но никто не думает о том, что нужно спасать всех людей на Земле.

— Неужели пакостника не наказали строго? — рассердилась я. — Разве можно пугать посетителей зоопарка, среди которых были дети, столь отвратительной выходкой?

— Нет, Змея наказали: приговорили к штрафу и общественным работам, — прогудел Лёня. — Он мел улицы и — получил небывалый пиар. Народ узнал, где Касьянов будет порядок наводить, туда съехалась масса его поклонников, устроили митинг с лозунгами «Свободу Змею!». Думаю, мужик заработал кучу денег.

— Каким образом? — спросила я.

— Реклама, — коротко ответил Лёня. — Портал «Вся правда о лжи» порылся в грязном белье Федора и выставил на всеобщее обозрение его биографию. Учился в институте, имел славу любителя вечеринок, пил, гулял, веселился. Потом остепенился, начал писать картины, в основном портреты. Работал по заказу, малевал по фотографиям разных начальников, когда их подхалимы-подчиненные хотели сделать подарок боссу, скажем, на день рождения. Корреспондент назвал Касьянова родоначальником жанра «Современный ужас». Журналист утверждал, что именно Змей придумал копировать картины всемирно известных художников, вписывая в них фигуру заказчика, — репортер увидел в вип-зале одного банка полотно Жака Луи Давида «Наполеон на Сен-Бернарском перевале». Слышала про такое?

— Конечно, — ответила я. — Полотно хранится в музее Мальмезон во Франции, расположенном в городке неподалеку от Парижа. Император сидит на белом жеребце, который встал на дыбы, одна рука Бонапарта поднята.

— Вот-вот! — обрадовался эксперт. — А копия картины очутилась в банке, но вместо лица правителя Франции там оказался светлый лик хозяина банка. На полотне был указан год создания, а вместо подписи автора стоял знак змеи. Касьянов состряпал подделку давным-давно, когда никто еще ничем подобным не занимался. Судя по тому, как быстро он купил себе квартиру, машину, дачу, дела его шли без сучка без задоринки. Но где солидный доход, там и жирная зависть. Коллеги живописца стали упрекать Касьянова в продаже своих идеалов за звонкую монету.

В трубке послышался шорох.

— Зачитываю отрывок из статьи, которую опубликовал некий Никита Молодкин. Название опуса «Кем стали те, кого мы считали великими революционерами». Так, вот: «И наконец, Змей. Отлично помню Федю Касьянова, главного оратора на открытии нелегальной выставки на даче скульптора Знатова... На дворе советское время. Федору только исполнилось двадцать, он стоит у входа в дом. У Касьянова горят глаза, волосы падают на плечи, на нем американские джинсы, пуловер... Сейчас-то юноша, одетый подобным образом, не привлечет внимания, но тогда за длинные волосы и джинсы можно было огрести кучу неприятностей. Федя в моих глазах являлся кем-то вроде Фиделя Кастро и или Че Гевары с его борьбой за права угнетенных времен взятия казарм Монкада. Речь Змея была пламенным призывом любить друг друга, не думать о деньгах, карьере, творить ради искусства, а не для получения званий... Я все ладоши себе отбил, аплодируя ему. Меня восхитили его слова: «Даже под страхом смерти нельзя изменять своим принципам». Как это он сказал! Как выкрикнул! А коммуна в подвале... Как жарко мы, студенты, спорили там об искусстве, его роли в истории, осуждали тех, кто работал за деньги, продавался за дачи, квартиры. И что мы имеем сейчас, когда в России можно спокойно показывать публике все, что угодно? Кем стал Змей? Где его эпические полотна? Нынче Федор Михайлович обрюзг от сытной еды, опух от элитного алкоголя, вместо будоражащих душу и ум картин он малюет копии чужих полотен, куда вставляет изображения жирных богатеев. У Феди теперь в кармане тугой кошелек. По сегодняшним меркам он успешен, достоин уважения. В мире, где все подчинено деньгам, Змей — лидер забега. Я вспоминаю его молодого, в джинсах и с волосами до плеч, и понимаю: тот Федя, мой лучший друг, умер. А с господином Касьяновым, богатым и знаменитым, я не знаком. Как председатель жюри конкурса «Конформист года» я объявляю Федора главным победителем. Змей, приходи за дипломом! Но уж извини, медаль из картона и конверт с баблом к нему не прилагается».

— Не очень добрая статья, — отметила я.

— Да, — согласился Панин, — похоже, она больно задела Касьянова. Спустя несколько месяцев после ее публикации он начал устраивать свои инсталляции. О Змее заговорила пресса, сегодня у него в «Фейсбуке» и «Инстаграме» тьма подписчиков. Все аккаунты художника в Сети забиты рекламой. Завистливый Никита Молодкин хотел сделать другу молодости гадость, а получилось, что сослужил ему добрую службу. Получив пинок от Молодкина, Змей перестал малевать тошнотворные портреты и ходить голым по городу, а переключился на инсталляции и вмиг получил то, о чем мечтал: славу эпатажного бунтаря и массу поклонников за границей. А также стал еще больше зарабатывать. Вот уж верно выражение «враги даются нам во благо».

— Судя по тому, как подробно ты мне сейчас рассказываешь о Змее, фото умершей женщины имеет к нему непосредственное отношение, — остановила я Лёню.

— Это его инсталляция «Смерть бабы», — пояснил эксперт. — До нее он сделал «Смерть собаки», «Смерть кошки», «Смерть хомячка». Все экспозиции проданы коллекционерам из разных стран за нереальные деньги. В России ничего не осталось. Долгое время Касьянов демонстрировал свое искусство в разных залах, но потом какие-то радикально настроенные граждане явились на очередную презентацию, облили краской и произведение, и самого автора, и посетителей. Показ был сорван. Через год Змей представил новую работу... и выставку опять уничтожили. На сей раз ее подожгли. Слава богу, обошлось без жертв, но народ выпрыгивал из окон, кое-кто сломал руки-ноги. Неудивительно, что когда Федя снова решил порадовать народ очередным «гениальным» представлением, в Москве не нашлось ни одного помещения, которое он мог бы снять — владельцы залов не хотели неприятностей. С тех пор Касьянов превратил в выставочную зону свою квартиру.

— Значит, кто-то, побывавший в гостях у художника, сделал фото, а потом решил меня им шантажировать, — сделала я вывод. — Более чем странная идея. Я не имею ни малейшего отношения к сайту «Ведьмы Подмосковья».

— Маневин с приятелем пошутили, — возразил Леонид, — а мошенники подхватили их идею, сделали страницу и начали зарабатывать деньги. У какого-то другого афериста родился еще более гениальный план: соврать, что в смерти его родственницы повинны ведьмы, и стрясти с тебя нехилую сумму. А если ты откажешься платить, устроить лай в Интернете. Последнее у него может получиться, народ верит любой гадости. Мой тебе совет: расскажи все полковнику, надо найти поганца и прижать ему хвост.

— Спасибо, сама справлюсь, — буркнула я.

— Да? Интересно, как ты это сделаешь? — хмыкнул приятель.

— Поеду в галерею...

— В какую? — перебил Лёня.

— Ту, где демонстрировали «Смерть бабы», — продолжала я.

— И никогда туда не попадешь, — засмеялся эксперт. — Каким местом ты меня слушала? Сказал ведь: Змей в последние годы выставляет инсталляции в своей квартире, а туда только по приглашению пускают, посторонних отсекают. На входе его пиарщица у всех телефоны и фотоаппараты отнимает.

— Странно, — удивилась я, — до этого художник на улицах акции затевал, собирал толпы. С чего вдруг эта камерность? И если там так строго с разной аппаратурой, значит, снимок сделал кто-то из очень близких, кому абсолютно доверяют, у кого не забирают трубку. И откуда ты знаешь столько подробностей о том показе?

— Танюша, моя мама, дружит с Зоей, пиарщицей Змея, — смущенно пояснил Панин, — она нас и пригласила. Я вообще-то не собирался идти, у меня был единственный свободный день за месяц, да Таня расстроилась — одной ей не хотелось переться.

— И как впечатление? — спросила я.

— Гадость, — коротко высказался Лёня. — Но «труп» сделан искусно. Прикинь, в первый момент даже я подумал, что офигевший Змей выставил на обозрение — вернее, выложил — мертвое тело. Только когда поближе подошел, понял, что вижу куклу. Федор мастер, талант. Но расходует он свой дар глупо. Все, больше не могу болтать, шеф вызывает.

Трубка замолчала.

Я взяла сумку, села в машину и вбила в навигатор слово «Бумстройинвест». Затем покатила в указанном направлении, одновременно набирая в телефоне знакомый номер.

Глава 16

«Вы позвонили Татьяне Паниной в агентство «Дверь в праздник», — произнес звонкий голос. — Сейчас не могу ответить, оставьте сообщение после гудка». Раздался сигнал, и я представилась:

— Танюша, это Даша Васильева. Лёня сказал, что ты меня ищешь, звякни, когда освободишься.

Через пару секунд трубка запищала.

— Дашуня, котеночек, заинька! — заворковала Таня. — Сто лет не могу с тобой поболтать. Огромная просьба! Я устраиваю сегодня презентацию Валерия Березова, очень нужно, чтобы ты заглянула.

— А что этот Березов делает? — на всякий случай поинтересовалась я. — Рисует, ваяет статуи?

— Производит мебель, — вздохнула Таня. — Настали трудные времена, агентству нужны заказы, а их все меньше. Нынче мне не до презрительного фырканья и заявлений типа: «Простите, никто из прессы не пойдет к слесарю Березкину, который сколотил стол». Нет, наоборот, я со счастливой улыбкой восклицаю: «Конечно! С удовольствием! Устрою чудо-праздник, притащу кучу СМИ!» Мне нужны деньги, а у деревянных дел мастера есть покровитель — золотой мешок, и все, пазл сложился. Какая, на фиг, разница, что Березов всего-навсего ловкорукий слесарь? Ну да, есть у меня «база» журналюг, дешевых бумагомарак, которые за фуршет куда угодно приедут. Между прочим, пресса в современных финансовых реалиях тоже снобизм растеряла и готова кому угодно петь хвалебные песни.

— Таня, профессия главного героя вечеринки вроде иначе называется — он, наверное, столяр, — осторожно уточнила я. — Слесарь — это другое, данный специалист с трубами возится.

— Да хоть шофер-электрик! — фыркнула Татьяна. — Дашуня, если ты хоть на полчасика заедешь, окажешь мне гигантскую услугу. На этого Березкина мало кто придет, я имею в виду приличных гостей. Всех, кто бабло за визит берет, я обзвонила, но понимаешь, на дворе май, люди разлетелись кто куда. Остается мне только на друзей рассчитывать. Начало в шесть. Будет пресса, фуршет.

Я посмотрела на часы.

— Сейчас я ношусь по городу, у меня дела. Не успею вернуться в Ложкино.

— Тусня в центре города, — уточнила собеседница.

— С утра надела джинсы и рубашку, — пояснила я, — парадная прическа и макияж отсутствуют.

— Боже, и не надо! — зашумела Танюша. — Наоборот, чем проще, тем лучше. На фоне его диванов и табуреток девушка в черном платье в пол и брюликах будет смотреться глупо.

— Ладно, приеду, — пообещала я. — А ты можешь мне помочь? Дай контакт Зои, пиарщицы Змея.

— Зачем она тебе? — удивилась мать Лёни. — О господи! Только не говори, что собралась приобрести инсталляцию Касьянова. Нет! Не делай этого!

Я засмеялась.

— Я еще не сошла с ума. Дело в другом. Маша открыла ветеринарную лечебницу, хочу ее клинику прорекламировать. Беседовала недавно с Леонидом, он сказал, что ты дружишь с опытной пиарщицей. Хочу поболтать с ней и, если Зоя мне понравится, предложить ей раскрутить бизнес Манюни. Но согласится ли твоя подруга? Она вроде занимается людьми искусства, а у нас больница доктора Айболита. Не особо гламурно.

— Дашута, не волнуйся, Елкина придет в восторг. У тебя же в лапках «живые» денежки, — засмеялась

Таня. — Прикатывай сегодня обязательно. Зоя на мероприятии непременно будет, сядете в уголке и обо всем договоритесь. Адрес на ватсапп тебе скинула. Жду. Целую. Люблю!

Танюша повесила трубку, из моей груди вырвался тяжелый вздох. Делать нечего, придется топать на презентацию, а я терпеть не могу подобные сборища. Ладно, попробую найти нечто положительное в предстоящем мучении — поговорю с госпожой Елкиной, выясню, у кого не отобрали трубку, когда демонстрировали «Смерть бабы», и вычислю, кому пришла в голову идея меня шантажировать.

Светофор на перекрестке вспыхнул красным светом, я затормозила. Есть и еще один приятный штрих в ситуации: здание, где установлен телефон, зарегистрированный на Иванова Ивана Ивановича, находится в пяти минутах езды от места, где столяр представляет сегодня свою мебель. Слава богу, не придется колесить по всему городу.

Лента машин покатилась вперед, я двинулась с потоком. Разберусь с шантажистом и займусь сайтом мошенников, зарабатывающих на наших с Феликсом именах, использующих с выгодой для себя глупую шутку, придуманную мужем и его приятелем.

Кое-кто полагает, что Интернет является зоной полной анонимности. Что можно взять себе любой ник и безнаказанно писать гадости. Ан нет! Я узнаю, на кого зарегистрирован сайт, выйду на его владельца, и мало ему не покажется.

Поток машин остановился. Из моего телефона раздался знакомый сигнал, на электронную почту пришло письмо. Я взяла трубку, мимоходом подумав: во всем плохом можно найти и хорошее. Опять очутилась в пробке? Зато спокойно изучу послания.

Я нажала на голубой значок, открылся текст: «Уважаемая erundovina-figovina...»

Я почесала нос. Ерундовина-фиговина? Что за странное обращение? Глаза побежали по строчкам: «Ваш запрос на вступление в клуб был изучен господином Федором Маневиным и верховной ведьмой Дарьей Васильевой».

Тут только до меня дошло — я же написала просьбу о приеме в общество и для ответа указала адрес, который дала мне Маша. Erundovina-figovina — это теперь мой второй e-mail. Ну-ка, какой ответ отправила администрация сайта?

«Рады сообщить вам, что ваша кандидатура одобрена. Отныне вы стали ученицей Общества «Ведьмы Подмосковья». Наша организация сродни лестнице, в которой много ступеней. На данном этапе вы находитесь на позиции «Ученик 1». Ежемесячный взнос в фонд для тех, кто пока не достиг мастерства, составляет десять рублей».

Я оторвалась от текста и взглянула на дорогу — поток машин не двигался. Ну что ж, червонец — это совсем немного, посмотрю, что дальше будет. А далее было следующее сообщение: «Ученик 1» имеет право получить вводную лекцию на тему «Как овладеть искусством ведьмовства». Ссылка для ее скачивания дана ниже».

Я ощутила, как к щекам приливает жар. Так... Интересно, сколько денег потребуют за чтение сего опуса?

«Стоимость ученической лекции — пятьсот рублей. Без нее нельзя начинать путь к истинному мастерству. Письмо не требует ответа. Мы сами соединимся с вами вскоре. Главная ведьма Подмосковья Дарья Васильева».

Я стукнула ладонью по рулю. Отлично! Ну, вы у меня узнаете, как «главная ведьма Подмосковья»

наказывает аферистов! С большой охотой превратила
бы мошенников в жаб, но поскольку не умею этого,
то просто отдам их в руки Дегтярева.

Караван автомобилей начал набирать скорость.
Я мчалась в общем потоке, вспотев от злости. Ну,
негодяи, подождите, вы просто не знаете, с кем свя-
зались!

Чуть не задохнувшись от нахлынувших эмоций, я
припарковалась у большого здания, вошла внутрь,
приблизилась к ресепшен и спросила у одной из сидевших за стойкой девушек:

— Не подскажете, где мне найти Иванова Ивана
Ивановича?

Администратор улыбнулась.

— У нас более тысячи сотрудников. Можете сузить
круг поисков? В каком департаменте работает Иванов?

— Не знаю, — грустно ответила я и посмотрела на
бейджик дежурной. — Извините, Лена. Мне очень
нужно его найти.

— Это мне надо просить прощения, что не могу
сразу ответить, — возразила сотрудница. — Я очень
хочу помочь вам. Чем занимается Иван Иванович?
Каковы его служебные обязанности?

— Девушка, где позвонить можно? — спросила
полная женщина, подходя к стойке.

— Телефон на столике, — ответила другая администратор, — бесплатный вызов по Москве. Роуминг
отключен.

— У меня есть номер, с которого Иван Иванович
эсэмэску отправил, — вспомнила я. И показала Елене свой айфон: — Вот он.

— Что-то знакомое... — протянула моя собеседница. — Наташа, ты не помнишь, чей это набор? Такое
ощущение, что я знаю номер. Может, это приемная?

Вторая девушка прищурилась, потом рассмеялась.

— Я его затвердила давно. Глянь туда!

Мы с Леной проследили глазами за рукой дежурной, которая показала в сторону высокого круглого стола, на котором находился телефон. На стене за ним висел плакат: «Дорогие гости! В целях вашего комфорта мы установили здесь аппарат, с помощью которого вы можете абсолютно бесплатно позвонить или отправить сообщение. Извините, роуминг отключен. Наш номер...» Далее шли цифры.

— Ну, конечно! — рассмеялась Лена. — Всю смену это объявление висит у нас прямо по курсу! Вам звонили с общей трубки. И что, Иван Иванович представился нашим работником?

Я молчала.

— Вообще-то странно, — продолжала девушка, — у всех сотрудников есть городские телефоны в отделах, у каждого в кармане своя мобила. Общий только для посетителей.

— Спасибо, — пробормотала я и поплелась назад на парковку, размышляя о неудаче.

Зря я посчитала шантажиста дураком. Он знал про телефон, установленный в вестибюле, и воспользовался им. Можно сделать вывод: мерзкий тип или сотрудник данного учреждения, или бывает в нем в качестве гостя.

Я притормозила и вернулась к Елене.

— Чем могу помочь? — привычно улыбнулась та.

— Может, вспомните, не пользовался ли общедоступной трубкой кто-то из служащих учреждения сегодня? — спросила я.

Дежурная покачала головой:

— Я не обращаю внимания на тех, кто сидит в холле. Народу очень много.

— А после того, как открыли отдел «Эйнштейн», людей еще больше стало, — вздохнула ее коллега.

— И в лицо мало кого из сотрудников знаю, — продолжала Лена. — К тому же сейчас май, тепло, люди ходят без курток, трудно сообразить, наш человек или пришлый. Зимой-то еще можно в этом разобраться, кто в верхней одежде, тот с улицы.

— Не обязательно, — заспорила другая администратор, — мог и свой утеплиться, чтобы на улицу выйти.

— Как пройти в «Эйнштейн»? — закричал мужчина в криво застегнутой рубашке, бесцеремонно отпихивая меня от стойки.

— По коридору налево, комната сто пять, — ответила Елена.

— Где пропуск взять? — тут же поинтересовался дядька. — У меня при себе проект создания машинки для измельчения бумаги. Отличная вещь, миллионы на ней заработаю!

— Шредер, — пробормотала себе под нос Елена.

— Нет, — возразил мужик, — измельчитель Иваненко. Мне его надо в «Эйнштейн» представить. Там непременно за мое изобретение ухватятся.

— По коридору налево, комната сто пять, — терпеливо повторила администратор. — Пропуск не нужен.

— А где пропуск взять? — опять заорал незнакомец.

— Пропуск не нужен, — попугаем повторила девушка.

Но посетитель не удовлетворился, и я стала свидетельницей захватывающего диалога.

— Совсем без пропуска идти?

— Да.

— Вообще без него?

— Именно так.

— Меня пустят в «Эйнштейн»? Я принес гениальное изобретение.

— По коридору налево, комната сто пять.

— Там охрана есть?

— Нет.

— А где пропуск взять?

Молча радуясь, что не работаю на ресепшен и мне не нужно ежедневно общаться с разными странными типами, я пошла к машине.

Итак, фирма купила мобильный номер и представила возможность посетителям пользоваться им. Тот, кто звонил мне, наверное, здесь работает. Хотя, возможно, он просто бывает в этом здании и знает про «общественный» телефон. Ладно, ниточка оборвалась. Но у меня есть другая — художник по кличке Змей. Надеюсь, его пиар-агент знает имена всех, кому разрешили оставить при себе телефоны в момент созерцания инсталляции «Смерть бабы».

Глава 17

— Дашута! — закричала Танюша. — Невероятно рада тебя видеть! Спасибо, что нашла время заглянуть. Познакомьтесь: Валера Березов, герой нашего вечера, Даша Васильева, владелица частного детективного агентства, мегауспешного.

Я поперхнулась. Ну Панина! Вот же врушка! А маленький, щуплый, похожий на подростка мужчина восхитился:

— Женщина-сыщик? Вау!

— О, камера появилась! — зааплодировала Таня. — Валерочка, выбери живенько мебель, которая будет наиболее интересна зрителям. А я пока пообщаюсь с теленародом. Это ребята с канала «Лучший».

— Кабель? — громко и недовольно отреагировал «герой вечера».

— А вы чего хотели? — ответила мужеподобная тетка в грязных джинсах, мятой рубашке и бейсболке, подходя к нам. — Если мы вам не подходим, то можем уехать.

— Нет, что вы, — тут же заюлил Валерий, — рад видеть представителей наиболее интересного для всех канала «Суперский».

— «Лучший», — сквозь зубы поправила тетка.

Таня навесила на лицо самую сладкую улыбку.

— Дорогой Валерий, перед вами Саша и Женя, они ведут новости культуры, часто приезжают на мои мероприятия. Очень талантливые тележурналисты.

— Привет, — кивнул парень, который держал крохотный штатив, и зевнул.

Я опустила глаза. Кто из этих двоих Саша, а кто Женя?

— Наши дорогие Саша и Женя, — засюсюкала Танюша, — сейчас замечательный слесарь Валерий Березов...

— Я столяр, — поправил мужик, — создатель креативной мебели-трансформера для любых помещений. Давайте подойдем к столу-креслу-дивану. Лучше на примере продемонстрировать.

Оператор взглянул на свою спутницу.

— А где люди?

— Посетители? — уточнила коллега. — Так вроде нет никого! Татьяна! Кого снимать-то?

— Главное, слесарь Валера с нами, — захлопала в ладоши Панина, — а гости непременно подтянутся. Думаю, они спешат изо всех сил. Но, сами понимаете, пробки!

Оператор вытащил из кармана пластинку жвачки, развернул ее, запихнул в рот и принялся мерно чавкать.

— Нам нужна движуха, веселуха, толпень, — сердито сказала баба в бейсболке. — На фига приехали, если ни одной морды не видно? Змей притопает? Нам знаменитости нужны!

— Касьянов непременно придет. А вот Дарья! — радостно объявила Таня. — Она очень известный светский персонаж, владелец крупнейшего детективного агентства России, жена трижды академика.

Я постаралась не расхохотаться. Трижды академик? Представляю, каким стало бы выражение лица Феликса, находись он тут.

Оператор, не переставая двигать челюстями, осмотрел меня с головы до ног и вынес вердикт:

— Саш, эта сойдет.

Ага, значит, женщину зовут Сашей.

На лице журналистки появилась тень приветливости.

— О'кей! Дарья, а что, если мы попросим вас подыграть? Нам действие нужно.

— Не могу сказать, что являюсь талантливой актрисой, но попробую, — кивнула я.

— Крутяк, — сказала Саша. — Ну, шкандыбаем на точку. Жень, проснись!

Оператор моргнул.

— Я не сплю. Думаю. Слесарь, вы чего показать-то хотели? Если просто табуретку, тогда ну ее к шуту. Нам изюм нужен, курага и финик. Что-нибудь оригинальненькое. Лабудень канал в эфир не поставит.

— Я столяр, — поправил Валерий, — уникальный изобретатель трансформер-мебели. За ней будущее.

— Что это за хреновина? — снова зевнул Евгений.

— Следуйте за мной, — велел Березов и пошел в другой конец зала.

— Охохонюшки... — застонала Саша. — Далеко ерундень стоит? Вау! Фуршетик!

Телелюди притормозили у длинного стола с закусками.

— Ваще с этой адовой работой ни пожрать, ни чихнуть, — пожаловался оператор.

— Словно в кофемолке крутимся, — простонала Александра. — С утра до ночи и задрав хвост, мы по городу вжик-вжик!

— М-да... — протянул Женя. — А у вас тут хороший типа того банкетик. С пирожками.

— Угощайтесь, пожалуйста, — гостеприимно предложила Танюша, — все свеженькое. Чай, кофе?

— Воду не пьем, — с набитым ртом ответил оператор.

— Сок? — улыбнулась мать Лёни.

— Вон из той бутылки, — заржала Саша, показывая на водку, — по граммулечке.

— Мы же мега-супер-телелошади, — подхватил Женя, — борозды никогда не рушим. От стопарика тока веселее пашем. Апще! Суперский вам сюжетик забабахаем! Танюша, ты ж нас знаешь. Разве когда плохо чего-то сняли?

— Редко теперь на телевидении таких, как мы, профи встретишь, — подпела оператору Саша, — сплошняком зеленые, недозрелые перцы, которые на айфон снимают. Но если жалко нас угостить, то и голодными поработаем. Да, Жень?

— А куда деваться? — вздохнул оператор. — Я уже второй день жвачкой перебиваюсь.

Таня сделала жест рукой, к столу подскочила официантка.

— Угостите наших любимых журналистов, — велела Панина.

— Танюська! — вдруг закричал издалека женский голос. — А вот и я!

— Светка! — завопила Таня и бросилась к вошедшей женщине. — Проходи, дорогая, у нас как раз телевидение. Самый рейтинговый канал!

— Вы будете мое трансформерное изобретение снимать? — забеспокоился Валерий.

— Секундос, — промычала Саша, запихивая в рот сразу целый пирожок и поднимая граненую стопку. — Момент, тока котлы загрузим.

— Не боись, шофер, снимем лучше, чем открытие Евровидения в Сочи, — пообещал Женя, заливая в себя клюквенную водку. — Ух! Хорошо пошла!

— Ух! — откликнулась Саша. — Лифтом съехала, пташкой пролетела! Женек, а вон там грибочки...

— Лучше рыбки взять, — возразил оператор, — вон той, красненькой. На вид ниче такая, вроде жирненькая. Как ты, Сашка?

Я поняла, что угощаться репортерша с оператором собрались долго, и взяла со стола бутылку воды.

— Выпей лучше томатного сока, — посоветовала прибежавшая назад Танечка.

— Спасибо, что-то желания нет, — отказалась я.

Панина засунула в карман моей кофточки пакетик с изображением помидора.

— Потом захочешь, а его уже не будет.

Через полчаса, когда в зале скопилось человек двадцать, телелюди решили наконец приступить к работе.

Женя установил камеру, Саша взяла микрофон, встала слева от оператора и объявила:

— Работаем.

Женя хлопнул в ладоши перед объективом и заорал:

— Дубль один!

— Здравствуйте, дорогие радиослушатели, — фальшиво весело закричала Саша, — сегодня у нас в гостях...

— Снято! — объявил Женя.

— Офигел? — подпрыгнула ведущая. — Мы еще не начали.

Оператор вытянул руку и начал загибать пальцы.

— Уан косяк: у нас не радиослушатели, а телезрители.

— Ой-ей-ей, — протянула Саша, — ну, я, коза, ступила. Понимаешь, вела с утра эфир на станции «Поскакун», вот и ляпнула по привычке. Пардоньте!

— Ту косяк: не слесарь у нас в гостях, это мы приперлись на его фигову презентацию, — продолжил Женя. — Ферштейн? Мотор! Дубль два!

— Добрый вечер! — завопила Саша.

— Снято!

— Чего опять не так? — опешила тетка.

— Добрый вечер... — заржал Женя.

— Ну и что? Глянь в окно, — пожала плечами ведущая, — там уже стемнело.

— Протри стекло в мозгах, — веселился оператор, — у нас эфир в сетке на семь утра заявлен.

— Тьфу, я коза!

— Мотор! Дубль три!

Саша потрясла головой.

— Доброе... э... вече... тьфу... утро... Здравствуйте, телеслушатели!

— Снято! — заорал Женя. — Слушай, ты чего, озверела?

— Тише, тише, — заныла Саша, — не злись, ща нормалек начну. Заклинило. Бывает.

— Мотор! Дубль четыре! — объявил оператор.

Саша похлопала себя ладонью по лбу и заорала:

— Доброе утро, любимые телезрители! В эфире программа «Удивительное рядом». Сегодня мы приехали на выставку мебели, которую делает столяр Березов. Валерий, что в вашем диване особенного?

— Это трансформер... — начал мастер.

— Стоп! — скомандовал Женя. — Кассету поменять надо. Вот же, можешь, Сашка, когда хочешь. На пятерку сработала.

Александра расплылась в улыбке.

— Спасибо. Эй! Мария! Ау, Маша!

— Она Дарья, — подсказал партнерше Женя.

Я посмотрела на Сашу.

— Слушаю вас.

— Слесарь ща начнет нудно бубнить, — вздохнула та, — и зритель задрыхнет или переключится. Нужны кайф, драйв и эмоциональность. Давайте вы будете покупателем. Вроде как хотите взять эту хрень, а мастер вам свою фиговень показывает, рассказывает о ней. Вы охаете, ахаете, пробуете на вкус... восторгаетесь...

— Надо грызть мебель? — спросила я. — Такая идея мне не по душе. Недавно имплантат поставила.

— Я вела кулинарную программу, — хихикнула Саша, — вот и вырвалось. Имела в виду, вы сядете на бредятину, попрыгаете на ней. Я вам жестами подскажу, что делать. Получится свежо, живенько, оригинально, не избито. Так еще никто на телике не делал.

— Класс! — ликовал Женя. — Мы всегда в лидерах! Слесарь, ты понял?

Валерий сообразил, что не стоит в очередной раз объяснять безумной парочке, что он столяр, и молча кивнул.

— Крутяк! — потерла руки Саша. — Повторяю задачу: Дарья пришла купить ерундень. Ты ей чепуховину демонстрируешь и говоришь-говоришь. То есть не молчишь. Она тестирует хреновину. Финал: баба в корчах от восторга, ты молодец. О'кей? Дарья, изобрази восторг, удивление, дай эмоцию. Но не болтай, одни междометия. Да? Да!!! Да?!! Только «да» или «нет». Или «Вау!». Ясно?

— Вполне, — вздохнула я.

Саша похлопала меня по плечу.

— С тобой приятно работать. Шикарный герой! Ваще везняк, что ты с нами. Давайте с одного дублика снимем, а? Ну, вперед!

— Мотор. Сцена два. Дубль один, — объявил Жена. — Дарья, иди! Начинайте!

Я приблизилась к Валерию.

— Здравствуйте.

— Привет, — отозвался тот. — Хотите купить мебель?

— Да, — сказала я.

— Перед вами диваностолокресло, — затараторил мебельщик. — Это идеальный вариант как для малогабаритных квартир, так и для больших апартаментов, скажем, для загородных особняков. Как вам дизайн?

— На гроб смахивает, — честно ответила я, — в качестве стола еще куда ни шло, но на диван совершенно не похоже.

— Засмейтесь, — прошептала Саша.

— Ха-ха-ха, — хором сказали мы со столяром.

— Один слесарь ржет, — тихонько уточнила журналистка.

— Ха-ха-ха, — повторил Валерий. — Перед вами трансформер, созданный из кошачьего дерева.

Я, пока он говорил, молчала, но теперь, не удержавшись, искренне удивилась:

— Такое существует?

— Растет повсеместно в средней полосе России, — заверил меня Березов.

— Впервые о нем слышу, — призналась я.

— О деле говорите, — прошипела Саша.

Валерий приосанился.

— Садитесь.

— Куда? — уточнила я.

— На трансформерный столокреслодиван, — нахмурился столяр.

Делать нечего, пришлось опуститься на деревяшку.

— Ну как? — осведомился Березов.

Мне хотелось сказать, что сидеть жестко и без спинки неудобно. Но я вовремя вспомнила просьбу Александры и начала нахваливать произведение столяра.

— Чудесно! Очень уютно! Спинка изогнута... то есть ее нет, но я представляю ее наличие и понимаю...

Слова закончились, потому что я никак не могла придумать, что понимаю, восседая на крайне некомфортном ящике.

— Спинка сейчас реально появится, — сообщил Валерий.

Я встала.

— Нет, нет, — велел мастер, — оставайтесь сидеть.

Я вернулась на место.

— А теперь подскакивайте, — приказал Березов. — Не поднимаясь.

Ощущая себя полной идиоткой, я начала подпрыгивать. Валера молча смотрел на меня.

— Ничего не происходит, — отметил Женя.

— Дарья плохо работает! — рассердился Березов. — Ну, прибавьте усилий! Стукните как следует задницей по крышке!

— Слово «задница» неуместно, — занервничала подошедшая к нам Таня, — нам оно в эфире не нужно.

— Уберем при монтаже, — пообещала Саша. — Долго еще бабе на деревяшке выкаблучиваться?

— Че случиться-то должно? — спросил Женя.

— Если Дарья постарается, — обиженно объяснил Березов, — изо всей силы стукнет задницей, ох, простите, ягодичной мышцей, то будет восторг и удивление. Вы такого еще не видели.

— Точно, — согласилась Саша, — до сих пор никто перед нами вот так не выделывался.

Я встала на ноги, а затем всем своим весом обрушилась на ящик. Послышался треск.

— Прикол, она его сломала! — заржал Женя. — Или, лучше сказать, проколола. Очень уж тощенькая дамочка.

Я не успела обидеться на глупое замечание парня, потому что деревяшка, на которую со всего размаха опустилась моя попа, неожиданно разъехалась. И мне, не ожидавшей такого казуса, не удалось вовремя вскочить. Я, потеряв опору, упала внутрь ящика... Но тут же стала стремительно подниматься.

— Мама! — пропищала я, хватаясь со страху за что-то, попавшее под руку. — Ой, помогите!

Раздался щелчок, сиденье покачнулось и замерло.

— Ну ваще, — засмеялась Саша. — Офигеваю так, словно зимой по тайге в ластах иду. Она ж теперь на столе сидит.

Я осторожно осмотрелась. Ну и ну! А ведь и правда, ящик превратился в столик, стоящий на одной ноге.

— Понимаете, как здорово? — ликовал Валерий. — Если вы живете в пятиметровой комнате, то не имеете возможности поставить в ней обеденный гарнитур, кровать, мягкую мебель. И как быть? Отказаться от простых человеческих радостей вроде приема друзей? До недавнего времени на этот вопрос был только один ответ: «Да». Но теперь благодаря моему таланту есть трансформерное столодиванокресло. Оно занимает минимум места. Только что Дарья продемонстрировала, как легко новаторское изобретение делается столом.

— Возник вопрос, — остановила Березова журналистка. — Даша подпрыгнула, ящик превратился в обеденный стол. А если я не хочу есть? Телик, в кресле сидя, посмотреть охота, тогда как?

— Экие вы, женщины, суетливые, — укорил ведущую столяр, — никогда не дадите до конца сказать. Желаете получить диван? Минутку! Дарья, стукните посильней кулаками по столешнице.

Мне хотелось поскорей завершить съемку, поэтому я со всей старательностью вмазала по столешнице. Стол заскрипел, застонал, начал качаться и... Доска наклонилась, я съехала на пол, сверху на меня свалилось нечто огромное. Я зажмурилась. Из горла вырвался крик:

— Помогите!

— Ее сейчас раздавит! — заорала Таня. — Валера, сделай что-нибудь!

— Спокойно, — прогремел Березов, — все под контролем.

Я приподняла одно веко и выдохнула. Вначале мне показалось, что на меня рушится нечто вроде египетской пирамиды, но сейчас стало понятно: я лежу на полу под доской, которая покоится на четырех ножках.

— Ой, диван! — засмеялся Женя. — Вот прикол!

— Видите, сколь удобна придуманная мною мебель? — гордо спросил Березов.

Я уловила запах жвачки, прямо к моему лицу просунулся микрофон.

— Дарья, прокомментируйте свои ощущения, — попросила Саша. — Уютно ли вам?

— Просто замечательно, — прокряхтела я, выползая из-под софы, — отличная штука.

— Можете сесть на диванчик? — попросила Саша.

Я опустилась на тощий матрасик, непонятно откуда взявшийся.

— Ну что, Дарья, купите трансформер? — поинтересовалась Александра.

— А как его снова превратить в тумбу? — задал вопрос Женя.

— Легче легкого! — азартно воскликнул Валерий.

Прежде чем я успела сообразить, что он собирается сделать, мастер пнул диван ногой. Подлокотники вздыбились и начали стремительно сближаться. Я, почуяв неладное, хотела вскочить, но не успела, потому что сиденье вмиг задралось, а спинка дивана ухнула вниз и шлепнулась на меня. Бумс! Меня сдавило со всех сторон, ноги подтянулись к подбородку, голова ушла в колени, руки прижало к бокам.

— Спасите! — закричала я, но из груди вырвался лишь писк.

— Она осталась внутри, — донесся издалека голос Жени.

Потом послышался стук и вопль Тани.

— Даша, Даша! Ответь, ты жива? Скорей!

— Да! — завопила я, но звук снова не вылетел наружу.

— Вы ее раздавили! — завизжала Татьяна. — Ах ты мерзкий слесарь! Ты урод! Ты ...!

Я изумилась. Кто бы мог подумать, что мать Лёни, интеллигентная, мило краснеющая, если кто-то в ее присутствии произносит грубое слово, дама способна столь виртуозно ругаться?

— Ты и представить себе не можешь, — бесновалась Танюша, — что со мной полковник Дегтярев сделает! Боже! Боже! Эй, немедленно открой этот гроб! Этот ...!

— По-моему, из щели кровь течет, — вякнул Женя.

— Снимай скорей, — велела ему Саша, — эксклюзивник поймали.

А меня обуял ужас. Мгновенно вспотели уши и невероятно зачесалась спина. Чтобы избавиться от зуда, я попыталась поелозить лопатками по деревяшке, которая лежала сверху. Послышался щелчок, «потолок» откинулся. Я высунулась наружу.

— Роднуля! — завопила Татьяна. — Ты жива! О, слава богу! А то я уже видела, как тащусь по пыльной дороге на каторгу, к ноге цепью приковано ядро, а сзади топает полковник с розгами и лупит меня ими по спине.

— Каторгу давно отменили, — прокряхтела я, выбираясь из «капкана», — заключенных к месту отбывания наказания доставляют по железной дороге. Не скажу, что им комфортно, осужденным тесно, и кормят их плохо. Но — не совершай преступлений, и будешь путешествовать в купе в компании с жареной курицей. И, думаю, Дегтярев не настолько меня любит, чтобы за тобой пешком много километров плестись.

— Вау! Кровь! — завопила Таня. — Жуть! Кошмар! У тебя вся кофта красная!

Я, уже успевшая слегка успокоиться, взглянула на свою блузку и, постаравшись удержаться на ногах, прошептала:

— Выглядит жутко, но у меня ничего не болит.

Валерий бесцеремонно ощупал мою одежду и засмеялся.

— Сразу увидел: на кровушку никак не похоже. У нее цвет другой. Не тот оттенок. Смахивает на сок.

— Это и есть томатный сок, — сообразила я. — Танюша мне пакетик с ним в карман запихнула.

— Змей приехал! Встречаем главного вип-гостя! — закричал издалека пронзительный дискант.

— О-о-о, — обрадовалась Панина, вмиг забывая обо мне, — не подвела меня Зоя, притащила художника!

Продолжая бурно радоваться, мать Леонида кинулась к группе людей, появившейся в зале. Журналисты ринулись за хозяйкой галереи.

— Эй, эй! — возмутился Березов. — Это же моя презентация! Кто тут главный? Уж точно не какой-то там удав!

Я же, прикрывая рукой пятно на кофточке, отправилась искать туалет. Некоторое время бродила по извилистым коридорам, наткнулась на дверь с изображением женской фигуры и вошла внутрь.

Глава 18

Это оказалось очень узкое помещение — скорее всего, ранее здесь была боковая часть коридора. К одной стене крепились крючки, на них висела одежда, на полу стояли туфли. Похоже, я попала в раздевалку для сотрудниц. Мой нос ощутил характерный и крайне неприятный запах, который всегда исходит от грязного клозета. Пространство резко изгибалось, наверное, в дальней его части находится сортир. Я пошла в нужном направлении и уперлась в зарешеченное окно. «Аромат» по-прежнему висел в воздухе, а уборная отсутствовала. Я подумала: может, под полом пролегает протекающая труба канализации?

Послышался скрип, звук шагов.

— Аня, ты все поняла? — спросил знакомый голос тележурналистки Александры.

— Да, — ответило тихое сопрано.

— Твоя задача проследить, чтобы Змей взял нужный пирожок, — продолжала Саша. — Записка там?

— Всунула ее.

— Аккуратно получилось?

— Да.

— С печеньем мы тоже круто устроили, — захихикала репортерша. — Посмотрю, как он сегодня от страха обделается. Текст прикольный: «Миллион долларов гони, и тайна не вылезет из могилы. Иначе убьем».

— Нет, нет, нет! — испугалась собеседница. — Мы так не договаривались! Зачем было про убийство писать? Я в этом участвовать не хочу!

— А чем его еще напугать можно? — поинтересовалась Саша. — И это просто слова.

— Нет, не хочу в этом участвовать, — повторила ее собеседница.

Я осторожно выглянула из-за поворота коридора, увидела спину Саши и официантку, обслуживающую фуршет, та стояла боком. На узенькой скамеечке у стены на салфетке лежал треугольный пирожок.

— Аня! — закричала Татьяна откуда-то из коридора. — Куда ты подевалась?

— Бери и иди, — скомандовала Александра.

— Нет! — уперлась девушка.

— Тогда пристрелю тебя, Герасимова, как Веронику Балабанову, — заявила Саша злобно. — В аду как раз встретитесь!

— Ты ее убила? — ахнула Аня.

— Да! — гордо заявила журналистка.

— Зачем? — прошептала официантка. — Что плохого тебе сделала Ника?

— Эта тварь меня выгнала, — объяснила Александра, — не захотела выслушать, обозвала по-всякому. Вот и получила.

Аня кинулась к двери. Но толстая и с виду неповоротливая Саша оказалась на изумление проворной — она схватила беглянку за юбку.

— Стой! Бери, говорю, пирожок или закончишь жизнь, как Вероника. Да не мни его, там внутри записка для Змея. Иди и подсунь ему жрачку. Нехай почитает да поймет, что кто-то все про него знает. Ничего, отстегнет художник грины. Всего-то ведь миллион долларов, для Змея это — тьфу, ерунда. Он свои инсталляции за немереные бабки толкает.

Аня всхлипнула, Саша схватила пирожок и сунула официантке в руку.

— Давай, работай, пока жива! Хочешь получить деньги? Или думаешь, я одна все сделаю, а потом тебе бабки в зубах принесу? Нет уж, придется и тебе потрудиться!

— Анька! — завопил из коридора женский голос. Дверь раздевалки открылась, появилась еще одна официантка в форменной одежде.

— Ах ты... — зашумела она. — Мне, по-твоему, одной надо корячиться? Тогда и обе зарплаты мои!

— Чего шумишь? — осведомилась Анна.

— Во спросила! — всплеснула руками девушка. — Прям шикарно! Да так просто повизжать захотелось, без повода!

Аня выскочила из раздевалки, вторая подавальщица исчезла за ней следом. Александра села на скамеечку и закрыла глаза.

Я вышла из укрытия.

— Если вы вели речь о Веронике Балабановой, которая является владелицей рекламного агентства...

Журналистка вскочила.

— Вы кто?

— Уже успели забыть? — удивилась я. — Ладно, напомню: Дарья, вы только что снимали меня для своей программы на канале «Лучший». Или его не существует? Камера просто реквизит, с помощью которого вы попали на презентацию? Вы не собираетесь делать репортаж? Пришли сюда с иной целью?

Саша молча смотрела на меня, а я продолжала:

— Если вы говорили Ане об убийстве женщины, которая занималась рекламой и выпускала в Интернете журнал «Фэшн-красота», то ее вовсе не застрелили.

— Вы кто? — повторила Саша.

— Дарья, — снова ответила я. — Танюша представила меня вам, назвала род моей деятельности: владелица детективного агентства. Но вы не знаете, чьей матерью является Панина. Ее сын Леонид эксперт, работает в полиции рука об руку с полковником Дегтяревым. Александр Михайлович большой начальник в системе МВД и мой ближайший друг, мы много лет живем в одном доме. Сейчас он занимается расследованием смерти Вероники, поэтому я точно знаю, что причиной ее смерти является не пуля.

Я замолчала.

— Я не убивала ее, — мрачно сказала Саша, — просто пугала Аньку.

— Откуда вы узнали о смерти Ники? — живо поинтересовалась я.

— В Интернете прочитала, — вздохнула Александра. — Ленка Леонова в «Фейсбуке» очень радовалась ее кончине, она и написала, что Веронике мозг выстрелом вышибли.

— Кто такая Елена Леонова? — не останавливалась я.

— Модель, — поморщилась Александра. — Противная баба. Но ее на съемки активно приглашают. Когда Балабанова свое агентство открыла, она позвала Ленку на съемку. Наивняк! Некоторые дуры лезут в воду, не зная броду. Предложат им любовники: «Выбирай себе бизнес», и дурочки требуют спа-салон, цветочный магазин или еще что-то в том же духе. Ника попросила рекламное агентство и получила его. А как работать? Где заказы брать? Она решила клиентов заманить, сделать билборд, посчитала Леонову подходящей наживкой. Та ей в ответ: «Мои расценки знаешь?»

Саша хихикнула.

— Ника ей: «Нет». Ну и услышала цифру. А офигенно богатый любовничек, который Балабановой агентство купил, уже смылся. Этот прощальный подарок ей отгрузил и сделал ручкой, мол, пока-пока, теперь сама телегу из ямы вытаскивай. Вероника и начала вытаскивать. Стала она упрашивать Ленку в долг поработать. Ага! Как же! Ленка ей дулю под нос сунула. Но спустя месяц разразился скандал в Сети. Сейчас расскажу почему. Захожу я как-то к Леоновой на «Фейсбук», смотрю — там фотка выставлена: Ленка, вся из себя элегантная, в розовом платье, одна рука на бедре, вторая вдоль тела висит. А внизу фраза: «Ваша реклама может быть сказочно красивой, у нас лучшие модели со всего мира». И электронный адрес агентства Балабановой указан. Вот я удивилась! Подумала: где же Вероника баблосиков наскребла? В кредит взяла? Или очередного мужика отловила? Она ведь по жирным старым папикам, женатым на таких же страшилах, специализировалась. С любовниками не светилась, на тусовках с ними не появлялась, мужики ей условие ставили: молчи и получишь дорогой подарок. Вот она и не болтала. Каждый ей что-то дарил. Один машину, другой бизнес, третий брюлики. Последний дедуля дом отвалил.

— Да ну! — восхитилась я. — Где, не знаете?

Саша вынула из кармана айфон, вошла в «Фейсбук», потом протянула мне трубку.

— Вот. Любуйтесь.

Я увидела фото знакомого особняка в Ложкине. Под ним стояла подпись: «Обустраиваю новое гнездышко. Спасибо, милый. Нам было хорошо вместе, но рано или поздно счастье кончается. Я благодарна тебе, мой родной, за чудесные дни, проведенные вместе, и за твой прощальный подарок размером в тысячу квадратных метров и сто соток».

— Вот как она устраиваться умела, — с хорошо слышимой завистью произнесла журналистка. — Ни рожи, ни кожи, ни ума, а к ней приплывали хоть и старые, но зато нафаршированные миллионами карпы.

Я отдала гаджет хозяйке и невольно усмехнулась. Отлично знаю, что симпатичный дом на ухоженном участке принадлежит семье, которая временно уехала из поселка и решила сдать коттедж. Более того, как я уже упоминала, Вероника попала в Ложкино именно с моей легкой руки — мне позвонила Цветкова и спросила, не хочет ли кто-то из нашего поселка сдать коттедж. И я рассказала Насте про пустующий дом. Кстати, площадь его не тысяча, а двести квадратных метров, и находится он на участке не в сто, а всего лишь пятнадцать соток.

Для некоторых людей Интернет — своего рода ярмарка тщеславия. Встречала я и женщин, и мужчин, фотографирующихся на фоне чужих роскошных автомобилей, которые им никак не по карману, около витрин дорогих магазинов или на пороге ресторанов, куда они никогда не зайдут из-за непомерной цены предлагаемых там предметов одежды, аксессуаров и блюд. Зачем они это делают?

Я вздохнула.

Наверное, для того, чтобы Саша и ей подобные при виде снимков принимались нервно грызть ногти. А теперь объясните мне, что привлекательного в чьей-то зависти?

Глава 19

Александра спрятала трубку и продолжила:

— Полюбовалась я на рекламу с Леоновой, начала читать текст. А там мат-перемат. И что выяснилось? Ленка-то у Вероники не снималась! Модель по улице ехала, щит увидела и чуть в столб на своем «Порше» не вломилась! Позвонила Балабановой, давай возмущаться: «Кто тебе разрешил мой снимок взять, фотошопом его обрабатывать? Я тебя засужу!» А Балабанова, спокойная, как беременный удав, ей отвечает: «Да сколько угодно судись. Мой любимый мужчина очень известный адвокат, выплатишь крупную сумму за клевету. На фотке не ты».

Саша ухмыльнулась:

— Понимаете, у Елены внешность восточная, а она в блондинку красится и голубые или зеленые линзы использует. Оригинально выглядит, второй такой нет. Леонова на все сто была уверена — ее изображение переделали. А тут — бац! — снимочки ей прилетают. Пробы той, что на билборде. И стало модели ясно: на самом деле не она на снимке. Да, неизвестная похожа на нее до тошноты, издали не отличишь — тоже чуть раскосая, скулы монгольские, каре светлых волос, глаза, как небо, но это точно не Леонова. Форма рта другая, овал лица не тот, подбородок более острый, родинка на шее. И что Ленке делать? Кричать, что ее образ крашеной китаянки сперли? Так смешно. Короче, пришлось ей утереться. И ведь всем понятно было, что Вероника где-то бурятку отыскала, специально закосила ее под Леонову и запустила рекламу со слоганом: «У нас лучшие модели мира». Ясно теперь, почему Елена радовалась, что Веронику очередной любовник пристрелил?

Я молча слушала Сашу. Да уж! Нынче роль бабушек, сидевших на лавочке у подъезда и называвших всех молодых и хорошеньких женщин, проходивших мимо, представительницами древнейшей профессии, исполняют тролли в Интернете, которые способны наврать с три короба. Они точно знают, что Балабанову лишил жизни выстрел ее сожителя. Поди скоро и фамилию его сообщат.

— Эта Ленка, — продолжала между тем Александра, — ну чего в ней привлекательного? Тощая, страшная... А ведь кучи денег загребает.

— Давайте оставим модель в покое, — перебила я. — Меня интересует, почему вы решили шантажировать Змея. И какое отношение к эпатажному художнику имеет Балабанова?

— Это просто шутка, — заныла телевизионщица.

— Миллион долларов, о котором вы говорили Ане, отнюдь не смешная сумма, — возразила я.

— Это просто прикол, — не сдала позиций толстушка и зевнула.

Сейчас она совсем не выглядела ни встревоженной, ни агрессивной, скорее, казалась расслабленной, даже сонной. Я хотела продолжить разговор, но Саша опять принялась зевать, всем своим видом демонстрируя усталость. Я терпеливо ждала, пока она перестанет разевать рот. Вдруг Саша вскочила с проворностью юной ящерицы и что есть силы толкнула меня. Я, не ожидавшая ничего подобного, плюхнулась на пол, а когда встала, журналистки и след простыл. Потирая ушибленную мадам Сижу, я сообразила, что хитрая Саша ловко одурачила меня — она нарочно зевала, прикинулась апатичной, усыпила мою бдительность и... легко удрала. Скорей всего, когда я выйду из раздевалки, ее уже не будет среди гостей.

Страшно злясь на себя за глупость, я отправилась в общий зал и сразу наткнулась на официантку Аню, которая несла блюдо с пирожками.

— Девушка, дайте мне один, — попросила я.

— Выбирайте любой, — предложила официантка.

— Тогда тот, что у вас в кармане, — нежно пропела я, — в фартучке.

Глаза Ани забегали из стороны в сторону, как испуганные тараканы.

— Выпечка вся на подносе, — протянула она, — по кармашкам я ничего не прячу.

— Значит, пирожок в рукаве? — улыбнулась я. — Имею в виду тот, который вам Саша дала. С запиской для Змея. Ай, ай, ай, как не стыдно! Вы понимаете, что, выполняя требование Александры, становитесь соучастницей шантажа? Нехорошо. И очень неприятно.

— Что? — пропищала Аня.

— На зоне вам неприятно будет, — с фальшивой жалостью уточнила я. — Спать придется в общей комнате, где пятьдесят кроватей, в придачу носить ватник, повязывать голову платком, есть баланду. По телевидению иногда показывают, как отбывают заключение осужденные женщины, демонстрируют комфортабельные помещения. Не верьте. Такие съемки делают в образцово-показательных местах, куда иностранных журналистов привозят. Вы туда не попадете. Вам зимой и летом в кирзовых лабутенах гулять придется.

— Не хочу на зону, — прошептала Аня. — Вы кто?

— Меня зовут Дарья. Как владелица частного детективного агентства, я расследую смерть Вероники Балабановой, — без зазрения совести врала я. — Вы...

— Не была знакома с Никой, — прошептала Аня. — А пирожка с запиской нет, его уже Змей взял. Только что. Художник вон там стоит, у окна... Жует...

Я увидела у окна высокого стройного мужчину в мятом льняном костюме, челюсти его мерно двигались. В этот момент стоявший около Змея парень в джинсах показал пальцем на недоеденный пирожок в руке художника, и Касьянов поднес его поближе к глазам. Затем вытащил из середины свернутую трубочкой бумажку, раскрутил и пару секунд читал. Потом скомкал ее, сунул в карман. Парень рассмеялся, Змей что-то сказал ему. Молодой человек начал вертеть головой, задержал взгляд на Ане, помахал ей рукой и пошел к нам. Официантка заторопилась гостю навстречу, я поспешила за ней.

— Это вы раздаете вкусняшки с предсказаниями? — спросил посетитель. — У Змея в пироге одно лежало. Я тоже такое хочу.

— Э... ну... — забормотала Аня, — а...

— Такое изделие одно-единственное было, — пришла я на помощь официантке, — комплимент от пекаря. А вы видели, что на листочке у Змея было написано?

— Нет, — обиженно ответил незнакомец, — никогда не заглядываю через плечо человека, который читает адресованное ему послание. Жаль, что не во все пироги пожелание засунули.

— Разрешите предложить вам жюльен? — вспомнила о своих обязанностях Аня.

— Есть запеченные грибочки? — обрадовался гость.

— Отведу вас прямо к ним, — защебетала официантка.

Я, улыбаясь во весь рот, наблюдала, как Анна угощает посетителя, собирает пустые кокотницы и удаляется в служебное помещение. Затем поспешила за девушкой и остановила ее у входа в подсобку.

— Мы с вами не договорили.

— Мне работать надо, — затряслась Аня, — иначе денег не заплатят. Дождитесь конца вечеринки, все-все расскажу. Мне очень страшно. Может, вы поможете? Вы же детектив! Ой, наверное, дорого за услуги берете. На бартер согласитесь?

— Кого или чего вы боитесь? — задала я очередной вопрос.

В этот момент из зала выплыла Панина.

— Аня, — укоризненно произнесла Татьяна, — где пирожные? Почему до сих пор их не подали? Мы скоро заканчиваем.

— Простите, меня вот она задержала! — выкрикнула официантка, мотнув в мою сторону головой, и убежала.

— Дашенька, — расплылась в улыбке Татьяна, — ты что-то хотела?

Я сделала радостное личико.

— Дело в том, что у Феликса вышла новая книга.

Танюша зааплодировала.

— Браво! Он молодец!

— Маневин хочет устроить презентацию для коллег и студентов, — принялась я фантазировать дальше, — но не в ресторане и уж точно не у нас дома.

— Последнее действительно не стоит затевать, — согласилась Татьяна. — Когда был жив муж, мы всегда праздновали его дни рождения в квартире. Ужас! Кошмар! Не передать словами! Вспоминаю об этом с содроганием. Армия народа в грязных ботинках бродит по моему паркету... Вроде все приглашенные милые интеллигентные люди, но ванная и туалет остаются после них в таком виде... Непременно кто-нибудь разобьет тарелку из сервиза, рюмку... Нет, лучше устраивать празднества в нейтральном месте. Погуляли, вернулись в чистое жилье и спокойно спать легли. Ой, а что было в дни рождения Лёника... Представляешь, стадо двенадцатилетних детей? Я думала, что хуже ничего не бывает, даже нашествие саранчи и то не так страшно. Ан нет! Когда Лёня подрос, к нам явилась армия подростков. Вот где Армагеддон оказался...

Панина закатила глаза.

— В тот день я поняла, что ни в коем случае, никогда нельзя произносить фразу: «Хуже не бывает». Только она изо рта выпорхнет и — бац! — еще большая неприятность случится.

— У тебя есть телефоны официанток, которые сейчас гостей обслуживают? — спросила я. — Они мне понравились, быстро работают. Дорого берут?

Таня махнула рукой.

— Совсем нет. Но не плати больше меня. Если разговор пойдет о высокой цене, сворачивай беседу, найдешь других. Хотя Аня навряд ли так поступит. Давно с ней знакома, хорошая девушка. Скромную вечеринку она и одна обслужит. А если гостей пригласите много, сама же Анна приведет коллег, в этом вопросе на нее можно положиться. Телефон и расценки сейчас сброшу тебе. Для серьезного приема с участием именитых гостей они не подходят, а для шелупони в самый раз.

Я рассмеялась, Панина смутилась.

— К тебе мое высказывание не относится. Сколько лет мы знакомы?

— Лучше не подсчитывать, — отмахнулась я.

— С тех пор как Лёник к Дегтяреву на практику попал, — пустилась в воспоминания Панина. — Гадкий Саша его брать не хотел, а ты интересы моего сына защитила. «Шелупонь» не про тебя, а про таких, как Березов с его идиотским трансформером!..

— Если он тебе не нравится, зачем взялась работать с ним? — удивилась я.

Танюша подняла бровь.

— Деньги! Я же пенсионерка. Лёня отличный специалист, но наше доброе государство не ценит тех, кто честно и хорошо трудится, у таких работников всегда самая маленькая зарплата. Давно Лёника уговариваю в коммерческую структуру уйти, а в ответ слышу: «Дегтярев без меня пропадет». Если б не мое агентство по организации и проведению мероприятий, бегать бы нам с сыном пешком в рваных галошах по лужам. Я не могу капризничать: этот клиент по вкусу, а тот хам. Раз платят, я танцую и кланяюсь. У Валеры есть серьезный спонсор, он дал деньги, велел, чтобы я уложилась, потребовал фуршет, прессу и селебрити. Я все устроила. Спасибо тебе, что пришла, что согласилась в идиотской съемке бесплатно участвовать. Многие звезды на вечеринки за гонорар ходят.

— Ерунда, — отмахнулась я. — И, кстати, я не принадлежу к сонму знаменитостей. Но ты мне обещала знакомство с Зоей.

— Пошли, она в зале, — засуетилась Панина.

Мы выдвинулись в коридор и услышали чей-то голос:

— Танюша! Федя Ильин пришел, тебя ищет!

— О, мероприятие удалось! — подпрыгнула Панина. — Смотри-ка, не подвел Федяша. Хочешь с ним селфи сделать?

— А кто это? — уточнила я.

— Дашуня, я тебя обожаю! — развеселилась Панина. — Все женщины мечтают о Феде, одна ты даже не знаешь его имени. Сейчас по телику идет сериал с его участием.

— Где тут моя Танюшенция? — загудел густой бас, и в коридоре возник крепкий мужчина лет тридцати.

— Федюнчик! — взвизгнула Панина. — Мой котеночек! Мой гусеночек!

— Теперь скажи: «Как ты вырос», — расхохотался гость. — Потом вспомни, как Федя у Максима Михайловича голеньким на столе в кабинете пукал. Ну, давай, выполни всю свою обязательную программу.

Я пошла за ними в зал.

Татьяна — пример для многих женщин. Не знаю точно, сколько ей лет, наличие сына не дает возможности точно вычислить ее возраст, потому что не она рожала его, как уже говорилось, он достался ей уже готовым — Лёня сын мужа Тани. По виду Паниной больше пятидесяти ни за что не дашь. Думаю, это потому, что она всегда веселая. На дежурный вопрос: «Как дела?» — ее ответ всегда такой: «Лучше, чем у всех».

И у нее при этом настолько радостный вид, что ей безоговорочно веришь.

За долгое время знакомства я ни разу не видела Таню в мрачном расположении духа, хотя знаю, что в ее жизни бывали разные времена.

Отец Лёни, детский врач Максим Михайлович Панин, считался одним из лучших столичных педиатров. Он принимал детей в поликлинике и ездил по частным пациентам. ММ, как его все звали по инициалам, был компанейским человеком, умел дружить, в квартире Паниных не закрывались двери. А еще Максим Михайлович никогда не строил отношения с «нужниками», людьми, которые могут для тебя что-то сделать. В советские времена творческая элита старательно дружила с директорами гастрономов, универсальных магазинов, с врачами... А ММ начинал общаться с человеком только потому, что тот ему нравился.

Например, за столом в его доме сидели рядом академик, космонавт и... тракторист Саша из глухой деревни, с которым педиатр познакомился в купе поезда, когда ехал в командировку. На протяжении многих лет Александр два раза в год прикатывал к Паниным с деревенскими гостинцами. ММ и Таня всегда были рады его видеть. Еще я помню учителя Николая, которому детский доктор спас жизнь. Тридцатого декабря Максим Михайлович спешил к метро и увидел лежащего на тротуаре дядечку, который пытался встать на разъезжающиеся ноги и снова падал. Прохожие, смеясь, пробегали мимо, полагая, что человек заранее встретил Новый год, а ММ притормозил. Хорошему врачу, пусть и детскому, сразу стало ясно: бедолага трезв, ему плохо. Вызванная Максимом Михайловичем «Скорая» подтвердила предварительный диагноз педиатра: гипогликемическая кома. Кабы не Панин, диабетик Николай мог умереть.

Танюша никогда не работала, я понятия не имею, есть ли у нее какое-то образование. Пока был жив муж, она исполняла роль супруги, матери, ангела-хранителя семьи, всех друзей и приятелей. Слова «Надо позвонить Тане, она непременно поможет» часто повторялись среди тех, кто знал Паниных. Впрочем, Танечка со всех ног кидалась помогать и тем, кого ни разу не видела. Как-то в ее присутствии одна из подруг, Соня, случайно обронила, что ее коллега страдает от жуткого артрита. Той может помочь мазь немецкого производства, но ее в Москве не достать. Через два дня Соне позвонила Таня.

— Дорогая! Один наш знакомый только что вернулся из Берлина, он привез крем для твоей коллеги. Забери, пожалуйста, поскорее. Средство ужасно пахучее, лежит и воняет. Фу прямо!

В этих словах вся Татьяна — сделав доброе дело, она не хочет слышать похвал, поэтому и говорит о неприятном запахе лечебного средства.

Когда Максима Михайловича разбил инсульт, Паниным пришлось тяжело. Доктор много зарабатывал, но и жила семья на широкую ногу, гости каждый день забегали на огонек. Поэтому больших накоплений у Танюши не было, с деньгами стало туго.

После смерти мужа вдова растерялась. Но долго пребывать в таком состоянии Таня не смогла. Ранее никогда не работавшая дама засучила рукава, продала дачу и организовала агентство, которое устраивает вечеринки-праздники. Фирма Татьяны не является лидером рынка, но вполне уверенно держится на плаву, заработок позволяет хозяйке и ее сыну летать в теплые края, нормально питаться, хорошо одеваться.

Как-то раз я спросила Танюшу:

— И как только тебе пришла в голову идея заняться организацией тусовок?

Она пожала плечами:

— Просто я подумала: как же нам с Лёником выжить? Было два варианта — выйти замуж или идти работать. Играть свадьбу не хотелось, на фоне Максима все мужчины блекнут. А насчет службы... Я задала себе пару вопросов. Что я могу? Что умею? О, принимать гостей! Это у меня всегда классно получалось. И завертелась карусель.

Татьяна активно использует все старые связи, просит приятелей посетить какую-либо ее вечеринку. Подчас она приглашает бывших пациентов мужа, давно уже взрослых людей, ну, как этот актер Федор. Слабая, беззащитная, хрупкая, нежная, похожая на трепетный аленький цветочек, Танечка, всегда находившаяся за крепкой спиной любящего мужа, попав в трудное положение и поняв, что горькая нищета уже маячит на пороге, неожиданно для всех продемонстрировала большое трудолюбие, ум, изворотливость, незаурядные организаторские способности.

Да, да, аленький цветочек оказался танком, который несется по бездорожью, не обращая ни малейшего внимания на канавы, овраги, реки, мины, «ежи» и прочие препятствия. Таня Панина — настоящая боевая машина, на дуло крупнокалиберной пушки которой надет венок из трогательных незабудок. И уж будьте уверены, если кто-то посмеет обидеть Лёника или близких ее друзей, снаряд из этого дула вылетит незамедлительно, причем попадет врагу точно в лоб...

Отбросив воспоминания, я увидела звезду телесериалов в окружении фанаток. Явление Федора превратило скучную вечеринку в яркое светское мероприятие.

Глава 20

Побродив среди гостей, я вновь натолкнулась на Танечку, она схватила меня за руку, подвела к приятной женщине в элегантном брючном костюме и зачирикала:

— Зоинька, это Дашуля. У нее к тебе масса вопросов.

— С удовольствием отвечу на все, — сказала пиарщица Змея. И добавила шутливо: — Если только вы не станете интересоваться, каков мой вес.

— Вам не стоит волноваться по поводу фигуры, — заулыбалась я в ответ, поддерживая светскую беседу, — большинство присутствующих здесь дам смотрит на вас с явной завистью. Уж не знаю, что их больше огорчает: ваша стройность или одежда из последней коллекции Шанель.

Зоя рассмеялась, а Таня с воплем «Ой, Ируся пришла!» бросилась в другой конец зала.

— В чем проблема? — спросила рекламщица. — Танюша что-то говорила про пиар ветеринарной клиники вашей дочери.

— Да, — кивнула я. — Возьметесь за это? Или вы занимаетесь исключительно художниками? Надо отметить, что у вас это хорошо получается. Змея вы раскрутили, о нем постоянно в СМИ упоминают.

— С Федором легко, — сказала Зоя, — он сам все придумывает.

— Вы правы, у Касьянова потрясающая фантазия, — согласилась я. — И он очень талантлив. Знаете, муляж собаки, прибитый к тротуару, меня потряс. Сначала я заплакала, так несчастную жалко стало. У нас дома стая животных.

— Правда? — обрадовалась Зоя. — Обожаю песиков.

— Поэтому дочь и стала доктором Айболитом, — пояснила я. — А женщина, которая упала ко львам... Господи, она выглядела настоящей! Как Касьянов муляжи делает?

— Не спрашивайте, не знаю, — развела руками пиарщица. — Федор в свою творческую мастерскую никого не пускает. Сейчас у него новый проект, не могу о нем пока рассказывать, вчера впервые увидела почти готовую инсталляцию и онемела. Это шедевр, который превосходит все, созданное ранее.

— Как интересно! Скажите, коллекционеры приобретают всю сцену или только часть? Например, «Смерть бабы»... — продолжала я, вынимая мобильный с фотографией. — Покупается лишь сама... э... э... простите, не знаю, как назвать правильно... кукла, муляж, манекен, чучело? Или нужно забирать все?

— Касьянов говорит: арт-объект. Или герой сцены, — пояснила Зоя. — Инсталляция — как картина, только написанная не на холсте или бумаге, а составленная из разных предметов. Можно ли вырезать из полотна, допустим, центральную фигуру, а стол с фруктами оставить? Я веду речь о картине Серова «Девочка с персиками».

— Конечно нет, — сказала я.

— С инсталляцией та же история, — продолжала собеседница, — в ней имеет значение все. Если в композиции находится старый рваный пакет, то это не мусор, а важная деталь.

Я опять сунула под нос Зое фото, которое прислал шантажист.

— Мне очень нравится «Смерть бабы». Но нужно большое помещение, чтобы хранить такую работу. У Змея, наверное, узок круг покупателей. Если его фанат живет в комнате в коммуналке, то у него нет шансов заполучить произведение любимого художника и восхищаться им каждый день. Обычным живописцам легче в плане поиска клиентов.

Зоя заправила за ухо прядь волос.

— Дашенька, человек, который не может заработать на достойную квартиру, не станет собирать произведения искусства, ведь это очень затратное дело.

И, смею вас заверить, многие полотна топовых современных художников сравнимы по цене с произведениями Змея. О таких мастерах, как Рафаэль, Боттичелли, Моне, я уж и не говорю. И буквально по пальцам можно пересчитать тех, кто может повесить их работы у себя дома. Насчет узкого круга покупателей Федора вы ошибаетесь. Есть музеи, мечтающие заполучить его композиции, как и частные лица с собственными галереями. Например, Фридрих Шторм. У него в имении два музея, один из них посвящен современному искусству, там два зала отведены Касьянову. У Федора нет проблем с заработком.

— В Интернете Змея обвиняют в предательстве, — вздохнула я, — вроде в юности он восставал против денег, властей, а сейчас, как пишут в Сети, «ест из рук тех, кто готов его кормить».

Собеседница изогнула бровь.

— Неужели такая умная женщина, как вы, верит троллям? В юные годы Федор был активным борцом за права животных, протестовал против цензуры в искусстве. Но это молодость, многие люди в восемнадцать-двадцать лет бунтари. Да, Федя стал другим, но странно же остаться навсегда подростком. Сейчас он смотрит на мир под другим углом зрения, но базовым ценностям не изменил. Что плохого в получении гонорара за свой труд? Разве те, кто налетает на Федю, работают бесплатно? По мне, так если упрекаешь кого-то в сребролюбии, то сам откажись от денег, в противном случае твои гневные слова просто лай. Дашенька, откуда у вас это фото в телефоне?

Я обрадовалась. Ну наконец-то Зоя задала нужный мне вопрос.

— Прислал кто-то из посещавших выставку, — ответила я.

— Да? Можете назвать его фамилию?

Я изобразила глубокую задумчивость.

— Ну, это не вчера случилось.

— Инсталляция презентовалась совсем недавно, — уточнила Зоя, — всего неделя после мероприятия прошла.

— Уже и не вспомню. Тем более что приятелей у меня много, — продолжала я. — Снимок сохранила, потому что восхищаюсь работами Змея. Но, собственно, зачем вам имя?

Пиарщица поджала губы.

— Некоторое время назад группа людей стала устраивать провокации там, где Федор выставлял свои работы, распугивала посетителей, причиняла убытки владельцам помещений. Потом на художника наехали владельцы одного жуткого цирка, где издеваются над животными, содержат их в неподобающих условиях, кормят дрянью. Они потребовали от Касьянова нереальных денег, потому что в каком-то интервью он сказал правду про этот зверинец, и из-за этого к ним перестали ходить посетители. Владельцы его на нервной почве якобы даже заболели. Полный бред! Полагаю, у господ живодеров давление повысилось от жадности, от желания содрать с успешного творца побольше бабок. А СМИ прямо как с цепи сорвались, причем все налетели на Касьянова, а не на тех, кто зверушек мучил. Затем хозяева цирка решили припугнуть художника, предупредили его в частной беседе, что если он не заплатит им, у него возникнут большие неприятности.

— Вот как? — поддержала я разговор. — И что было дальше?

Собеседница усмехнулась:

— Змей во время этого приватного разговора послал всех по известному адресу, заявил: «Под коммунистов я не прогибался, КГБ не боялся, а вам уж точно меня не испугать». И ушел. Я стала его просить некоторое время посидеть тихо, сказала: «Не призываю выполнить приказ тех, кто решил тебя аудитории лишить. Но подумай о пиаре. Ты и так по всем СМИ прокатился. Если затеешь новый скандал, снова пресса и телевидение закричат про Касьянова. Нехорошо это». А он мне в ответ: «Много пиара не бывает». Интересное заявление, да?

Я усмехнулась и кивнула. А Зоя тут же продолжила:

— Пришлось объяснить ему, что бывает. Напомнила об одной звезде, об актере, который скончался от болезни. Сначала его жалели, даже плакали, но потом его родственники стали по телешоу бегать, друг на друга грязь лить, наследство делить и компромат на покойного вываливать. Первое время страна активно обсуждала происходящее, к алчной семейке потекли денежки, телевидение ведь платит таким гостям за появление на экране. Безутешная родня сладострастно позорила актера, сообщила обо всех его любовницах, о том, как он от налогов уходил, растрепала о заграничной недвижимости, стала дом на теплом море делить. СМИ, наверное, год этот базар освещали. И что? Народу мерзкий лай надоел, слова сожаления о покойном сменили фразы: «Уймитесь, идиоты!», «Пожалейте мертвого, не трясите его грязным бельем перед всеми». Продажи копий фильмов, где артист играл главные роли, взлетевшие вверх в начале скандала, обвалились ниже плинтуса. И где теперь эта милая семейка? Никому уже не нужна. Поэтому я и говорю: если пиара слишком много, может получиться антипиар. Змей меня послушался, согласился залечь на дно. Но поскольку не работать он не может, то инсталляции выставляет исключительно у себя дома. Для друзей, агентов крупных коллекционеров, закупщиков из музеев. В Интернете начали писать: Змею запретили показывать свои композиции прилюдно. Но это неправда. Просто некоторое время его гениальные творения могут увидеть лишь потенциальные покупатели и те, кого Змей сам пригласит. Но даже им съемка запрещена. Телефоны я сама у всех в прихожей забираю.

Зоя показала пальцем на мой айфон.

— Вас бы с трубкой тоже не впустила. Но, выходит, кто-то нарушил условия посещения приватной выставки. Один гаджет этот человек отдал, а второй тайком пронес. Хочу знать, кого больше звать не надо. Если снимок оказался у вас, то может очутиться и у кого-то еще и в конце концов вывалиться в Интернет. Небольшая деталь: «Смерть бабы» продана коллекционеру, сейчас ее готовят к отправке, все права на демонстрацию принадлежат новому хозяину. По условиям договора Касьянов не имеет более права показывать инсталляцию. За нарушение — серьезный штраф и удар по репутации. Зарубежные собиратели очень щепетильны, если разлетится весть, что Змей не соблюдает договоренности, в дальнейшем с ним не станут иметь дела. А настоящие-то деньги на Западе, в России собирателей инсталляций мало. Очень прошу, попробуйте вспомнить, кто прислал снимок. Мы устраивали два показа, присутствовало всего пятьдесят человек.

Я потерла пальцами виски.

— М-м-м... А у вас сохранился список приглашенных?

— Да. Он дома, в ноутбуке, — ответила Зоя.

Я безмерно обрадовалась.

— Давайте поступим так: сбросьте мне перечень, я сразу увижу, есть ли в нем мой знакомый.

— Замечательная идея, — обрадовалась рекламщица, — завтра утром получите. Очень вам благодарна. Значит, ваша доченька хочет привлечь к своей клинике клиентов?

Мы с пиар-агентшей поговорили немного о том, как можно привлечь внимание к лечебнице Манюни, договорились о встрече на следующей неделе. Страшно довольная собой, я ушла с тусовки по-английски, не попрощавшись с Танюшей. И всю дорогу до парковки нахваливала себя, восхищаясь своим умом и сообразительностью. Нет, ну я просто гений! Запросто получу список посетителей квартиры Змея, видевших жуткую инсталляцию! Проверю всех! Изучу каждого, но найду мерзкого типа!

Сев в машину, я послала эсэмэску официантке: «Аня, вам еще долго работать? Могу вас подвезти, нам по дороге. В пути и поговорим, чем я вам помочь смогу». Минут через пять прилетел вопрос: «Это кто?» Я быстро накропала ответ: «Дарья Васильева, владелица детективного агентства. Довезу вас прямо до дома, мы ведь рядом живем». Аня оказалась не очень сообразительной девушкой, она не догадалась поинтересоваться, откуда мне известен ее адрес, и заранее заготовленный мною ответ на этот вопрос не пригодился. Я увидела текст: «Ой, здорово! Значит, вы тоже живете в Нахабине? Не уезжайте без меня, я прибегу через пятнадцать минут».

Я снова принялась жать на кнопки, сообщила, не менее довольная, чем официантка: «Не беспокойтесь, я в машине, сейчас пришлю вам ее номер».

Если честно, ради разговора с ней я была готова отправиться поздним вечером куда угодно, хоть в Питер. Но Анна, оказывается, живет всего-навсего в Нахабине, а этот очень уютный и красивый подмосковный городок находится на расстоянии вытянутой руки от поселка Ложкино. Вот уж мне повезло!

Глава 21

— Очень вас задержала? — запыхавшись, спросила Анна, устраиваясь на переднем сиденье.

— Вовсе нет, — улыбнулась я. — Подумала: нам по дороге, а у вас, наверное, сумка тяжелая. И, похоже, не ошиблась, судя по объему, ваша поклажа неподъемная.

Спутница смутилась.

— Никогда не ворую на банкетах, но еда ведь всегда остается, дорогие продукты. Некоторые из обслуги знаете что делают? Перед тем как в зал блюдо вынести, снимут себе десяток пирожков и канапе, отложат салатиков. Устроители же не станут все пересчитывать, взвешивать стоящее на столе. Но это, на мой взгляд, кража. Я иначе поступаю. Вот сейчас гости расходиться стали, а жратвы гора осталась. Я подошла к Паниной и попросила: «Можно возьму себе немножко из остатков?» А она мне: «Нюшенька, да хоть все уноси! Сама понимаешь, пропадет угощенье».

Анна засмеялась.

— Вот и тащу полную кошелку. Я давно с пожилыми тетушками-соседками по дому подружилась. Сама в десятой квартире живу, а старушки одиннадцатую и двенадцатую занимают. У них доходов только мизерная пенсия, на которую после оплаты коммуналки ничего не купишь. Разве что пакет кефира.

Официантка обернулась и посмотрела на свою туго набитую сумку, которую поставила на заднее сиденье.

— Вот, везу им всякие вкусности, какие даже не каждый человек с большим достатком позволить себе

может. Как же мне с работой повезло! И с соседками
тоже. Сама я всегда сыта, Тимоша присмотрен. Это
мой сыночек, ему семь. Я днем на службе, а баба Катя и баба Тома за мальчиком смотрят. Они не просто
старушки — Екатерина Сергеевна бывшая учитель-
ница младших классов, а Тамара Петровна до пенсии
работала врачом. Понимаете?

Аня умолкла. Потом прибавила:

— И не было никого счастливее меня, пока на моем горизонте Саша не появилась. Очень мне неприятно делать то, что она заставляет!

— На что Александра вас толкает? — поинтересовалась я.

Моя пассажирка расправила юбку на коленях.

— Уж простите меня за то, что своей проблемой
вас обременяю. Нет сил больше с ней общаться. Но
что делать? Как от нее избавиться? Не знаю! И посоветоваться не с кем. Я подумала: вы ведь детектив,
вдруг поможете? Много денег заплатить вам не смогу,
но предлагаю бартер — могу квартиру убрать или вечеринку бесплатно обслужить.

Официантка вздохнула.

— Саша меня совсем затюкала, не знаю, как от
нее избавиться. Она просто сумасшедшая. А я сначала прямо засветилась от счастья. Как же, сестра на-
шлась, вот же радость.

— Александра ваша родственница? — уточнила я.

Аня передернулась.

— Да. Понимаете, я воспитывалась в детдоме.
И сначала, конечно, мечтала, что кто-нибудь меня
удочерит. Уж так старалась! Когда к нам приходили
пары на детей смотреть, я и стишки рассказывала,
и песни пела, и плясала. Прямо на задних лапках
скакала, чтобы понравиться. Меня по голове глади-

ли, хвалили, но... никто к себе в семью не забирал. Почему? А спросите их! Косоглазую Лену, хромую Нину, капризную Светку — всех увели новые родители, а я осталась. В четырнадцать лет уже перестала надеяться, ведь подростков люди не удочеряют. А потом в интернат мужчина приехал. Помню, как он в комнату, где мы уроки делали, с директором вошел. Игорь Семенович сказал: «Галя Моисеева, твой родной папа нашелся, поздравляю». Представляете? У Галины обнаружился настоящий отец! Я с той поры, ложась в кровать, твердила: «Пусть и у меня кто-то отыщется: мама, тетя, дядя. Не важно, если они старые и больные, я о них заботиться стану». Как-то не выдержала и рассказала заведующему о своей мечте. Он меня к себе в кабинет позвал, из шкафа папку вынул и сказал: «К сожалению, Анюта, ты круглая сирота, твоя мама погибла, когда ты совсем крошкой была. Замужем Михайлова не была, об отце твоем сведений нет, фамилия у тебя от матери. Сюда ты попала не сразу, сначала тебя поместили в другой приют. Помнишь?» Я ответила: «Нет». Игорь Семенович вздохнул: «И немудрено, ты совсем маленькой была. То детское учреждение сгорело, документы многих воспитанников погибли в огне. Из твоих личных вещей осталось только вот это фото. Смотри, малышка, сидящая на стуле, — это ты, кто другая девочка лет на пять старше, понятия не имею. Извини, если разочаровал, но близких у тебя нет. Или нам о них ничего не известно». И директор отдал мне снимок.

Анна говорила быстро, а мне все больше было ее жалко. Как же, наверное, трудно жить сиротой. Правда, девочке повезло попасть в интернат, которым руководил Игорь Семенович, прекрасный человек, радевший за воспитанников, как за родных детей.

Именно директор добился, чтобы Михайловой по достижении определенного возраста дали положенную ей по закону однокомнатную квартиру, и девушка оказалась жительницей Нахабина. Она пошла работать в палатку, торговала всякой всячиной, затем переместилась в местный магазин. Один раз постоянная покупательница маленького супермаркета, где Анечка работала в мясном отделе, спросила:

— Не хочешь подработать? У моего мужа юбилей, нужна помощница, которая накроет столы, подаст еду, уберет и помоет потом посуду.

Девушка согласилась. Ей понравилось быть официанткой: деньги платят, самой поесть можно, да еще с собой еды дадут. Анна опубликовала в бесплатной газете объявление: «Официантка предлагает обслуживание банкетов. До сорока человек». И неожиданно дело у нее пошло. Да так хорошо, что Аня ушла из магазина и стала кормить своих пожилых соседок, с которыми давно подружилась.

С той поры она бегает по разным мероприятиям, у нее много постоянных клиентов. Например, одно издательство, которое регулярно устраивает презентации новых произведений своих авторов. Ясное дело, прессу надо угостить, иначе журналисты не придут, вот и зовут Аню тарталетки разносить. Жизнь ее стала просто прекрасной. Через какое-то время она родила Тимошу. Куда делся отец мальчика, Анна мне объяснять не стала, сказала лишь:

— Мы совсем немного вместе прожили. Мне от супруга фамилия досталась, я стала Герасимовой, а в девичестве была Михайловой.

С появлением малыша трат прибавилось. К счастью, две соседки, которые считали Нюшеньку своей богоданной внучкой, стали ухаживать за новорожденным, и Аня получила возможность работать дальше. Она была счастлива. Как же, у нее теперь есть семья — любимый сын и две бабули. Тамара Петровна, врач, делала крошке массаж, проводила процедуры закаливания, а Екатерина Сергеевна занималась умственным развитием малыша. К четырем годам Тимоша стал крепким мальчиком, ни разу не болевшим, к нему даже насморк не цеплялся, хорошо читал и считал.

Анюта хотела отдать сынишку в садик, но бабули воспротивились, и Тимоша счастливо сидел дома, на целое лето уезжал в деревню, где у сестры Екатерины Сергеевны есть большая изба. В школу мальчик пошел шестилетним, учится сейчас на одни пятерки, после уроков занимается спортом, по воскресеньям ходит на службу в церковь, а потом в приходскую школу. Телевизор он не смотрит, на айпаде не играет, зато читает хорошие книги, посещает театры, симфонические концерты. Послушный, умный, добрый сыночек.

Герасимова продолжает кормить бабушек, которые оформили дарственные на свои квартиры в ее пользу. Жилье объединили в одно, получились роскошные апартаменты. Анна старается изо всех сил, зарабатывает на всех. Недавно она купила бабе Кате шубку, а баба Тома получит доху нынешним летом. В жаркие месяцы цена на мех сильно падает, и Герасимова уже накопила нужную сумму. То есть, судя по всему, Господь решил наградить сироту за ее детские слезы, послав ей на радость чудесных пенсионерок-соседок и самого лучшего на свете сынишку. Каждый день Аня начинала со слов:

— Спасибо, добрый боженька, за твою любовь ко мне!

Имея на плечах трех человек, которых нужно кормить, поить, одевать, Анюта радовалась любой работе, никогда не капризничала, бегала по всей Москве, выезжала в область. Пару лет назад она поняла, что надо искать напарницу, тогда можно будет брать большие заказы. Анна стала просматривать объявления в газетах, приглашать разных женщин. Но быстро расставалась с новоявленными коллегами.

Герасимова не ворует, не пьет, не обманывает устроителей, готова носиться по залу с подносом до последнего клиента, на службу всегда является красиво причесанной, с макияжем, носит туфельки на каблуке. Аня понимает: у людей праздник, внешний вид обслуживающего персонала должен соответствовать мероприятию. Например, на свадьбу Герасимова наденет, скажем, розовое платье, а белое никогда, на похороны же придет в черном. Мини-юбки, кофты с глубокими вырезами, колготки-сеточки, ботфорты, вульгарный макияж — все это у нее под запретом, поскольку она не мужа приходит на тусовку искать, а работать.

Женщины, которых Герасимова брала в напарницы, вели себя иначе. Одна обшарила карманы верхней одежды гостей, другая напилась до свинячьего визга, третья сначала отложила в принесенные из дома коробочки еду, а уж потом понесла блюда в зал, четвертая явилась на службу в полупрозрачном, обтягивающем все ее прелести платье, пятая, наоборот, притопала в спортивном костюме и кроссовках, шестая не помыла руки после туалета... Поработав один раз с такими «помощницами», Анна им больше не звонила, дорожа своей репутацией.

В конце концов она смирилась с неудачей и стала говорить устроителям:

— Я работаю одна. Если у вас более сорока или максимум пятидесяти гостей, зовите вторую официантку.

Иногда кто-нибудь из постоянных клиенток просит ее:

— Нюшенька, у нас шестьдесят человек на барбекю явится. Я вам приплачу, к тому же моя домработница поможет. Возьметесь? Очень прошу!

И Аня соглашается. Но порой, как, например, сегодня, приходится все-таки самой кого-то подыскивать.

Панина очень хорошо относится к Герасимовой, является ее давней клиенткой. Поэтому, услышав от Татьяны: «Найди себе напарницу, а то я не знаю, сколько народу будет», Анюта озаботилась проблемой и опять осталась недовольна. Приглашенная ею женщина хорошо вела себя с гостями, выглядела прилично, не стащила еду, но считала каждую минутку, когда напарница отсутствовала на рабочем месте, и потребовала доплаты, обвинив Герасимову в лени.

Глава 22

Летом прошлого года случилось событие, которое наивная, несмотря на свой не такой уж и юный возраст, Анечка посчитала невероятной радостью.

Поздним вечером, сгибаясь под сумкой с вкусной едой, Герасимова подошла к своему подъезду. На душе у нее пели соловьи. Только что закончившуюся вечеринку, которую она обслуживала, проводила фирма, выпускавшая игрушки. Праздник был посвящен началу продаж замечательного конструктора, всем гостям сделали подарки — на выходе вручили пакеты с новинкой. Аня увидела, что несколько полиэтиленовых пакетов с презентом осталось, посетителей оказалось меньше, чем рассчитывали устроители, и робко попросила:

— Мне хотелось бы у вас один экземпляр для сына купить. Со скидкой, если это возможно.

— Забирайте в подарок, — ответил представитель фирмы. — Вот вам моя визитка, позвоните завтра. Мы соберем вашему мальчику еще всякого-разного из нашего ассортимента. Спасибо за прекрасное обслуживание.

Понимаете, какой восторг охватил Анечку? Всю дорогу до дома она предвкушала, как сейчас поставит у кровати спящего Тимоши коробку с конструктором и как мальчик утром закричит от восторга. А дорогие ее сердцу старушки-соседки, увидев роллы с угрем, наверняка в один голос скажут:

— Забаловала ты нас!

Баба Катя и баба Тома благодаря Анечке уже отлично разбирались в деликатесах кухонь народов мира.

Молодая женщина подошла к двери, вынула ключ от домофона и услышала незнакомый женский голос:

— Герасимова! Привет!

Время подкатывало к часу ночи, Анна очень удивилась: кто мог ее звать в такое время? Однако обернулась — около нее стояла тетка не очень опрятного вида.

— Ну, здравствуй, сестра, — сказала она.

Анечка отшатнулась.

— Извините, вы ошиблись, у меня нет родственников.

— Ну да, ты воспитывалась в приюте, — усмехнулась незнакомка. — И я тоже. Нас разлучили в детстве. Но я в тот момент в школу начала ходить, поэтому и не забыла тебя. А ты совсем маленькой была, вот в твоей голове и не сохранилось никаких воспоминаний о старшей сестре. Давай знакомиться: Саша Пуськова, работаю на телевидении.

— Ух ты! — восхитилась Аня. — А я официантка.

Саша открыла сумку, вынула из нее старую фотографию.

— Узнаешь себя на снимке?

— Да, — прошептала Нюша, — у меня похожий есть. Здесь оба ребенка у елки, а у меня маленькая девочка сидит на стуле, а другая, постарше, стоит рядом. Мне директор детдома отдал карточку и сказал: «Малышка — это ты. О втором ребенке я ничего не знаю». Подожди, твоя фамилия Пуськова?

Саша кивнула.

— А почему не Михайлова? — осведомилась официантка.

— Вау! Моя сестра гений ума! — хохотнула Александра. — А ты почему Герасимова?

— Замуж вышла, фамилию сменила, — пояснила Аня, — а до загса Михайловой была.

— Ну так не одна ты такая, — проворчала сестра. — Я аж три раза штамп в паспорте ставила, Пуськовой с последним мужиком стала. А в детдоме, как и ты, на Михайлову отзывалась. Пригласишь чайку попить?

— Конечно, — согласилась Анечка. — Только тихо, мои уже спят!

Вам кажется большой глупостью вести ночью домой незнакомую женщину? И вы, наверное, правы. Но Герасимова сразу поверила, что перед ней близкая родственница.

— Хорошо живешь, — заметила Саша, очутившись в хоромах Ани. — Квартиры объединила?

Наивная Нюша рассказала сестре, как ей повезло с соседками, с Тимошей и с работой.

— Я такими подарками судьбы похвастаться не могу, — поморщилась Александра. — Меня после того, как отец маму убил, отправили фиг знает куда. Долго рассказывать, как моя жизнь сложилась, в другой раз доложу в деталях. А если коротко, то так: выучилась я на парикмахера, переезжала с места на место, очень в Москву рвалась, с трудом попала в столицу. Мечтала работать на телевидении, пристроилась на один канал администратором, но денег там почти совсем не платили...

Александра махнула рукой.

— Три ведра дерьма съела и все же стала корреспондентом, сейчас на кабеле работаю.

— Где? — заморгала Аня.

— Не парься, — отмахнулась сестра, — не важно. Как только в Москве очутилась, начала тебя искать. Много времени и сил потратила, и вот — удалось!

— Ты сказала, что нас отправили в детдом после того, как папа убил маму, — еле слышно пролепетала Аня. — Я про отца ничего не знаю, у меня в свидетельстве о рождении в этой графе прочерк. А вот маму звали Татьяна.

— Да, она была Михайлова Татьяна, — нахмурилась Саша. — Я, в отличие от тебя, мелюзги, отлично помню, что она была очень высокой, темноволосой, полной. И адрес наш в моем мозгу навсегда отпечатался: Ванюшин переулок, дом два, квартира десять. Внешность отца тоже в памяти сохранила, хотя он редко дома бывал. Огромный был мужик! Волосы до плеч, все время сигареты смолил, одну от другой прикуривал, а мама ругалась. Звали его Федор. И у нас еще одна сестра есть, Вероника. Фамилия у нее Балабанова. Но той повезло, ее взяла к себе какая-то родственница.

— Наш отец убил нашу мать? — с трудом осознавала страшную информацию Аня. — Какой ужас! Почему он это сделал?

— Вопрос прямо супер, — ухмыльнулась Саша, — для того, чтобы она умерла.

— Ничего не понимаю, — прошептала Аня. — Зачем отцу лишать жизни любимую жену, мать троих его детей?

— С чего ты взяла, что «любимую»? — скривилась Александра.

— Но как же? — смутилась Анечка. — Столько дочек завели, значит, обожали друг друга.

— Да нет, просто трахались, как кролики, и с дури презервативами не пользовались, — зло перебила ее Саша. — Знаешь, кто наш отец?

— Не-а, — пропищала Аня. — Откуда мне это знать?

— Федор Михайлович Касьянов, погоняло «Змей», — на одном дыхании выпалила сестра. — Слышала о таком?

Нюшеньке снова пришлось признаться:

— Нет.

— Он художник, сейчас бешеные деньги загребает, — окрысилась Пуськова. — Убил нашу маму, дочки по приютам мучились, а сам весело жил, вкусно жрал. Это несправедливо. Я считаю, что он нам алименты должен, их детям до восемнадцати лет платить положено.

— Мы ведь обе уже взрослые, — сказала Аня, — нечего надеяться на получение каких-то денег от него.

— Ошибаешься! — резко возразила Саша. — И есть возможность бабки с него содрать. Только нам троим надо объединиться. Я могу интервью записать — твое, Вероникино, свое. Расскажем, как нас в интернатах били, голодом морили...

— У меня этого не было, — возразила Анна. — Да, я очень хотела попасть в семью, только не удалось. Но в нашем детском доме воспитанников любили. От воспитателей и от директора я видела только добро.

— Тьфу на тебя прямо! — рассердилась Саша. — Значит, повезло тебе. А вот меня колошматили до полусмерти, еду отнимали и еще чего похуже делали.

— Кошмар! — пришла в ужас Герасимова.

— Змей обязан мои страдания оплатить! — стукнула кулаком по столу Александра.

— Тише, — испугалась Анечка, — Тимошу и бабулечек разбудишь. Ты уверена, что он свою жену жизни лишил? Почему его не арестовали? Как ты все узнала?

Пуськова почесала переносицу.

— Когда я наконец-то в Москву приехала, стала искать, где жить. Сняла комнату в области, на станции Лесной городок меня одна бабка к себе пустила. Не бесплатно, конечно, но дешевле, чем в столице, получилось. Где-то через год шла я по центру, и вдруг мелькнула мысль в голове: стой, Саша, посмотри налево! Прямо будто голос услышала, который это приказал. Повернулась, вижу здание со скульптурами. Красивые такие фигуры, сфинкс, птицы с женскими головами. Перед глазами у меня все затуманилось, потом прояснилось, и — бац! — картинка передо мной: я маленькая стою на том же месте, держу маму за руку... «Это самый красивый дом в Москве, — говорит мама, — мы совсем рядом живем. Ну, пошли внутрь, Надюша ждет. Не потеряй пакет, неси аккуратно». Мы входим в подъезд, огибаем лифт, спускаемся по ступенькам, подходим к двери. А на ней нарисован глаз. Я начала в створку стучать, кричать: «Мы пришли!» И уронила пакет. Дзынь! Похоже, в нем бутылка была. Мать как закричит: «Ах ты дрянь безрукая! Змей мне теперь из-за тупой дочери голову отвинтит! Разбила!» Дверь открылась, появилась какая-то женщина, спросила: «Танюша, на кого злобишься?» Мама сунула ей в руки сверток, в одеяло закрученный: «Подержи Аньку, я Сашке наподдам. Змей от злости на дерьмо изойдет». И как влепит мне затрещину. Я головой в стену тюкнулась, заревела... И все, картинка исчезла, закрылось окно в детство.

— Нехорошо дочку бить, — осуждающе заметила Аня. — Не нарочно же ты бутылку раскокала.

— Между прочим, в одеяле была ты, — продолжала Саша. — Еще я могу нашу комнату в родной квартире описать. Батареи там были черные, с узорами...

Глава 23

— Как интересно! — ахнула Аня. — А я только про малышовую группу детдома рассказать могу. Про платье в горошек и повариху тетю Лялю, которая кусок белого хлеба мне давала, когда я к ней на кухню забегала. Она его маслом мазала и сахарным песочком посыпала.

— Постояла я еще немного перед тем волшебным домом, где детство вспомнилось, — продолжала Пуськова, — вошла в подъезд, спустилась в подвал... А там дверь с глазом намалеванным. Позвонила. Открыла мне худенькая женщина — вся в браслетах, цепочках, бусах, во рту сигарета. И такой запах мне в нос ударил: табачный перегар, духи, еще что-то непонятное, но знакомое и невероятно родное. Изо рта само собой вылетело: «Вы — тетя Надя. А я Саша». Женщина прищурилась и сказала: «Хм, много воды утекло, что ж, входи».

— Ой, как в кино... — протянула Аня. — И она тебя помнила?

— Да, — кивнула Саша. — В общем, я к Надежде Павловне переехала. От нее и узнала правду о родителях. У них гражданский брак был, не расписывались, просто как любовники жили. Тетя Надя лучшая мамина подруга с детства — в соседних домах жили, в одну школу ходили. Наш дед был военным, генералом, бабушка у него в приемной секретарем сидела. Единственную дочь Татьяну они воспитывали сурово, шаг вправо-влево считался побегом. Ей все запрещали. А она, повзрослев, влюбилась в Змея и убежала из дома, несколько лет парочка по разным квартирам скиталась. Меня мама родила в совсем юном возрасте, еще несовершеннолетней. Когда дед с бабкой умерли, Татьяна вернулась в родительскую квартиру, Змей переехал к ней. А потом убил ее. Вот что мне рассказала Надежда Павловна.

— Но почему же его не наказали? — снова выразила недоумение Аня.

— Не знаю, — нехотя призналась Александра. — Надежда Павловна не в курсе. Сама-то она с Федором с института дружила. Сказала, что Таня его боготворила, прямо обожала. Специально детей родила — надеялась его к себе привязать.

— Не понимаю, — жалобно протянула Герасимова.

— Что не ясно? — неожиданно разозлилась Саша.

— Нас две сестры, — продолжала Анюта. — А Вероника откуда взялась?

— От любовницы отца, — зашипела Александра, — Ника нам с тобой наполовину родная, она не от нашей мамы...

Произнеся эти слова, она замолчала.

— Александра решила шантажировать Змея? — сообразила я.

— Ну да, — кивнула Нюша. — Сестра поехала к Веронике. Как нашла ее, не знаю. И адрес ее мне не сказала. Получается, что Балабанова нам единокровная сестра, то есть отец у нас один, а матери разные. Саша сказала, что она модный журнал выпускает, но не на бумаге, а электронный. Пуськова Нике всю правду выложила, и состоялся у них такой разговор...

— Можешь пригласить Федора Касьянова к себе в офис? — попросила Александра. — Типа интервью взять?

Вероника удивилась:

— Зачем?

Тележурналистка объяснила:

— Он нам троим денег должен, алименты за восемнадцать лет. Касьянов сейчас богат и обязан заплатить. Позови его под предлогом заказа, вроде что-то для журнала своего от Федора хочешь. Мы с Аней тоже придем, и все вместе потребуем от отца бабки.

Ника не согласилась.

— У меня в метрике указаны отец Сергей Петрович Балабанов, мать — Лидия Алексеевна, фамилия та же. А вы про какого-то Касьянова говорите. Я его не знаю, ничего о нем не слышала. Из детства мало что помню, но все, осевшее в голове, связано с подмосковным городком, где я в школу ходила. Говорите, я в Москве родилась? Невероятно. И, уж извините, не верю вам. Не понимаю, в какую аферу вы меня хотите втянуть, почему именно я стала объектом вашего внимания, и иметь дело с незнакомым мне человеком не собираюсь. Обманывать художника, прикидываться его дочкой не стану.

Саша решила не сдаваться.

— Если мы объединимся, мужик не отвертится. Можно анализ сделать, который подтвердит наше родство. Змей должен хорошие суммы нам заплатить, а после его смерти мы получим дом мужика, дачу, машину, авторские права на картины. Это же миллионы! Касьянов не женат, мы его единственные наследницы.

Но Балабанова твердила:

— Не желаю ничего от постороннего человека.

Александра попыталась Нику переубедить, но ничего не получилось, та ее в конце концов просто выгнала. Саша очень злилась, ругалась:

— Мерзавка! Я ей устрою! Но не сейчас. Сначала мы должны у гада-папаши свой кусок, по закону положенный, отгрызть...

Моя собеседница начала теребить подол юбки.

— Вот честно вам скажу: не нравится мне Саша. Сестра как торговка на рынке — хабалистая, бесцеремонная, моих слов не слышит. Если что решила, ни за что не усомнится в правильности задуманного. Для нее все вокруг дураки, живут не так, как надо, одна она знает, как себя вести нужно. Еще и обидчивая до жути, любое замечание как оскорбление воспринимает. К тому же полагает, что все ей должны, раз она в приюте воспитывалась. Мне с ней дело иметь — как в крапиве сидеть. Но она же сестра, единственная кровная родственница. Знаете, я так радовалась, когда она вдруг пропала, перестала меня теребить после того, как Балабанова ее отшила...

Глава 24

Нюша расправила подол юбки.

— Вероника оказалась решительной. Я мямля, а она энергичная. Пуськова еще несколько раз ездила к Нике, но та охрану предупредила, и Сашу в поселок более не пускали, секьюрити даже пригрозили ей полицией. Вот и пришлось отлипнуть от Вероники. Вообще-то у Александры метод такой: не пускают в дверь — лезет в окно. Закрыли окно? Просочится в форточку. Устраивает осаду, и в конце концов человек сдается. Со мной так и случилось. Я совсем не хотела Змея изводить, но сестра ко мне пристала прямо как репей. Вот я пару раз и сделала, что она хотела.

— Что именно? — спросила я.

Аня опустила голову.

— Подсовывала ему записки с угрозами. Пуськова мне пообещала, что отец алименты нам точно заплатит, главное — его напугать. У нее, мол, есть доказательства того, что Касьянов убил нашу маму. Причем не абы какие, а кадры самого убийства. Там, говорит, прямо жуть... видно, как пуля в лоб между бровей влетает, а она идет и кричит: «Федя, за что? За что? За что?», потом убегает, а он за ней и опять стреляет, в глаз попадает, мама плачет, руки к убийце протягивает... Рассказала мне Саша весь этот ужас и спрашивает: «Может, хочешь сама взглянуть?» А меня и так трясет: «Нет! Нет! Ни за что!»

— Кто снимал преступление? — поразилась я.

— Не знаю, — вздохнула Аня, — вроде человек с телефоном там в тот момент был и заснял все. Короче, Александра план разработала. Змей любит по тусовкам бегать, за вечер может пять-шесть мероприятий обойти, зависает там, где журналистов побольше. Саша знакома с его помощницей, забыла, как ее зовут.

— С Зоей? — подсказала я.

— Точно, — кивнула Герасимова. — Сестра ей позвонила, представилась корреспондентом телевидения, фанаткой художника, попросила сообщить, куда Касьянов на неделе собирается пойти, чтобы туда с камерой приехать. Зоя стала адреса ей давать. Получив первое сообщение, Сашка мне заказ на обслуживание тусовки раздобыла и приказала бумажку в кекс засунуть, сделав так, чтобы именно его Федор взял. Руки потирала: «Он выпечку обожает».

Аня отвернулась к окну.

— Почему я согласилась? Она от меня не отставала. Я отказывалась, а Пуськова не отлипала. Сначала по телефону прессовала, потом вдруг приехала ко мне домой вечером, когда все мои в квартире находились. Я дверь открыла, обомлела, увидев сестру, на лестницу выскочила и говорю: «Ни Тимоше, ни бабушкам с тобой знакомиться не надо. Как я им объясню, откуда у меня сестра взялась?»

Собеседница вздохнула.

— На самом деле я не этого опасалась. Старушки очень добрые, воцерковленные. Расскажет им Саша про детдом, споет, что ей жить негде, они тут же воскликнут: «Доченька, переселяйся к нам! Комната пустая есть». А я уже поняла: нельзя Александру в свою жизнь включать. Она злая, жадная, одни гадости про людей говорит. Сестра плохой пример для моего мальчика. У нас дома все другие. Вот поэтому я и придумала, что не хочу своих рассказом про сестру тревожить. А она противно так засмеялась: «Ничего, я сама им растолкую». И внутрь войти пытается. Я взмолилась: «Саша, не нервируй бабушек, они старенькие, испугаются рассказа про убийство нашей мамы. А Тимоша школьник, не надо ему знать про жуткую трагедию. Уходи, пожалуйста». Но она...

Нюша всхлипнула, зашмыгала носом. Я протянула ей пачку бумажных платков и продолжила рассказ за нее.

— Но Пуськова поставила ультиматум — или вы ей помогаете, или она живописует бабушкам и ребенку в деталях, что сделал Федор с вашей матерью. Уедете на работу, а Саша в ваше отсутствие в квартиру заявится.

Аня закивала.

— Да, да. Обещала видео смерти мамы продемонстрировать. Она такая сильная! Отпихнула меня от двери, словно муху сдула. Пришлось согласиться Касьянова пугать.

— Вы стали подсовывать Федору выпечку с «начинкой», — вздохнула я. — Сколько раз это проделали?

— Вместе с сегодняшним днем четыре, — призналась собеседница.

— И что там было написано?

— Не знаю, — всхлипнула Анна, — не читала никогда листочек. Но художнику текст очень не нравился. Когда он впервые записку получил, сказал громко и весело: «О! Китайское предсказание!» Потом текст прочитал и... и щека у него задергалась. Улыбаться, правда, не перестал, удержал лицо, но я поняла, что ему сообщение не по душе. Во второй, третий раз он уже спокойнее реагировал. Потом перестал сладкое есть, не брал его. Поэтому сегодня Саша приказала сообщение в пирожок с капустой запихнуть. И она впервые мне сообщила, что речь о миллионе долларов идет с угрозой убийства.

— Как вам удавалось наниматься туда, где Змей появлялся? — удивилась я.

— Два раза, в том числе сегодня, это само собой вышло, — протянула Аня, — Змей любит Танюшу... ой, простите, Татьяну Николаевну, но ее никто по отчеству не зовет. Конечно, она уже в возрасте, но такая веселая, милая, добрая, совсем на старушку не похожа, одевается модно. Федор постоянно на ее мероприятия приходит. А Панина, если не очень многолюдная вечеринка предстоит, всегда меня зовет. И Сашу с камерой. Устроительнице мероприятий неизвестно о цели Пуськовой, она просто радуется, что тусовку по телику покажут и у нее тогда новые клиенты появятся. А еще два раза... Там устроители нанимали кейтеринг, я и не понимаю, как Саша это устраивала. Сижу дома, вдруг сестра звонит и шипит в трубку: «С тобой сейчас свяжутся, позовут обслуживать тусню, не вздумай отказаться». Это было удивительно, ведь хозяева всегда заранее обо всем с фирмой договариваются. Но через десять минут в самом деле прорезался мужчина со словами: «Анна, выручите нас! Одна официантка заболела, можете ее заменить? Нам срочно надо. Прямо сейчас можете поехать? Заплатим двойную цену». Я, конечно, летела по вызову. И дело не в приказе Александры — мне деньги нужны, от работы я никогда не отказываюсь. Прикатывала, а там Саша и Женя по залу ходят с микрофоном и камерой... Ой, вон мой дом, серый! Спасибо вам большое. От остановки далеко идти, а сумка тяжелая.

Я притормозила у подъезда.

— Так вам благодарна, что подвезли! — затараторила Аня. — Если задумаете гостей собрать, звякните. А с этой историей... Прошу вас, помогите мне, придумайте что-нибудь. Пусть Саша от меня отлипнет. Я вам бесплатно такое обслуживание организую! Идеальное!

— Хорошо, — улыбнулась я, — попробую вам помочь.

Герасимова схватила свою сумку и вошла в подъезд.

А я поехала домой, поставила свою «букашку» в гараж, пошла по дорожке к коттеджу и удивилась — несмотря на поздний час, в столовой светились все окна, а на парковочной площадке стояло несколько машин. У нас гости?

Обычно собаки, услышав звук шагов из холла, мигом кидаются посмотреть, кто пришел. Но сейчас ни один пес мне навстречу не поспешил. Стая, похоже, толкалась около стола в надежде схватить падающий с чьей-нибудь тарелки вкусный кусочек.

— Дашута! — завопил Гена, заметив мое появление в столовой. — Ура! Шампанского ей! Штрафную! Ты где шлялась?

Пришлось соврать:

— В театр ходила.

Маша приподняла бровь, но ничего не сказала.

— По какому поводу пир горой? — поинтересовалась я.

— Я сделал предложение Наташе, а она мне отказала! — заорал Погодин.

— Совсем с ума сошел, — неодобрительно пробормотала Ирка, ставя на стол новую бутылку. — Невеста послала жениха к фиговой матери. Чего ж от восторга плясать?

— Геннадий ликует, потому что сообразил: хвост из капкана вытащил до того, как его прищемило, — объявил Дегтярев. — Мне мужики часто говорят: «В браке было всего два счастливых дня — когда женился и когда развелся».

— Вы ничего не понимаете! — снова зашумел Погодин. — Как только я ее невероятное лицо увидел, сразу понял — это она! Она! Моя единственная!

Я молча села за стол.

Феликс дружит с Геной давно. Муж рассказал мне, что Погодин составляет свое мнение о человеке сразу — только посмотрит на него, тут же решает: отличный парень. Или наоборот: противная морда. На что Гена ориентируется, когда делает свои выводы? Погодину категорически не нравится зеленый цвет, и если в его кабинет заглядывает некто в пуловере колера молодой травы, ему нечего рассчитывать на благосклонность хозяина успешного проекта «Парк прогресса». А с дамой в розовом Гена будет душкой. На то, как Погодин отнесется к человеку, влияет много факторов: запах духов, марка одежды, прическа — все имеет значение. Если незнакомец произнесет традиционную для москвичей фразу: «Ну и мерзкая погода», Геннадий откажется с ним сотрудничать. Почему? По мнению Погодина, личность, зависящая от того, идет на улице дождь или светит солнце, является депрессивной, жди от нее массу неприятностей. Еще ему категорически не нравятся мужчины, которые складывают купюры в несколько раз или сворачивают их в трубочку.

— Уголовники! — немедленно делает заключение Гена. — Это зонская привычка. Только зэки так деньги уродуют, чтобы охрана не нашла.

На мое замечание, что есть вполне благонадежные граждане, которые поступают подобным образом, Гена отреагировал сердито:

— Нет! Если кто скручивает ассигнации, значит, сидел или будет сидеть. Сейчас пока не за решеткой? Но обязательно туда попадет.

Составив о человеке мнение, Гена никогда его не меняет. Если он однажды посчитал вас жадным, то можете давать огромные деньги на благотворительность, содержать десять старушек, тратить весь свой заработок на нищих и больных, а сам ходить, звеня веригами, в рубище и опорках, — все равно Геннадий будет думать: передо мной алчный тип. Но, с другой стороны, если Гена проникся к кому-либо любовью, то на это чувство не повлияет ничто. Смело тогда натягивайте одежду зеленого цвета, скатывайте дензнаки рулонами — Гена не обратит на это внимания.

Для меня остается загадкой, как Погодин, обладая столь вздорным характером, смог поднять непростой бизнес, сделать его успешным и удерживаться на плаву. Первых сотрудников он подбирал именно по принципу «нравится — не нравится». Сейчас у фирмы, слава богу, есть большой отдел персонала, который возглавляет опытный специалист.

Несколько лет назад экономка Погодина, она же его бывшая няня, позвонила Феликсу и взмолилась:

— Хоть ты объясни Гене, что водитель Анатолий — вор. У шофера есть кредитка, по которой он покупает продукты и разную хозяйственную мелочь по моему списку. До этого у нас служил Иван, но он, к сожалению, умер, и тогда появился Толя. Так вот, едва его взяли, расходы по карте возросли на треть. И я уверена, что эти тридцать процентов идут мужику в карман. Приезжай, покажу тебе выписки из счетов.

Маневин помчался к Гене, изучил банковские документы, понял, что экономка права, и поговорил с другом. А потом сказал мне:

— Бесполезное дело. Он меня выслушал и ответил: «Отлично знаю: Анатолий прекрасный человек».

Глава 25

А вот с женщинами Гена поступает прямо противоположным образом. На него, хорошо обеспеченного человека, холостяка, сироту, который никогда не ставил штамп в паспорте и не имеет детей, девушки, а также дамы давно открыли активный сезон охоты. И дабы заарканить жирную добычу, принцессы не стесняются в выборе оружия. Но вот парадокс! В мгновение ока составляющий мнение о мужчинах, Гена с дамами осторожен, как опытный, потрепанный жизнью тушканчик. Он ни разу не приходил к нам в гости вместе с какой-нибудь блондинкой-брюнеткой. Погодин всегда заявляется в Ложкино один. Секретарь не в счет, она сотрудница, следовательно, бесполое существо, которое обязано носить чуть ли не монашескую одежду, чтобы в голове у шефа случайно не возникли скабрезные мысли. А вот на всяких новомодных вечеринках, которые мы с Феликсом, еще не став мужем и женой, иногда посещали, Погодин всегда веселился в компании красивой спутницы, причем каждый раз новой и, как правило, стройной, длинноногой, с большим бюстом, с небесно-голубыми глазами. И вовсе не дурочкой.

Помнится, меня очень удивила одна из них. Во время очередной вечеринки к Гене подошел какой-то мужчина и завел деловую беседу. После его ухода дама Погодина меланхолично бросила в пространство:

— Не стоит доверять тому, кто, беседуя о продаже бумаг, произносит слова «валютная змея».

— Чего? — не понял Гена. — Зайка, поясни.

Очаровательное существо усмехнулось:

— В каждой области существуют свои особые словечки, сленг, понятный лишь спецам. «Жирный кот», «капитал-морковка», «копченая сельдь» — все это экономические термины. Твой собеседник, говоря об активной продаже конкретного вида бумаг, все время повторял «запустить валютную змею». Но «валютная змея» обозначает систему согласований валютных курсов европейских государств. То, о чем с пылом вещал мужик, именуется «налет медведей».

— А что такое «копченая сельдь»? — изумился Погодин.

Зайка расцвела очаровательной улыбкой.

— Отвлекающий маневр, когда создается предварительный пакет эмиссии займа облигаций, однако в нем не указывают основные параметры. При этом проспект выходит в свет до того, как регистрационное заявление эмитента вступает в силу. Все очень просто. Не так ли?

Феликс и Гена молча моргали. А я, не понявшая ни слова из речи милой Зайки, все-таки пробормотала:

— Да. Элементарно.

Однажды, вернувшись после очередной вечеринки домой, я сказала Феликсу:

— Девушки у Гены как на подбор красивые и неглупые, скоро кто-то из них стреножит бизнесмена-бабника. Недолго ему на свободе пастись осталось.

Маневин смутился.

— Это эскорт.

Я не поверила своим ушам.

— Хочешь сказать, что Гена нанимает спутниц?

— Поэтому они у него всякий раз разные, — уточнил супруг. — Погодин нанимает интересных внешне и непременно умных. Когда он узнал, что мы с тобой собираемся пожениться, начал меня уговаривать: «Зачем вешать ярмо на шею? Вначале-то все бабы пряники, но как только штамп тебе в паспорт шлепнут, превращаются в капусту с уксусом. Непременно твоя супруга станет деньги требовать, пилить: «Мало зарабатываешь». Лучше иметь дело с девицей по вызову — отдал ей оговоренную сумму, и никаких проблем, она будет улыбаться, вытворять, что прикажешь, да еще за чаевые ручку поцелует. А супруге никаких бабок не хватит. И что взамен получишь? Кривую рожу, фразу, что у нее голова болит, нападки на твоих друзей, на привычки. Пока не поздно — тормозни. Отвезу тебя в агентство, там подберут бабенку для прогулок на твой вкус. Я возразил: «Люблю Дашу, а она меня». Погодин отмахнулся: «Глупости! Хотя ты, дурак, может, и испытываешь что-то. Но Дарья нет. Ей от тебя бабло надо». Конечно, я возразил: «Будущая супруга намного богаче меня». И что услышал? «Значит, ей хочется к твоей славе примазаться, — не сдался Геннадий, — стать профессоршей». Представляешь?

Надеюсь, приятель Маневина изменил свое мнение обо мне. С женщинами у Погодина не так, как с мужиками, — при общении со слабым полом он может признать, что его первое мнение о даме было неверным. И, кстати, до сих пор он никогда не говорил о любви, а сейчас я слышала страстную речь Гены, которая звучала песней восторга.

— Я увидел рекламу. По телевизору. Не смотрю никогда чушь, а тут сидел в приемной у дантиста, там дурацкий ящик орал. Вдруг — реклама. Котлеты «Счастье в доме». На экране такая женщина! Фигура... Осанка... Улыбка... Сразу понял: вот она, мать моих детей! Прекрасная! Умная! Очаровательная! Потрясающая! Талантливая! Эмоциональная! Добрая!

— Ты все это понял, просто взглянув на женщину, которая предлагала купить котлеты? Определил даже ее выдающиеся умственные способности? — уточнила я.

— Не вижу ничего смешного! — разъярился Погодин. — Она — совершенство! Я начал искать актрису, а ее никто не знает. Велел дуре Ленке отрыть агентство, где девушка работает. Да разве Катька способна хоть что-то нормально сделать?

— Вообще-то твоего секретаря зовут Ниной, — напомнила я.

— И, кстати, где она, твоя помощница? — осведомился Феликс. — То постоянно за тобой ходила, а сейчас ее нет.

— Выгнал, — коротко бросил Погодин.

— Уволил? — уточнил Дегтярев.

— Дал ей коленом под зад! — вмиг вспылил Гена. — Галина ныла, стонала... Ничего, нехай едет на легком катере вон. Другую найдут.

— Ее имя Нина, — повторила я. — И она казалась мне хорошим работником.

— Полная кретинка, — возразил Геннадий, — ни с одним делом справиться не могла, даже не выяснила, кто делал ролик про котлеты. И вдруг! В вашем доме появилась моя мечта — Наташа Кузнецова. Люди, это была она! Она пришла!! Сама!!! Я сразу предложил ей замужество.

— Ты был пьян, — засмеялась я. — Понятно, что девушка не сочла твои слова серьезными.

— Один раз за десять лет вискариком накачался, — заныл Гена, — и именно в тот день, когда судьба любимую привела. Но потом-то я протрезвел!

— И позвал замуж Игоря, — съехидничала я.

— Ой, перестань, — поморщился Погодин, — просто я нервничал. Как я ее искал! Адреса не знаю, телефона тоже. Хорошо, Игорь помог, поговорил с Балабановой и в конце концов уломал бабенку, та все данные девушки дала. За немалое бабло, между прочим. И я поехал к Наташе. Вот!

— Гарик общался с Вероникой? — удивилась я.

— Он ее знает, — хмыкнул Погодин.

— Откуда? — опешила я.

— Не спрашивал. На фига мне это? — отмахнулся Погодин. — Не интересно. Главное, я получил наконец-то адрес. Только послала она меня. Очень вежливо объяснила: «Я вас совсем не знаю. А то, что вы богаты, для меня не повод идти под венец».

Геннадий поставил около тарелки коробочку и откинул крышку.

— Достойный бриллиант, — заметила Маша. — И она не взяла?

— Нет, — грустно ответил Погодин.

— Вот дура! — воскликнул Игорь. — Я бы не отказался.

— Сомневаюсь, что тебе пойдет женское помолвочное кольцо, — не удержалась от ехидства Манюня, — странно на руке смотреться будет.

— Ну, продал бы его... — размечтался Гарик. — Ладно, зачем обсуждать то, чего я не получу никогда. Послушайте лучше мои новости. Кружка с пробкой запустится в производство и очень скоро появится в магазинах. Вы отказались вложиться, но нашлись другие, более умные люди, они почуяли аромат большой выгоды...

Мне стало невмоготу слушать песни горе-бизнесмена, поэтому я схватила пульт и бесцеремонно включила телевизор.

— Криминальные новости столицы, — заговорил женский голос, — горячая сводка.

— Найди мультик, — жалобно попросил полковник, — неохота слушать о преступлениях, на работе этого хватает.

Но я решила повредничать.

— Хочу послушать.

Маша встала и потянула полковника за руку.

— Сейчас включу тебе в гостиной «Чип и Дейл спешат на помощь».

— О помощи тоже не надо, — закапризничал Александр Михайлович, — напоминает про МЧС.

— Возле центра «Эритон», где сдаются помещения под разные мероприятия, скончалась Александра Пуськова, корреспондент одного из кабельных каналов, — бодро объявила ведущая.

Я уставилась на экран. Он мигнул, и возникло растерянное лицо оператора Жени. Парень загудел:

— Ну... мы того-самого... снимали тусню художника Змея... Сашка интервью брала... потом типа... воды попили на фуршете... из кулера... Собрали аппаратуру, Санька жаловаться начала: голова кружится, сил нет. Я решил, что она устала, мы без выходных давно работаем. И в зале очень душно было. Вышли на улицу, двинули к моей машине... Сашка вдруг остановилась. Я спросил у нее: «Чего затормозила?» Она ответила: «Тошнит, не могу идти». И упала. Сначала я ее поднять пытался... но понял — без сознания она... «Скорую» вызвал, врачи приехали. Опа! Умерла. Инсульт. Или инфаркт. Во дела! Нету Сашки. Только что живая была...

Экран погас.

— Кто выключил? — возмутилась я.

— Хватит ерунду смотреть, — объявил Игорь, — слушайте новости про мою чашку. Модель выпустят трех цветов.

Я схватила со стола пульт, нажала на кнопку, опять увидела ведущую и услышала конец фразы:

— ...угон машины. Вскрыть навороченную сигнализацию вор ухитрился менее чем за полминуты.

О смерти Пуськовой уже перестали вещать.

Глава 26

Утром меня разбудил звонок. Не открывая глаз, я схватила трубку и прошептала:

— Кто там?

— Кузя не прав, — откликнулся мужской голос, — нехорошо поступил.

Я потрясла головой, кое-как разлепила веки и уставилась на дисплей телефона. Сначала в глаза бросилась фамилия «Собачкин», потом время — пять тридцать.

— Извини, что поздно беспокою, — продолжал Сеня, — но я только что все выяснил. Кузя болван. Зачем стал упрекать тебя в том, что ты редко приходишь, что используешь нас?

— На мой взгляд, пять утра очень рано, — прошептала я, вставая.

— Чего еле слышно говоришь? — удивился Сеня.

— Феликс спит, — пояснила я.

— Уже под одеяло заполз? — изумился Собачкин.

— Мы не летучие мыши, как ты, — возразила я. — А Кузя прав, я относилась к вам потребительски.

— Выкладывай, что надо, — потребовал Собачкин. — Прекрасно понимаю, что ты не просто так приезжала. Кузя социальный идиот, не умеет общаться с людьми. А я нормальный. Что у тебя произошло?

Я покосилась на мирно посапывающего Маневина.

— Подожди, сейчас осторожненько из спальни выйду, не хочу мужа будить. Пойду в библиотеку...

Договорить я не успела — левая ступня за что-то зацепилась, и, чтобы устоять на ногах, я замахала руками. Трубка вылетела из моих пальцев и попала прямо в лоб спящей на ковре Мафи. Собака подскочила с оглушительным лаем. А я шлепнулась на пол, больно стукнувшись спиной об основание торшера, стоявшего со стороны кровати супруга. Торшер закачался, потом рухнул на Хучика, который, совершенно не ожидая неприятностей, дремал, положив голову на домашние тапки мужа. Абажур превратился в стеклянное крошево. Мопс взвизгнул и ринулся к двери. Я испугалась, что он порежет лапы, и завопила:

— Стой!

Хучик притормозил, развернулся, кинулся назад, прыгнул на кровать и юркнул к Маневину под одеяло.

Я встала, сделала шаг, наступила на что-то скользкое и снова плюхнулась на сей раз в паре метров от двери в ванную. Нос уловил характерный и крайне неприятный запах — кто-то из псов, то ли Мафи, то ли Хучик, перепугался до расслабления кишечника.

— Что у тебя происходит? — громко нервничал Сеня в трубке.

Но я не могла ответить Собачкину, потому что безуспешно пыталась встать на ноги. В конце концов мне удалось уцепиться за кресло, и я воскликнула:

— О, это же кейс Дегтярева тут стоит!

— Чей? Где? Откуда? — не успокаивался в трубке Сеня.

Поднявшись, я подобрала мобильник и прошептала:

— Перезвоню тебе минут через десять.

— Что за грохот я слышал? — не утихал Собачкин.

— То ли Мафи, то ли Хучик наложили кучу в спальне, — объяснила я, — уберу и звякну. Воняет очень.

— Ни фига себе они в туалет ходят! — восхитился Сеня. — Петарды, что ли, из них выпадают? Такой шум стоял!

Я быстро отсоединилась и оглядела комнату. Ну и что мы имеем?

А имеем мы поваленный торшер и вокруг море мелких осколков от абажура, растоптанное по всему ковру собачье гуано и мои перепачканные тапочки, а над всей этой красотой гремит храп Маневина и пуделихи Черри. Последняя плохо слышит, поэтому даже не вздрогнула, когда случилось бедствие, а Феликса вообще почти невозможно разбудить, он может мирно видеть сны под барабанный бой чеканящего шаг около кровати военного оркестра.

Тяжело вздыхая, я пошла в кладовку, принесла швабру, тряпку, ведро, веник, совок и навела в комнате порядок. Хотела лечь, и тут мой взор опять упал на портфель, стоявший в кресле. Под Новый год я купила в подарок Феликсу очень красивый и дорогой кейс. Тридцать первого декабря положила его под елку и была потом вознаграждена радостным восклицанием мужа:

— Именно такой я и хотел!

А вот Маша, увидев, что Маневин вынимает из коробки, простонала:

— О нет...

Я удивилась странной реакции Маруси, но не успела спросить, чем ей не понравился мой подарок Феликсу. Потому что в этот момент Дегтярев развернул пакет, который ему преподнесла Манюня, и загудел:

— Вот это да! Спасибо, котеночек, а то моя сумка совсем развалилась.

Я посмотрела, что держит в руках толстяк, и вмиг сообразила, по какой причине Манюня так отреагировала на мой подарок Феликсу, — Александр Михайлович получил от доброго Дедушки Мороза точь-в-точь такой же кейс, как и Маневин. Совпало все: фирма-производитель, модель, цвет, материал. Это же надо — из огромного многообразия мужских сумок мы с Машуней ухитрились приобрести идентичные.

— Вау! Взяли оптом две штуки, чтобы получить скидку? — радостно завопил Игорь.

— Нет! — хором возмутились мы с Машей.

— Да ладно, — заржал Гарик, — все хотят на подарках сэкономить. Дегтярев и Маневин будут теперь как сироты из приюта. С одинаковыми торбами.

— Мне подарок очень нравится, — сказал интеллигентный Маневин. — И на моем портфеле вот эти пупочки крупные, а у полковника мелкие.

— Эти пупочки — настоящая кожа крокодила, между прочим, — вздохнула Манюня. — Мусик, в следующий раз нам надо спрашивать друг у друга заранее, что решили купить членам семьи.

— О, я супервещь получил! — опомнился полковник.

— Невероятно рад! — подхватил Феликс. — Ну и что, подумаешь, портфели у нас близнецы... Мы же с Дегтяревым не женщины, которым неприятно видеть на вечеринке кого-то с такой же сумкой, как их собственная.

— Да, да, — закивал толстяк. — Лично мне по барабану, что носить, лишь бы целое.

— Согласен, — подпел ему Маневин.

Профессор и полковник стали ходить с портфелями на работу и почти никаких сложностей у них в связи с этим не возникало. Есть лишь одна незадача. Феликс, придя домой, постоянно бросает свой кейс в холле. Нет бы ему, сняв ботинки, аккуратно взять да и унести портфель к себе в кабинет, но Маневин преспокойно идет ужинать, потом топает в ванную, выйдя из душа, разговаривает с кем-то по телефону... А тут как раз в Ложкино прикатывает после работы полковник, который тоже спешит поесть, поэтому кидает кейс у вешалки. Через какое-то время Феликс вспоминает, что ему надо собрать для завтрашних занятий кое-какие книги, идет в прихожую и... хватает собственность Дегтярева. Маленькая деталь: портфели имеют кодовые замки. Маневин своим не пользуется, а Александр Михайлович запирает крокодиловый кейс. Таким образом, профессор, не открыв портфель, понимает, что взял чужой, и быстренько меняет его на собственный. Но иногда, как, например, сегодня, что-то Феликса отвлекает, и недоразумение выясняется только утром, когда оба спешат на службу.

Я потрясла собственность Дегтярева, оглядела замок. Интересно, какой тут пароль? Цифр всего четыре. Год рождения? Я быстро повертела колесики. Не подходит. Дата и месяц? Снова мимо. Я призадумалась. Ну не мог же полковник поставить: один, один, один, один. Было бы совсем глупо. Хотя попробую... Послышался щелчок.

Тихо посмеиваясь, я начала рыться в недрах портфеля полковника. Нравственно ли без спроса копаться в чужих вещах? Отвратительно! Мне не нравятся люди, которые поступают таким образом, я и сама никогда этого не делаю. Но полковник, во-первых, не посторонний. И как мне иначе узнать, что он выяснил про смерть Марфы и Вероники? Это во-вторых.

Помнится, Балабанова вроде тоже являлась дочерью Змея. Потом девочку забрали какие-то родственники и удочерили. Почему ребенка отняли у родителей? Саша сказала Ане, что Веронику родила любовница Змея. А их мать являлась гражданской женой художника. Хм, кто бы мне объяснил разницу между гражданской женой и любовницей? Супруга — это та, у которой в паспорте стоит штамп. Некоторые пары говорят: «Зачем нам разрешение государства на создание семьи? Печать не имеет никакого значения, от того, что ее шлепнут в паспорт, любви не прибавится». Как правило, с таким заявлением выступает мужчина, и женщина соглашается. А что еще делать слабой половине? Она же не хочет портить отношения с любимым, поэтому демонстрирует окружающим, что отсутствие колечка на пальчике ее совсем не ранит. Неправда! Любой женщине хочется стабильности, уверенности в завтрашнем дне, возможности спрятаться от невзгод за широкими мужскими плечами.

Подавляющее большинство «неокольцованных» девушек понимает, почему партнер до сих пор не сделал им предложение: он боится ответственности за семью, не хочет терять свою свободу и деньги. Если любовник говорит вам: «Я пока не готов к браку, давай жить просто так», несет чушь про то, что не хочет получать одобрение государства на брак, сообщает, будто является адептом церкви «Христос никогда не был женат», то все это свидетельствует об одном: он вас не любит, вы для него — временный аэродром. Но когда-нибудь — пройдет год, три, пять, десять, даже двадцать лет союза без штампа — он встретит женщину, на которой женится через неделю после знакомства. И что будет с вами? А что происходит со старыми домашними тапками? Их отправляют в мусорное ведро. И вы там окажетесь, не имея прав ни на что: ни на квартиру, ни на дачу, ни на счет в банке.

Но это материальная сторона вопроса, ее худо-бедно можно уладить. Что делать с горькой обидой, ощущением, что тебя вышвырнули как использованную ветошь? Гражданского брака не бывает. Брак — это союз, зарегистрированный государством. И хорошо, если он освящен церковью. Нет печати в паспорте? Вы — любовница. В лучшем случае — сожительница. И не важно, что родили десять детей и обитаете в одном с мужчиной доме тридцать лет. Он не захотел позвать вас замуж. Вы — второй сорт. А вот если представитель сильного пола действительно любит подругу, он боится ее потерять, поэтому быстренько тащит в загс, чтобы привязать к себе и дать понять остальным самцам: эта женщина — моя! Кстати, если для вас не важен штамп и оформление совместного проживания, то почему вы сами называете себя не просто женой, а гражданской женой? Говорите лучше честно, как есть: я постоянная любовница. Вам же все равно, что вы не замужем. Или все же это не так?

Я почесала нос. Что-то меня в сторону унесло. Вернемся к Змею.

Художник жил вместе с матерью Саши и Ани, но еще у него была метресса, которая родила Веронику. Касьянов якобы убил родительницу первых двух девочек. Почему «якобы»? Да потому, что Пуськова легко могла обмануть Герасимову.

Александра рассказала наивной Анечке неправдоподобную историю и даже заявила, что у нее есть видео расстрела матери. Маленькая деталь: в то время, когда осиротевшую крошечную Аню забирали в интернат, мобильных с камерами не существовало. Тогда откуда кино? На месте преступления находился оператор с любительской аппаратурой и вел съемку? Вспомним, как Саша живописала убийство матери: пули попали несчастной в лоб, а потом в глаз — или наоборот, я уже эту глупость не помню, — а бедняга все шла и вопрошала Федора: за что? Вот уж правда глупость придумала Пуськова. Пуля в лоб или в глаз уложит человека наповал мгновенно. Конечно же, никакой видеозаписи убийства не существует. Александра солгала, чтобы напугать Анну и сделать ее послушной исполнительницей своей воли.

Что стало с девочками Михайловыми? Обе попали в приют. Наверное, Федор официально не удочерял Сашу и Аню. А теперь возникают вопросы. Почему Веронику забрали дальние родственники? Где ее мать? И куда делась родительница Александры с Анной?

Саша решила потребовать у папаши все невыплаченные им алименты. По мнению Пуськовой, ей полагалась большая сумма. Она разыскала сестру и подчинила ее — мягкую, интеллигентную — себе. А вот с Балабановой тележурналистка не справилась, Ника послала единокровную сестру куда подальше. Возникают новые вопросы. Зачем вообще Александре понадобились сестры? Почему она не могла действовать одна? Отчего Саша решила стребовать с папеньки долг только сейчас? Ни одного ответа нет.

Ладно, вернемся пока к Балабановой.

Некоторое время назад к Веронике прикатила подруга детства Марфа. У Медведевой в голове джунгли глупости. Она отчаянно хочет замуж, верит в то, что обязательно обретет счастье, если станет членом общества «Ведьмы Подмосковья», поэтому прибывает в Москву, чтобы найти Феликса Маневина вкупе с главной колдуньей Дарьей. И ее ждет удача — мы, оказывается, живем по соседству с домом, где обитает Ника. Когда Марфа прибежала в наш особняк, я узнала, что в Сети есть сайт, где от моего имени вовсю обирают наивных и глупых женщин. А потом я стала жертвой шантажиста: выглядело это так, будто некий безутешный мужчина прислал мне, ведьме, как он считает, погубившей его сестру, снимок ее мертвого тела и намеревается отомстить. И что выясняется? Никто безвременно не умирал, на фото инсталляция художника Касьянова по прозвищу Змей. Причем сие произведение искусства было выставлено на обозрение только для близких автору людей. А вскоре действительно погибают две из трех дочерей живописца, Саша и Вероника. Да, я понимаю, что люди порой уходят на тот свет даже в юном возрасте. Умри Александра лет пять-семь назад, а Ника сейчас, я бы не встревожилась. Просто пожалела бы бедняжек, которым не удалось прожить долгую жизнь. Но все события переплелись в один клубок и совпали по времени.

Я продолжала копаться в портфеле, удивляясь тому, сколько всякой ерунды таскает при себе полковник. Пачка бумажных носовых платков, шоколадный батончик «Похудей-ка», тьма шариковых ручек, ежедневник, ноутбук, коробочка с мятными пастилками, кошелек, еще одно портмоне, пакетик конфет «Чернослив с орехом», упаковка лакомства для собак, пустая кобура, а еще одеколон, пинцет, щипчики для бровей, круглое зеркальце... Для полноты картины осталось найти в глубине кейса губную помаду, Дегтяреву подошла бы коралловая. И этот человек упрекает меня, когда я долго не могу найти в своей сумке ключи? Отлично помню, что он всегда в таких случаях кричит: «Надо вытряхнуть всю дрянь из кошелки!» А сам... Да у меня и половины его барахла нет! И где папка с документами-то? Обыскала оба отделения, но ее не обнаружила. Мой взгляд упал на молнию, и я чуть не запрыгала от радости. Ну, конечно, как я могла забыть, что между двумя открытыми отделениями есть еще и закрытое. Я потянула за «собачку»...

А в голове теснились новые вопросы. Связана ли смерть несчастных женщин с тем, что Саша начала изводить Касьянова, подсовывая ему записки с требованием денег? При чем тут Марфа? Ладно, погляжу, что нарыл толстяк...

Глава 27

Я вытащила из портфеля папку и открыла ее.

Вот данные по Веронике Балабановой. Так... Мать Лидия Алексеевна, библиотекарь. Отец Сергей Петрович, начальник автобазы, умер, когда дочери исполнилось двенадцать. Зинаида Ефимовна, няня, которая рассказала Марфе про отца Ники, не соврала ни слова. Сергея арестовали за мошенничество — он арендовал в Москве офис, объявил себя представителем автозавода и стал предлагать народу машины по смешным ценам. Сейчас на такую наживку клюнет не так уж много людей, в СМИ есть много сообщений о похожих аферах. Но Балабанов начал свою деятельность больше двадцати лет назад, тогда это было в новинку, и к хитрецу-мудрецу потекла широкая река клиентов, первым из которых в самом деле достались тачки. Орудовал предприимчивый мужик недолго, примерно год, насобирал крупную сумму, но скрыться не успел. Жулика арестовали, осудили и отправили в колонию, где он подцепил туберкулез и умер.

Когда супруг очутился за решеткой, интеллигентная Лида, верная жена, прекрасная мать, ни разу не опоздавшая на работу и никогда не пробовавшая ничего из напитков крепче кефира, стала прикладываться к бутылке и очень быстро спилась. Со службы ее, конечно, вытурили. На что жили пьяница и девочка? Возможно, Лидия пристроилась на местный рынок мыть ларьки да перебирать овощи и получала деньги в руки в конце каждого дня. Или она продавала вещи из дома? Почему девочкой, чья мать валялась в канаве, не заинтересовались органы опеки? По какой причине ни соседи, ни учителя не сообщили в соцзащиту об одинокой матери-алкоголичке? У Лидии было много приводов в милицию за мелкое хулиганство — разбила камнем окно соседки, которая отказалась дать ей денег в долг; гуляла по двору голая; регулярно справляла малую нужду в подъезде... Отчего никто не побеспокоился о судьбе Ники? Нет ответа.

Умерла Лидия в прямом смысле этого слова под забором. Тело нашли неподалеку от местного рынка, эксперт вмиг установил причину смерти: отравление суррогатным алкоголем. При покойной обнаружили недопитую бутылку водки, которая оказалась фальсификатом. Вероника в тот год заканчивала выпускной класс. Девушка решила продать трехкомнатную квартиру, хозяйкой которой стала как единственная наследница, и тут выяснилось, что ее запойная мамочка незадолго до кончины успела сбыть квадратные метры с рук. Их задешево купил хозяин местного рынка. Он сообразил, что алкоголичка отдаст жилье за копейки, и оформил сделку. Вероника ничего об этом не знала. Едва Лиду упокоили на кладбище Бугайска, новый владелец трешки затеял ремонт. Правда, он благородно разрешил Нике жить дома до получения аттестата.

Завершив учебу, девушка назанимала денег и уехала в Москву. Ее след на некоторое время потерялся. Но потом Балабанова зарегистрировалась в квартире, которая находилась в Синицыном переулке и принадлежала Надежде Павловне Фоминой. Далее в справке о Веронике была лишь одна фраза: «Владеет рекламным агентством «Фэшн-красота», выпускает онлайн-журнал для женщин с тем же названием».

Нашелся в папке листок с информацией про Фомину. Надежда — ровесница Федора Касьянова, художница, иллюстратор книг, до сих пор живет в том же Синицыном переулке.

И тут на тумбочке мужа истошно заорал будильник. Я в мгновение ока сгребла все, что успела вытащить из кейса Александра Михайловича, быстро запихнула назад, живо захлопнула его и вернула в кресло.

Маневин стукнул ладонью по часам и продолжил похрапывать.

— Милый, — громко позвала я, — у тебя лекция в девять утра.

Феликс приоткрыл один глаз.

— Уже проснулась?

— Да, — кивнула я. — И тебе пора. До института утром по пробкам добираться два часа, значит, выехать надо в семь. Сейчас шесть. Вылезай из-под одеяла.

— Еще много времени в запасе, — возразил Маневин.

— Нельзя явиться перед студентами в пижаме и небритым, — ухмыльнулась я.

— Вполне хватит десяти минут на облачение и чистку зубов, — сопротивлялся муж.

— И ты опять перепутал портфели, — продолжала я, — взял кейс толстяка. Твой небось в прихожей кукует, сейчас поменяю кейсы.

— Буду очень благодарен, — сонно пробубнил Феликс.

Я сдернула с мужа одеяло, вытащила из-под головы подушку, провожаемая оханьем и кряхтением Маневина, побежала в холл с портфелем Дегтярева и вернулась с кейсом профессора. Ну вот, теперь у полковника не зародится подозрений, что я читала документы. Он будет уверен, что его собственность ночевала у вешалки.

Первым, кого я увидела за столом, был Геннадий.

— Смотри, — сказал он, открывая красную бархатную коробочку, — как тебе?

— Роскошная подвеска, — похвалила я, — сердце из белого золота. И размер впечатляет — кулон по объему как слива.

— Ты бы еще картошку вспомнила, — поджал губы Погодин.

— Нет, до синеглазки недотягивает, — серьезно, стараясь не улыбнуться, возразила я.

— Ты главную фишку не видела, — ажитировался Гена и нажал на украшение.

Подвеска в виде сердца открылась.

— Ух ты! — восхитилась я. — Внутри полно бриллиантов!

— Сюда вставим нашу свадебную фотографию, — пояснил Погодин.

— Наталья пока не дала согласия на бракосочетание, — напомнила я.

— Ерунда, — отмахнулся Гена, — я всегда добиваюсь своего. Не справа, так слева заеду. Наташа точно станет моей женой. А ты фишку унюхала?

— Унюхала? — недоуменно повторила я.

Погодин поднес подвеску прямо к моему носу.

— Надо же, пахнет печеньем, — удивилась я. — Очень вкусно, прямо съесть медальон хочется.

Погодин поставил коробочку в центр стола.

— Верно. Ноу-хау в цацках — ароматное украшение. Значит, так. Мы с Натой сегодня вечером приедем сюда. Ваша задача хвалить меня изо всех сил.

— Может, напишешь текст? — сдерживая смех, спросила я. — Заучу панегирик наизусть.

Но вопреки моим ожиданиям, Гена воспринял мое зубоскальство всерьез.

— Хм, отличная идея. Прямо сейчас и займусь. В машине по дороге в офис накропаю и тебе на почту пришлю. Сама затверди и пригляди, чтобы остальные вызубрили.

— Петь осанну должны все присутствующие? — уточнила я.

— Естественно! — воскликнул Геннадий. — Будет странно, если ты заголосишь дятлом, а Феликс, Дегтярев, Маша с Юрием станут сидеть с каменными мордами.

Я пошла к чайнику. Ну да, будет очень странно, если я запою дятлом. Эта полезная птица не способна, как соловей, выводить заливистые трели, она стучит носом по стволу дерева.

— Где шофер? — начал злиться Погодин. — Куда он подевался?

— Трудно тебе без секретарши, — вздохнула я.

— Сегодня вечером появится новая баба, — ответил Гена, — наверное, такая же идиотка, как предыдущая, Тамара. Или она Лена была? Не помню, как ее звали.

— Нина, — подсказала я.

— Отвратительная сотрудница! — взвился Погодин. — С кривыми руками. Не пойми с чего эта Катька...

— Нина, — поправила я.

— Скажи, чего ради эта Ленка взялась чай в вашем доме готовить? — продолжал Погодин. — Уронила, жаба, заварник и разбила. Вот и пошла вон.

— Чайник не дорогой, — вздохнула я, — не семейная ценность. Самый обычный из московского магазина.

— Всем известно: я ненавижу, когда фарфор бьют, — оскалился приятель мужа. — Да, ненавижу! Того, кто чашку кокнул, сразу гоню вон. Навсегда! И меня дико раздражало ее постоянное «да». Танька, принеси папку! Да. Попрыгай на одной ноге! Да. Улыбайся! Да. На все: да, да, да... Обрыдло! Вон ее!

Я загремела посудой. Вот вам Погодин во всей своей красе. Будешь с ним соглашаться, он перестанет тебя уважать, живо потеряет интерес. А вот ежели воскликнуть «нет!», Гена обозлится, но постарается, чтобы человек переменил свое мнение. Если Наташа Кузнецова не прочь связать свою жизнь с Геной, то она поступила абсолютно правильно, отвергнув его руку, сердце и кошелек. Теперь Геннадий станет еще настойчивее.

— Где мой кейс? — спросил Дегтярев, заглядывая в столовую. — Опять кто-то выключил будильник! Что за дурацкие шутки? Из-за вас я проспал.

— Слышала, как он пищал, — возразила из коридора Ира. — Долго выл, минут пять. А вы, как обычно, не слышали, потому что сон у вас богатырский.

— Портфель со вчерашнего вечера в холле, — крикнула я.

— И кто его туда поставил? — зашумел толстяк. — Я крайне аккуратен, никогда не бросаю кейс где попало. Ни малейшего порядка в доме — часы сломались, портфель стащили...

Гена расхохотался, а я быстро поднялась на второй этаж, схватила свой телефон и ушла в гардеробную, зная, что там мой разговор никто не услышит.

— Алло, — сказал приятный женский голос.

— Позовите, пожалуйста, Надежду Павловну, — попросила я.

— Слушаю вас, — донеслось из трубки.

— Меня зовут Дарья Васильева, — представилась я.

— Очень приятно, — обрадовалась вдруг хозяйка квартиры, где была зарегистрирована Вероника Балабанова. — Ждала вашего звонка еще вчера. Нам надо встретиться.

— Да, — ответила я, очень удивленная реакцией Фоминой.

Кто ей мог рассказать обо мне? Официантка Аня? Герасимова знакома с Фоминой?

— Можете прямо сейчас подъехать? — спросила Надежда Павловна.

— Прямо сейчас не получится, я живу в Подмосковье, — пояснила я. — Думаю, мне до центра больше часа ехать.

— Ничего, я все равно дома сижу, — ответила художница. — Марокканский чай любите?

— Обожаю, — призналась я.

— Я завариваю его лучше всех в Москве, — похвасталась собеседница. — Жду вас с нетерпением.

Глава 28

Необычный дом с красивыми скульптурами на фасаде я нашла сразу. Подъезд оказался не заперт, внутри на стене висела табличка «Квартира 1а», жирная стрелка, нарисованная под ней, указывала на лестницу, ведущую вниз. Я спустилась по выщербленным ступенькам, увидела дверь, на которой был нарисован большой глаз, под ним надпись «Мы все видим». Створка распахнулась, выглянула полная женщина в бордовом платье.

— На что угодно спорю, вы — Дарья! — весело воскликнула она. — Молодая совсем! И это отлично! Неохота со старой перечницей, такой как я, работать. Входите скорей, сейчас чаек забацаю.

Продолжая болтать, хозяйка втянула меня внутрь, и я ахнула:

— Вот это да! Сколько метров в этом зале?

— Вроде триста, — протянула Фомина, — или четыреста. Точно не знаю. По документам помещение нежилое, мастерская, что не мешает мне распрекрасно в нем обитать. ЖЭК, или как там теперь эта контора называется, ко мне не пристает, потому что один добрый человек еще в девяностые годы помог мне подвал приватизировать. Правда, как-то раз его у меня пытались отнять, однако дуля им всем!

Говоря без умолку, Надежда Павловна усадила меня за стол и налила чай в красивые кружки. Потом вдруг спросила:

— Ну, где рукопись? Надеюсь, вы принесли бумажный вариант? Терпеть не могу на компьютере работать. Ноутбук есть, но радости от него никакой.

— Рукопись? — переспросила я.

— Да, вашей детской книги, которую я буду иллюстрировать, — сказала хозяйка подвала.

Тут только до меня дошло. Дарья Васильева не редкое сочетание имени и фамилии. Официантка Анна не могла ничего рассказать обо мне Фоминой. Герасимова не знакома с Надеждой Павловной, с ней общалась тележурналистка Александра Пуськова.

— Простите, — смутилась я, — вышло недоразумение. Меня зовут Даша, и по фамилии я Васильева. Но — не писательница.

— А кто? — опешила Фомина.

— Вы знакомы с Вероникой Балабановой? — задала я свой вопрос.

С лица Фоминой стекло приветливое выражение.

— Ясненько... Давайте сразу расставим все точки над i. Долги Вероники я не оплачиваю. Не знаю, что она вам насвистела, но мы не кровные родственницы.

Она на секунду умолкла, потом продолжила:

— В замшелые годы я дружила со Змеем, мы были его мармеладками, поэтому я взяла к себе Нику... Но вы, наверное, ничего не понимаете?

— Да, — кивнула я, — то есть нет! Не понимаю!

— Сколько Балабанова у вас денег выпросила? — спросила Надежда. — Что она вам обещала? Наболтала, что я ее мать? Родная тетя? Вы в ее присутствии вроде как со мной беседовали по телефону, и я гарантировала честность пакостницы? Она, конечно же, сама набрала номер, а потом вам трубку сунула? Так это не я говорила, а какая-нибудь ее подельница.

Я молчала, а Фомина продолжала кипеть от возмущения:

— Вот же мерзавка! Опять началось! Давно никто не приходил, на меня не налетал, я думала, ее поймали наконец и посадили. И вот вы явились!

— Вероника Балабанова умерла, — тихо сказала я. Фомина замерла с открытым ртом.

— И Александра Пуськова тоже, — договорила я. — Правда, что они были сводными сестрами?

— Вы кто? — мрачно спросила художница. — На сотрудницу полиции категорически не похожи. И дело не в одежде или серьгах, которые в ваших ушах переливаются, не в сумке и обуви. Взгляд у вас другой, не цепкий, не злой. Что вас сюда привело?

Я вздохнула и рассказала Надежде Павловне всю правду. Надо отдать ей должное — сама говорливая, она умела слушать. Фомина не произнесла ни слова, пока я не замолчала.

— Про Марфу я никогда не слышала, — была первая ее фраза. — Может, они в самом деле в детстве дружили?

— Кто такие мармеладки? — спросила я. — Вы сказали: «Мы были его мармеладками...»

— Гарем Змея, — усмехнулась собеседница, — коммуна «Любовь», девочки-мармеладки.

— Хиппи? — уточнила я.

— Нет, — улыбнулась Надежда Павловна, — дурочки. Мы познакомились, когда поступили на первый курс. Мы — это Змей, Ежик, Синица, Белка, Лиса и другие. Синица — это я, кличку получила по месту жительства, по Синицыну переулку. Касьянов — Змей, потому что он был тощий, гибкий, легко в любую щель просовывался. Белка — Таня Михайлова, мать Саши и Ани. Лиса — Лена Орлова, родительница Вероники. Ежик — Боря Ткачев, у него волосы торчком, как иголки, стояли. Ну и еще другие студенты были. Сначала мы просто большой компанией собирались в моем подвале. Пили дешевое вино, рассуждали о нашей стране, понимали, что никогда не сможем творить так, как хочется, всерьез думали уехать на Запад. Антон Горкин нас постоянно упрекал: «Сейчас-то вы храбрые, а детьми обзаведетесь, и живо буржуазные ценности во главу угла поставите: дача, машина, отдых на море, ковер на стену». Мы все орали: «Никогда!»

Художница взяла в руки чашку, сделала глоток.

— День ото дня Горкин становился все злее, один раз чуть ли не с кулаками на нас бросился: «Хорош болтать! Сидите в тепле, на родительские деньги живете. Сейчас на советскую власть исподтишка потявкиваете, потом по домам разойдетесь и в пуховые постели ляжете. Белка, ты какую курсовую рисуешь? Название скажи». — «Залп «Авроры», — ответила Михайлова. «Ты же вроде против коммунистов, — подковырнул ее Антон. — Почему не малюешь «Расстрелы граждан в тридцатые годы» или «Голод в Поволжье»?» — «Таких тем деканат не предлагал», — протянула Таня. «Сама бы выдвинула», — налетел на нее Горкин. Михайлова промолчала. «Все вы трусы, — заявил Антон, — Че Гевара ни из кого не получится». — «Сам-то какую работу выполняешь?» — спросил у него Змей. «Я анималист, — ответил Антон, — мои герои — кошки. Людей не люблю». — «Зачем тогда к нам приходишь?» — поинтересовался Ежик. «Просто так, — пожал плечами Горкин. — Куда еще деваться? У вас жрачка есть, выпивка. Тепло, светло и мухи не кусают».

Фомина посмотрела на меня.

— Мне Антон совсем не нравился. Агрессивный, всех на баррикады звал. А мы просто языки чесали, никто не собирался коммунистов свергать. В советские годы трындеж на кухне был любимым развлечением интеллигенции. Писатели, композиторы, художники, которые не достигли большого успеха, не были обласканы властью, пили водочку и гудели о том, какие прекрасные произведения искусства они могли бы создать, кабы не существующий режим. Вот на Западе свобода, а у нас... одно дерьмо. Продукты, искусство, люди, жизнь — все дерьмо... Потреплются и разойдутся. Эмигрировать никто не спешил. Все знали: сразу за кордон не выпустят, зато с работы вытурят, могут психически больным объявить, по клиникам затаскают, уколами замучают, от которых в самом деле одуреешь. Если даже и удастся улизнуть по еврейской линии, то за бугром с нуля начинать придется. А это страшно. И кем в той же Америке работать? Там своих писателей-композиторов хватает, приезжие романописцы таксистами пашут.

Рассказчица вздохнула, бросив на меня короткий взгляд.

— В общем, потрындят непризнанные гении и разойдутся, всем недовольные, по домам. Утром же оратории да поэмы под названием «Широко шагает рабочий класс» старательно пишут, потому что кушать охота и жена шубу требует. А вечером опять за бутылкой языки оттачивают. Редкие люди на самом деле за свои идеалы боролись. В тысяча девятьсот шестьдесят восьмом году на Красную площадь протестовать против ввода советских войск в Чехословакию вышло то ли семь, то ли восемь человек[1], уж не помню точно сколько. Остальные негодовали на кухнях под водоч-

---

[1] 25 августа 1968 года, протестуя против ввода советских войск в Чехословакию, у Лобного места с плакатами «Позор оккупантам» сели на брусчатку Константин Бабицкий, Татьяна Баева, Лариса Богораз, Наталья Горбаневская, Вадим Делоне, Владимир Дремлюга, Павел Литвинов, Виктор Файнберг. Все они были арестованы и жестоко наказаны, отправлены в психбольницы и на зону.

ку. Ну и мы были такие, как все. Антон нас раздражал, в конце концов я ему сказала: «Знаешь, мы тебе вовсе не рады. У нас складчина, один ты почему-то всегда пьешь за чужой счет, ни разу бутылку не принес». И он перестал приходить. А где-то через месяц в институте перестал появляться, нам сказали, что взял академку. К тому моменту мы уже решили, что главное в жизни любовь, и поселились вместе в этом подвале.

Надежда Павловна криво усмехнулась.

— Сами себя мы считали очень революционными — отрицали законный брак, подчеркивали, что на пары не делимся, спали друг с другом кто когда с кем хочет. Теперь-то я понимаю, что воду в основном Змей мутил. Федька из провинции, откуда-то из Сибири, кто его родители, понятия не имею, он о них никогда не говорил. Касьянову не нравилось жить в общежитии в комнате, где еще четверо соседей. У меня-то лучше. И девочки под рукой. Я, Белка, Лиса всегда готовы были с ним в койку лечь. Кроме нас, в подвале постоянно тьма народа тусила. Что тут творилось...

Фомина махнула рукой.

— Водка, косячки, секс, разговоры о великом... в общем, настоящие революционеры. И вот однажды Змей, вернувшись домой мрачнее тучи, сообщил плохую новость...

Глава 29

Рассказчица залпом выпила чай.

— Оказывается, Антон не взял академку. Нет, наш бывший сокурсник устроил демонстрацию — вышел на улицу с плакатом «Долой Ленина». Далеко, понятное дело, не прошагал. Его отвезли в отделение, а дальше не ясно, то ли Горкин с собой покончил, то ли его так сильно избили, что он умер.

Надежда Павловна протяжно вздохнула:

— Известие это очень сильно на нас подействовало. И тут Михайлова, которая, как и я, москвичкой была, говорит: «Давайте в память об Антоне что-нибудь хорошее сделаем? Моя бабушка работает в лаборатории, где животных мучают, проверяют на них всякие таблетки. Давайте пойдем туда ночью и всех кроликов выпустим. Я могу спереть ключи». И мы это сделали. Ой, они такие несчастные были, зайчики эти... Я обрыдалась, глядя на них, — лысые, тощие. Раздали зверюшек по знакомым, подопытных-то осталось немного, штук пятнадцать всего. Мы себя героями считали, решили, что являемся членами общества спасения животных, будем дальше братьям нашим меньшим помогать. Через пару месяцев залезли ночью в зоомагазин, хотели щенков-котят забрать и в хорошие руки отдать, но нас в милицию загребли. Представьте себе ситуацию...

Пока в отделение вели, Змей всем шепнул:

— Молчите, говорить буду я, а вы просто со всем соглашайтесь.

«Революционеров» посадили в кабинете, вскоре появился какой-то милиционер, пожилой, и говорит:

— Ну, студенты-художники, объясняйте, как до жизни такой дошли. Надо же, в торговую точку ночью влезли! Чего украсть хотели?

Змей ему в ответ:

— Товарищ начальник, простите! Это я ребят подбил. Невеста моя, вон она сидит беременная, на четвертом месяце. Предложил я ей расписаться, а она губу надула: «Так замуж не зовут, хочу предложение руки и сердца в необычной обстановке услышать. Да, хочу, чтобы ночью в магазине с собачками ты на колени встал». И как с беременной спорить?

Милиционер хмыкнул, вызвал какую-то тетку, и Белку увели. Остальных задержанных в обезьянник сунули. Часа через три опять всех в кабинете собрали, и мужик этот в форме стал им лекцию читать.

— Вот же дураки вы, идиоты! Мало ли чего животастой девчушке в башку втемяшится? Сегодня она ночью к щенкам захотела, а через неделю велит жениху с моста прыгать. Вы опять ему помогать станете?

А ребята уже на холоде посидели, пошептались, линию поведения выработали, давай плакать:

— Дяденька, ничего плохого мы не хотели, решили Белку порадовать.

И мент их выгнал, сказав на прощанье:

— Топайте отсюда, студенты, в следующий раз головой думайте. Кабы не моя доброта, сидеть бы вам, кретинам, за решеткой. Причем долго. Скажите «спасибо», что у меня дочь вашего возраста. Тоже дуреха! Поэтому никуда не сообщу о приводе. Жизнь вам, тупорылым, портить не стану.

Вышли «революционеры» на улицу, Ежик и спрашивает:

— Белка, тебя куда водили?

— К гинекологу, — отвечает та.

Кто-то удивился:

— И как ты врача убедить сумела, что ты ребенка ждешь?

Татьяна захохотала:

— Ну вы вообще дураки! Я на самом деле от Змея беременна.

Все так и присели. Лиса первой в себя пришла, спросила:

— Сашка тоже от него?..

Надежда Павловна, оборвав рассказ, закашлялась.

— У Белки, то есть у Михайловой, уже был один ребенок? — уточнила я.

— Да, — кивнула Фомина, — девочка. Не помню, сколько ей лет тогда было. Три? Пять? Четыре? Танька в институт поступила не сразу после школы, а через год или через два после получения аттестата. Родители ее умерли, Белка с бабушкой жила, их дом рядом с моим располагался, буквально на соседней улице. Компанейская Танька была, веселая, заводила всех приключений. Поплясать, выпить, покурить, с мужиком покувыркаться — она первая. И легко на любое хулиганство соглашалась. Скажет Змей: «Вот интересно, если на крышу машины встать, она прогнется?» Хоп! Танька уже на автомобиль залезла. Но о личной жизни Михайлова не распространялась. Почему ее предки скончались, мы понятия не имели. Один раз только сказала, что бабушка в лаборатории служит. От кого она Сашку родила, мы тоже не знали, но особо и не интересовались. Девочка нам не мешала. Мы ее и не видели до тех пор, пока ребенком бабушка занималась. А вот когда та умерла, Белка поселилась отдельно от нас, вернулась в родительскую квартиру, но все равно каждый день прибегала в подвал. Характер у нее капитально испортился, постоянно ныть стала: «Сашка надоедливая, приставучая, игрушки постоянно клянчит. Я устаю, денег нет, Змей где-то шляется, не помогает...» Короче, из развеселой Белки она превратилась в зануду.

Надежда Павловна встала, включила чайник и вернулась к рассказу.

— Значит, у Михайловой живот растет, а тут Лиса, Ленка Орлова, уезжает куда-то на лето. Осенью возвращается... не одна, с маленькой девочкой. И говорит мне: «Знакомься, это Вероника, моя дочка». Мы тогда день рождения Змея отмечали. Народу — тьма. Я уже слегка пьяная была, поэтому расхохоталась: «Хорош врать, не первое апреля. У кого соплюшку ради хохмы одолжила?» Она разозлилась и отошла, бросила только: «Чего с тобой разговаривать? Протрезвеешь, тогда и поболтаем». Смотрю, Лиса к Змею подкатывает, ребенка ему в руки сует. Федор сначала молча стоял, потом как влепит ей затрещину, как заорет: «Не верю!» Лиса ему тоже оплеуху отвесила и кричит: «Да я анализ крови ей сделаю!» И начали они драться, еле-еле их растащили. Я на тот момент уже совсем веселая была, легла на диван, заснула. И вдруг слышу отчаянный детский плач: «Кушаньки, дайте кушаньки и питеньки!» Открываю глаза — ничего не понимаю. На полу сидит девочка маленькая, совсем крошка, вся в слезах, в соплях. В кресле Лиса дрыхнет, на полу человек десять вповалку. Ну да взрослые гости меня не удивили, у нас наутро после вечеринок так всегда было. Но кто малышку притащил? У меня голова прямо на части разваливалась, но ребенка жалко стало. Кое-как с дивана сползла, сделала малышке бутерброд. Она его с таким остервенением есть начала, что понятно стало: ее дня два кормить забывали. Тут как раз Лиса очухалась и дивную историю поведала...

Еще на первом курсе весной Ленка сообразила, что беременна. В том, что отец ребенка Змей, Орлова не сомневалась, поскольку в Федора безумно влюблена была и только с ним спала. Решила Лиса парня обрадовать, сообщила ему, что скоро он папой станет. Но Касьянов в восторг не пришел, конкретно любовнице приказал:

— Делай аборт. Я тебе денег дам.

И вручил нужную сумму.

А Ленка что учудила? Ей очень кое-что из одежды купить хотелось, и деньги она на шмотки спустила. Живот не сразу вырастает, Ленка, у которой ума всегда мало было, решила: все как-нибудь обойдется, рассосется. Да, да, студенткой стала, а мозг еще не вылупился.

В июле талия у нее пропала, тогда Орлова призадумалась и к бабушке уехала на Волгу, в свой родной город. Старушка внучку отругала и поддержала:

— Рожай. Младенца у меня оставишь, сама в Москву вернешься. Но учись там прилежно.

Вот такая самоотверженная бабушка у нее оказалась. Позже она справку раздобыла, будто студентка Елена Орлова ногу сломала, и в сентябре сама в столицу прикатила, в институт. К ректору пошла и добилась для внучки свободного посещения на полгода.

Все в поврежденную ногу поверили, жалели Лису. В начале декабря та наконец в аудитории появилась, зачеты сдавала, потом экзамены. Ее про перелом спрашивали, а Ленка смеялась:

— Заросло, как на собаке.

Орлова никому о рождении ребенка ни звука не сказала, Змея в известность не поставила. А потом старушка умерла, и Лене пришлось дочку с собой в Москву забрать. А на той вечеринке в день рождения Федора нате вам, девочка, зовут Вероника!

Фомина налила себе и мне по новой порции очень вкусного чая.

— Как дальше было дело? А вот что вышло. Змей стал жить с Белкой и Лисой. Уж как ему удалось уговорить Таню пустить в свою квартиру Ленку с Вероникой, не знаю, но Орлова у Михайловой поселилась.

— Они жили втроем? — уточнила я. — Плюс дети?

— Здоровой шведской семьей жили, — хмыкнула Надежда Павловна. — Змей ко мне часто жаловаться приходил, благо топать недалеко. Придет, плюхнется на диван и ноет: «У Белки две девчонки, у Лисы одна, итого три. Бабы на меня, как на шахтера, глядят: добывай, Федя, уголек, топи печки. То Сашке ботинки надо, то Аньке шапку, то Веронике пальто. Или все дети одновременно болеть начинают. Мрак! Где денег взять?..»

Я, слушая ее рассказ, молчала, но про себя усмехнулась: «А чего парень хотел? Надо было расплачиваться за разудалую жизнь».

— Жили они и правда впроголодь, — продолжала хозяйка подвала. — Но потом Лисе повезло — она устроилась в соседний дом дворничихой, получила зарплату и служебную комнату. Но все равно рядом со Змеем находилась, везде с ним таскалась. Вероника за ней моталась. Надоели они мне хуже перцового пластыря. Белка придет — девочек притащит, ноет, на жизнь жалуется. Дети у нее хуже цыганят — Саша нагло холодильник откроет, возьмет что хочет без спроса, Аня все подряд расшвыривает, орет. Потом Лиса с Вероникой подтянутся, Орлова тоже стонет: «Одеться не во что, устала, как собака, Ника конфет требует, а денег даже на хлеб нет».

Рассказчица вздохнула:

— Я диплом тогда писала, мне не до них было. Я повзрослела, устраивать гульбарии больше не хотела, начала работу себе хорошую подыскивать. Одним словом, другая стала. Ежик тоже остепенился. Да и все остальные пить-курить, из койки в койку скакать перестали. Взрослая жизнь на пороге замаячила, а там все не так, как у студентов. В моем подвале стало тихо, по пятьдесят человек здесь больше не собиралось. А вот Змей и две его «жены» как будто заморозились. Дипломы они кое-как защитили, но о будущем не задумывались, жили словно голуби — где крошки нашли, там и склевали. И чаще всего хлебушек они у меня находили. В веселые годы складчина устраивалась, все что-то приносили и вместе ели-пили, теперь такого не случалось. Я работать пошла, меня в издательство художником взяли. Змею, помню, кто-то предложил плакаты писать, так он недельку к десяти утра в контору поездил и бросил. Не хотелось ему в семь вскакивать и полтора часа на метро-автобусе до рабочей табуретки добираться. Под свою лень Федя теоретическую базу подвел: дескать, служить не может, потому что теряет свободу творчества, не самовыражается. Белка с Лисой тоже в плуг не впрягались, в один голос пели: «У нас дети». Просто анекдот! Если кто их и волновал, так это Змей, про своих девчонок они вообще не думали. Одно время этим дурам-мамашам все друзья помогали — одежду давали, деньги. Потом всем ясно стало: эта троица — элементарные тунеядцы, и жалость иссякла. Одна я их кормить продолжала. Но не потому, что такая вся из себя милосердная. Хорошее воспитание мешало, неудобно было их вон послать. Ну а потом случилась беда.

Глава 30

Фомина потерла лоб рукой:

— В октябре это произошло, в самый последний день, тридцать первого, в Хеллоуин. Змей и его гарем постоянно брали в видеопрокате американское кино. Конечно, про праздник нечистой силы узнали и решили повеселиться. Нарядились соответственно: Танька нацепила костюм полицейского, а Федька ей жуткий макияж сделал — зубы краской зачернил, шрамы намалевал на щеках, язвы. И Ленке рожу размалевал под покойницу, Лиса вставшей из могилы проституткой прикинулась. Ну и сам загримировался им под стать жутким горбуном. Все нужное для перевоплощения в зомби они в институте нашем сперли, там была кафедра театрального костюма и грима. (Змей почти год факультативно науку эту изучал, ходил на лекции и семинары, ему нравилось людям лица менять. Потом его вытурили за то, что он спер манекен, нарядил его как заведующую кафедрой и повесил на вешалке. Это была его первоапрельская шутка. Итог акции: сердечный приступ у двух преподов, которые утром первыми на работу пришли.) Касьянов отлично знал, что в одном окне на кафедре, которая на первом этаже находилась, шпингалет не запирается, влез туда, унес что надо. Ему его «жены» в этом помогли. Короче, обокрали бывшие студиозусы alma mater.

Фомина хихикнула:

— Федька талантливый человек. Можно не принимать его творчество, но отрицать, что Касьянова Бог поцеловал, нельзя. Когда на кафедре «труп» увидели, вызвали милицию, настолько Змей реалистично лицо и все прочее своей кукле сделал. И в тот день, в Хеллоуин, он тоже постарался. Я, увидев троицу, чуть сознание не потеряла. Потом спросила: «И как вы в таком виде по улицам пойдете?» Они расхохотались. Змей объяснил: «В этом вся фишка. Двинем по городу ночью и головные уборы низко опустим. А в Бобровом переулке около третьего дома охрана теперь ходит, кто-то для себя стражников нанял. Так вот мы...» — «Мы подойдем ближе, — подхватила Белка, — и... раз! Я фуражку стащу, а Змей с Ленкой кепарики сдернут. Мужики наши морды увидят... Ой, не могу!» Михайлову смех душил, поэтому докончила Лиса: «Вот уж повеселимся! А потом в гости рванем, нас в одно место пригласили на бал Хеллоуин...»

Прервав рассказчицу, я не удержалась от оценки придуманного студентами спектакля:

— Глупая и опасная затея. У секьюрити есть оружие.

Надежда Павловна махнула рукой:

— Вот-вот! Поэтому я и стала от них отдаляться. Змей пил, гулял, веселился, с девками кувыркался, но потом все это нервы ему щекотать перестало, и он начал всякие шутки придумывать, сначала глупые, потом опасные. Мне на следующий день после праздника нечистой силы предстояло рисунки для книги в издательство сдавать, я переделывала их по указке редактора, и мне очень хотелось Змею с его «женами» сказать: «Не могу с вами трындеть, работа горит». Но проклятое воспитание в очередной раз помешало, и я сказала: «Проходите, сейчас чай поставлю». Слушайте дальше, как я это помню...

Лиса в ответ на приглашение замахала руками:

— Нет, нет, нам бежать надо. Надь, посиди с Никой пару часов, ладно?

Белка за ней:

— И за Сашкой с Анькой пригляди.

Просьба меня не удивила, они мне часто своих дочек подбрасывали. Я, грешным делом, стала думать, что девки проституцией зарабатывают, — частенько притаскивали детей, когда тем спать давно пора, а под утро забирали, причем от них винищем разило. Малышки привыкли ко мне. Вероника тихая, дашь ей лист бумаги и карандаши, она сидит молча, платья рисует. Аня маленькая и спокойная, больше спит. Одна Саша, самая старшая, по подвалу бегает.

Ну конечно, я согласилась, и все в тот вечер, как обычно, потекло. Сунула детям книжки, карандаши, бумагу, велела не орать. Ника послушалась, Аня на диван легла и засопела, чему я обрадовалась. А Саша, как всегда, по подвалу носиться затеяла. Шумная была девочка, вертлявая, наглая.

В полночь мамаши не появились. И в час не пришли. Я разозлилась по-страшному. Дети у меня на диванах спят, Саша всю ночь просыпалась, то ей попить дай, то поесть, то еще чего-то. Аня описалась, Ника чесалась, аллергия у нее была. В общем, отлично я времечко провела. Просто сказочно.

Утром мне к десяти надо в издательство, а шалав нет как нет. Что делать? Я детей одних оставила, рванула к Таньке на квартиру. На звонок никто не ответил. Окна закрыты, из-за двери ни звука. Пришлось мне редактору звонить, врать: «Простите, заболела. Может курьер рисунки забрать? Я все сделала».

Три дня я многодетной матерью работала, ошалела совсем. Периодически к Лисе носилась, к Таньке бегала. Куда Змей и его бабы подевались — неизвестно, но дома у них никого не было. В конце концов я в органы опеки звякнула. Пришли две тетки, начали вопросы задавать. Я им правду выложила: выручала лучших подруг, но куда они пропали, не ведаю, а их дочерей воспитывать не желаю. Чиновницы губы поджали и ушли.

Через несколько дней звонок из милиции: «Вы Татьяну Михайлову знаете? Можете тело опознать?» И что оказалось? Белку убили! Один выстрел в спину, другой в лицо. Тело на улице нашли, в кармане брюк у погибшей лежали ключи от квартиры и студенческий билет. Следователь в институт позвонил. Ему там ответили, что Михайлова уже диплом получила, и дали мой телефон, так сказать, лучшей подруги.

Что делать? Я в морг поехала, от ужаса чуть сама не умерла. Санитар простыню снял, какой-то мужик спрашивает:

— Можете женщину опознать?

Я бормочу:

— Да.

Он наседает, пакет прозрачный показывает, в нем Танькин студенческий. Она его не сдала, ездила по нему в метро.

— Кто перед вами?

Кое-как я смогла из себя выдавить:

— Белка... Таня Михайлова.

Она так жутко выглядела! Головы почти нет, вместо лица кровавая каша. Кошмар! Мне дурно стало. Села в коридоре, трясусь, а мимо какая-то женщина шла, похоже, начальница, всем замечания делала. Она меня в свой кабинет отвела, кофе налила, спросила, что случилось. Я заплакала, рассказала, что на опознание приезжала, на жуть смотрела, но не знаю, почему бывшую сокурсницу убили. Хозяйка кабинета ушла. Потом вернулась, стала рассказывать:

— Ну и время настало, беспредел творится... На той улице, где Татьяну Михайлову нашли, бандиты ювелирный ломбард ограбили. Ночью орудовали. Какая-то девушка в милицию звякнула, сообщила, что скупку потрошат. Наверное, это твоя подруга была. Ей бы уйти по-быстрому, а она, вероятно, хотела убедиться, что уголовников повязали, вот и осталась около телефонной будки. Негодяи увидели ее там и пристрелили. Да только и сами не выжили. На том же месте их трупы обнаружили, все с огнестрельными ранениями.

Я сразу про Змея и Лису вспомнила, вся похолодела, аж желудок заледенел. А женщина спрашивает:

— Чего посерела?

Я прошептала:

— Касьянов и Лиса тоже домой не вернулись.

Начальница эта кому-то позвонила, ей несколько фотографий принесли. Я на них взглянула, да как закричу:

— Не они это!

И правда, на снимках женщин не было, одни мужики. И никто на Федю даже близко не похож.

Еле домой потом добралась, не помню как. А там дети все вверх дном перевернули. Мне прямо придушить их захотелось.

На следующий день опять сотрудницы опеки появились, сказали:

— Девочек Михайловых в детдом заберем. А Балабанову потерпите еще недолго, за ней приедет тетка, она согласилась племянницу пригреть, пока ее мать не отыщется.

И вскоре правда появились милая женщина с мужем, какие-то родственники Лисы. Пара у меня некоторое время прожила — бумаги оформляли. Потом уехали. Спустя время, может, через год, от них письмо пришло с сообщением, что Лена Орлова так и не объявилась, а отец в документах ее дочки не указан, неизвестно, как его искать. Люди эти удочерили ребенка, уж не знаю, законно это или нет, Лиса же среди мертвых не числилась. Меня они попросили, если мамаша все-таки появится и начнет Нику искать, не говорить ей, что девочка у родственников, наврать, будто ее в приют определили, а мне неизвестно в какой. Глупо, конечно. Ведь если Орлова найдется и захочет узнать, куда дочь отправили, то докопается до истины. А может, глубоко рыть ей не понадобится — просто в гости к родне нагрянет, а там Вероника. Но Ленка так и не появилась. И Змей исчез. Квартира

Михайловой долго пустая стояла. Я мимо ее дома к метро ходила и видела темные окна. Потом туда какие-то люди въехали...

Фомина поежилась и завершила рассказ:

— Змей тоже тогда как в воду канул, долго я о нем ничего не слышала. И вдруг пресса про него писать начала. Я с большим изумлением узнала, что он известный на Западе художник, делает разные инсталляции, их активно коллекционеры покупают. Нынче Федор богатый человек, но по-прежнему эпатажник, регулярно какую-нибудь провокационную работу выставляет, любит народ шокировать. Совсем не изменился.

— Вы с бывшим однокурсником отношения поддерживаете? — поинтересовалась я.

— Нет, — резко ответила собеседница, — не довелось встретиться.

— Вы же оба художники, неужели никогда не пересекались с другом юности на каких-то мероприятиях? — не поверила я. — На открытии выставки общего знакомого, например.

Хозяйка подвала издала смешок.

— Я не художник, а не очень удачливый иллюстратор детских книг. Рисую картинки для самых маленьких, про репку, гусей, про веселый зоопарк. Зарабатываю мало, широкой публике не интересна, обо мне не пишут журналы, Надежду Павловну Фомину не показывают по телевизору. А Змей звезда, частый гость разных шоу, любимец журналистов, тусовщик, богатый и знаменитый. Как и в наши юные годы, он обожает веселиться. Я же люблю тихий досуг с книгой. Мы с ним обитаем в разных мирах, точек пересечения нет. Захотел бы Касьянов с подругой бурных студенческих лет пообщаться, мог бы легко меня найти — я всю жизнь сижу в своем подвале, ни разу место жительства не меняла. Но Федя здесь не появляется, значит, не испытывает желания пить со мной чай. Понимаете, во всех интервью Касьянов заявляет, что никогда не заводил семью, детей не имеет. Но я-то в курсе, что у него во время учебы была пара гражданских жен, и каждая родила по дочери.

— У Тани было две девочки, — напомнила я.

— Михайлова утверждала, что Саша от другого мужчины, — возразила хозяйка. — Говорила уже, что Белка родила ее еще до поступления в институт. Но...

Фомина сцепила пальцы в замок.

— Давно мне эта мысль в голову пришла. Считаю, что Федя роман с Татьяной на вступительных экзаменах закрутил. А может, они раньше познакомились? Вдруг Саша тоже его кровь? Хотя Михайлова всегда подчеркивала: Александра от ее мужа, брак с которым то ли месяц, то ли пару недель продлился. Но какая теперь разница, три у Змея дочки или две? Сам-то он брешет, что ни одной нет. А я прекрасно знаю правду. Поэтому не с руки ему со мной дружить, в свой круг вводить — вдруг ляпну где не надо, что Змей врун?

— Вы закатывали шумные гулянки, на них присутствовала масса народа, в том числе Таня и Лена. Они сюда детей приводили, о том, что Федор их отец, знал весь институт, — возразила я.

Глава 31

— А вот и нет! — хмыкнула Надежда Павловна. — Дети никого не интересовали. Бегают под ногами, да и фиг с ними. Никто о них не спрашивал. И народ в нашей компашке постоянно менялся, все друг с другом переспали. Может, для вас это и странно прозвучит, но вопрос: «Откуда девочки взялись?» —

никто не задавал. Змей же насчет своего отцовства, естественно, помалкивал. Мы были бесшабашные, девчушки росли, как сорная трава, с ними общались, как с дворовыми котятами. Потискают — и пошли вон, не приставайте. Мамаши заботой об отпрысках не парились. Режим дня? Диетическая еда? Занятия иностранными языками? Музыкой? Да вы что!

Фомина рассмеялась:

— Девочки сами со стола банки самых дешевых рыбных консервов потихоньку таскали и ели. Вот им и ужин. Спать ложились где и когда хотели, порой за полночь на какой-то пустой диван валились, а то и на полу устраивались. Вот на прогулки ходили, это да — от дома Михайловой до моего подвала был их регулярный променад, он минуты две занимал. Когда социальная служба дочек Белки забрала, я подумала: «Им точно будет лучше в приюте, там хоть питание четырехразовое, и Сашка в школу наконец-то пойдет».

— Хотите сказать, что старшая дочь Тани до того не посещала уроки? — удивилась я.

— Нет, — хмыкнула Надежда Павловна. — Михайлова забыла, что ребенка надо в школу записать.

— Очень странно, что на поведение Татьяны не обратили внимания органы опеки, — удивилась я.

Собеседница взяла из вазочки печенье.

— На дворе девяностые годы стояли, все отлаженные коммунистической властью механизмы пошли вразнос. По улицам бегали бандиты, затевали посреди белого дня перестрелки, полки в магазинах зияли пустотой, народ у метро торговал кто чем может... Да кого могла интересовать девочка, которая в школе не бывает? Не смешите!

Фомина потерла лоб рукой.

— После гибели Михайловой я больше со Змеем не общалась, всю эту историю похоронила в дальнем уголке памяти и жила спокойно. И вдруг, здрасти, звонок в дверь, а на пороге... Лиса! Я за косяк схватилась, ахнула: «Лиска! Ты откуда? Сто лет не виделись». А неожиданная гостья говорит: «Вы ошиблись, я Ника, дочь Елены Орловой». И тут только до меня дошло: с начала девяностых много воды утекло, Ленка сейчас стала апельсином не первой свежести, а на лестнице стоит девушка лет восемнадцати, выглядит как Лиса-первокурсница. Мне аж жутко стало — привидение из прошлого приперлось. Вероника руки к груди прижала и всхлипнула: «Извините за беспокойство, но моя приемная мать умерла, в нашем городе перспектив у меня нет, поэтому я приехала в Москву, хочу учиться. В столице я после того, как меня из нее в детстве увезли, впервые. Можно у вас переночевать? Один разочек только. Мне реально идти некуда, и денег нет».

Надежда Павловна посмотрела на меня.

— И как бы вы поступили в этом случае?

— Оставила бы девушку у себя, — ответила я.

— Ну я так и сделала, пожалела ее, — вздохнула Фомина. — Она у меня долго прожила, а потом неожиданно обиделась и уехала.

— Да ну? — удивилась я. — На что обиделась? Или вы ей плату за постой подняли?

— Я похожа на человека, который потребует деньги с сироты? — поморщилась Фомина. — Конечно же, бесплатно ее пригрела. Не много зарабатываю, но на еду нам с Никой хватало. И вроде мы нормально вместе существовали. Буду откровенна, я думала, что девочка ненадолго у меня задержится — поступит в вуз, ей дадут общежитие. Но оказалось иначе. Ника попала в институт, да ведь студентам теперь за нехилые деньги жилье предоставляют. Вот она в моем подвале и зависла. Меня совсем не радовало то, что теперь не одна живу, да и расходы увеличились, но я ни разу не сказала Веронике: «А не пора ли тебе съехать?» И вдруг! Сидим завтракаем, я холодильник открываю и говорю: «Ника, где пакет молока, который я вчера купила? Что-то не вижу его». Она как закричит: «А-а-а-а! Я, по-твоему, воровка? Краду продукты? Вот как ты обо мне думаешь? Не хочу с тобой больше жить!» Шмотье в сумку покидала и улетела. Все! Сначала я растерялась, даже виноватой себя почувствовала. Потом подумала: «Какого черта! Нахалка ни малейшего права не имеет хамить женщине, которая ей помогала!» Через день я в магазин собралась, мне незадолго до этого приличные деньги в издательстве заплатили. Я планов настроила, много чего купить хотела, да времени не было. Деньги в шкафу лежали в коробке из-под печенья. Открываю «сейф»...

Фомина замолчала.

— Пусто? — предположила я.

Надежда Павловна скривилась:

— Да, она меня обчистила. Когда прочь убегала, ключи не отдала, а потом в отсутствие хозяйки сюда пришла и унесла деньги. Смотрю я на пустую коробку — обидно до слез, потом подумала: «А чего ты, дура, хотела? Вероника ведь ребенок Лисы и Змея. Вот генетика и ожила. Папаша с мамашей легко могли чужое к рукам прибрать, их дочурка тоже с липкими ладошками».

— Касьянов и Орлова были нечисты на руку? — уточнила я.

Собеседница, поджав губы, кивнула:

— Да. Один раз я видела, как Федор по карманам пьяных приятелей шарил. А Ленка, если к кому-то в гости ходила, никогда без «подарка» не возвращалась, тырила все, что у хозяев плохо лежало. Но справедливости ради замечу: у меня они никогда не крысятничали, правило птицы «нельзя гадить в своем гнезде» соблюдали. А вот кровиночка их не столь щепетильной оказалась. Поубивалась я по своим денежкам, потом успокоилась. Что Господь ни сделает, все к лучшему. Потеряла гонорар? Зато от иждивенки навсегда избавилась, надеюсь, никогда о ней более не услышу. Да не тут-то было. Примерно через год некая женщина явилась сюда и спокойно так заявила: «Или выплачиваете долг, или я на вашу дочь в суд подам». Я ей в ответ: «Господь наследников мне не послал». И начали мы с ней разбираться. Выяснилось, что Ника, назвавшись моей дочкой и показав паспорт с регистрацией по Синицыну переулку, взяла у Маргариты Назаровой на реализацию товар и пропала. Потом дочурка Лисы еще нескольких человек обманула. У одной бабули квартиру сняла, полгода там прожила, не заплатила и тайком съехала. Одним словом, аферистка. Всех, кто сюда приходил, перечислять не стану, но нервов они мне немерено попортили. Постепенно поток обиженных Вероникой людей стал иссякать и наконец вообще пересох. Долго меня никто не беспокоил, и вот сегодня вы приехали.

— А Саша? Аня? — спросила я. — Знаете, какова их судьба?

— Про Аню я ничего не слышала. Александра же напористая, если не сказать наглая, — поморщилась Надежда Павловна. — Свалилась однажды мне на голову, как Вероника, года, может, полтора-два назад. Точно не скажу, извините, у меня на время память плохая. В дверь позвонила: «Здрасти, я Саша, дочка Татьяны Михайловой. Можете мне что-нибудь про родителей рассказать?» А я, уже Никой наученная, ответила: «Если желаете побеседовать, идите в торговый центр «Чародей». На первом этаже есть кафе «Какао», встретимся там через полчаса. У меня ремонт, впустить вас не могу».

— Предусмотрительно, — кивнула я.

— Мне за глаза Балабановой хватило, — усмехнулась художница. — И знаете, едва мы говорить начали, я сразу порадовалась, что так поступила. Нахалка налетела на меня, потребовала, чтобы я ей все про родителей рассказала. Именно потребовала, в ультимативной форме. Прямо танком на меня наехала. А у меня настроение в тот день было ужасное — сорвался договор на новую книгу, я очень рассчитывала на него. В издательстве заверяли, что мне заказ достанется, и — мимо! Я приехала к редактору, спрашиваю: «Ну, когда бумаги подписываем?» А Ксения Анатольевна смущенно объясняет, что автор выбрал иллюстратором молодую художницу, решил, что надо дать ей шанс... В общем, несет чушь. Потом зашептала: «Наденька, «юное дарование» дочь ближайшей подруги авторши. Вам лучше смириться. Девчонка точно работу запорет, и следующий, прости господи, шедевр сей писательницы определенно вам достанется». Я домой синяя от злости отправилась, а едва в свой любимый подвал вошла, Александра в дверь позвонила.

Фомина отвернулась к окну. Помолчала. Я ждала продолжения. Наконец художница заговорила снова...

Сев за столик, нахалка сначала смиренно завела:

— Тетя Надя, я вас хорошо помню. Расскажите о маме с папой, ничего о них не знаю. И о сестре Нике не слышала много лет.

Я что-то пробормотала в ответ, дескать, мы особо не общались. Не говорить же Саше правду про пьянки-гулянки, про шведскую семью и смерть ее матери в Хеллоуин? Но Александра стала настаивать, голос ее жестким сделался, девица заявила:

— Если сейчас ничего не узнаю, не отстану. Ходить за вами буду, спать-есть не дам. Что вы скрываете? Где они жили? Квартиру имели? Жилье должно быть моим! Кому оно досталось? Вы его себе забрали? Продали?

Я не особо гневлива, однако хамства в свой адрес не люблю. Но и скандалы мне не по вкусу. Если кто-то ведет себя как Александра, я просто встаю и молча ухожу. Но день у меня плохой случился, я заказ потеряла, а девица очень наглой оказалась, вот и перегорели у меня предохранители.

Я на нее в упор посмотрела.

— Хочешь правду? Всю до капли? На тебе!

И вывалила ей то, что вам сейчас сообщила. Ничего не придумала, только факты изложила. Она спросила:

— Кто мой отец?

И я опять откровенно сказала:

— Таня его имени не называла, говорила про какого-то мужа бывшего, но думаю, это Змей. Очень ты на него внешне в детстве похожа была, а сейчас сижу и вижу: характер доченьке от папаши перепал, просто копия в женской редакции.

— Почему они скрывали правду обо мне? — возмутилась Саша. — Про Аню же честно говорили, что их дочь.

Я ей растолковала:

— Когда ты на свет появилась, Тане то ли пятнадцать, то ли шестнадцать стукнуло, получается, что Змей несовершеннолетнюю соблазнил. Он старше Михайловой был года на два, на три, точно не знаю. Наверное, Федор боялся, что его за секс с малолеткой посадят. Касьянов не такой человек, чтобы о чужом ребенке печься. Он и о вас не очень-то заботился, злился, что вам вещи покупать приходится. Нет, ты точно от него. В противном случае Федор заставил бы Белку сдать тебя в приют.

Александра стала меня про Анну расспрашивать, я объяснила, что ничего об ее сестре, кроме того, что ее в какой-то детдом отправили, не знаю. И, завершив разговор фразой: «Очень не хочу тебя еще раз увидеть», ушла...

— Вы сообщили Саше о том, что ее дед и бабка были военными? — спросила я. — Он генерал, она у него в приемной сидела. Старики сурово воспитывали Таню, и та из дома удрала. А когда умерли родители, Михайлова вернулась в их квартиру, там ее Змей и убил.

— Что? — подпрыгнула Надежда Павловна. — Наглое вранье! Ничего такого я не говорила! Кто вам это насвистел?

— Эту версию Александра изложила Ане, — вздохнула я.

— Вот дрянь! — вскипела собеседница. — Напридумывала черт-те что! Я ей сообщила только про бесшабашное поведение Таньки и про то, что ее кто-то пристрелил.

— А еще Пуськова сказала Ане, что она у вас поселилась, — добавила я.

— Да эта наглая девица врет, как дышит! — взвилась художница. — Ничего подобного, мы встретились в кафе и разбежались.

Глава 32

Поговорив с Фоминой, я позвонила Собачкину и помчалась к нему, не забыв купить по дороге большую коробку пирожных.

Войдя в дом, я поставила коробку на стол и сказала Кузе:

— Понимаю, ты не рад меня видеть. Но, во-первых, я прибыла не к тебе, а к Семену. Во-вторых, оплачу его работу, я сейчас не приятельница, а ваш клиент. В-третьих, можешь угоститься, тут и на твою долю хватит.

— Ну ладно, не злись, — загудел Кузя. — Да, наговорил я тебе хрени. Просто у меня тогда зуб болел. К врачу записался, а идти не хотел. Не люблю бормашину!

— Правда? — засмеялась я. — Значит, ты — уникум. Остальные-то люди, включая меня, просто обожают стоматологов, визит к ним считают праздником.

— Не сердись на дурака, — попросил Семен, — он не нарочно.

— Я не злюсь, — улыбнулась я. — Кузя во многом прав. Некрасиво использовать друзей. Поэтому повторяю: сейчас я — клиент. Если откажетесь, обращусь к другим людям.

— О'кей, — быстро ответил Сеня. — Но для тебя особая скидка. Девяносто процентов.

— Так не пойдет! — возразила я.

Мы немного поспорили и в конце концов договорились. Я сообщила Сене все, что узнала, и завершила рассказ словами:

— Если объединить все истории, которые я услышала от разных людей, то становится ясно: в них много нестыковок. И масса вопросов. Почему погибли Марфа и Вероника? Если верить Фоминой, Ника была удачливой аферисткой. Балабанова обманывала людей, но то ли она правильно выбирала жертвы, знала, что они не станут жаловаться на нее в полицию, то ли ей случайно попадались интеллигенты, предпочитавшие не выносить сор из избы. Вероника, ни разу не оказавшись за решеткой, стала владелицей рекламного агентства. И жила припеваючи, пока кто-то не ударил ее по голове. Возможно, один из тех, кого Балабанова надула, оказался не таким уж воспитанным.

— Ну это первое, что приходит в голову, — кивнул Кузя, — однако надо тщательно покопаться в прошлом и настоящем сей дамочки.

— Следующий вопрос, — продолжала я. — Александра. Кому она могла помешать? Ответ напрашивается сам собой: Змею. Надежда Павловна охарактеризовала Сашу, как танк, который прет к цели, не разбирая дороги. И Анечка примерно так же о сестре высказалась. Пуськова очень хотела, чтобы отец-художник отсчитал ей невыплаченные алименты за восемнадцать лет, и начала преследовать Федора.

— Я плохо знаю закон о возврате алиментов выросшему ребенку, — остановил меня Семен, — но сомневаюсь, что можно отжать всю сумму. Змей-то Пуськову не признал. Какие к нему претензии? И какой ему смысл убивать Нику?

— Из-за денег, — уже не столь уверенно ответила я.

Собачкин взял эклер со словами:

— Странный я мужик — водку не пью, а пирожные жру... Давай посмотрим на ситуацию со всех сторон. Предположим, Саше удалось убедить Веронику поучаствовать в забаве под названием «Откуси у Касьянова миллион».

Кузя схватил мышку и начал что-то искать в своем компьютере, а Сеня продолжал:

— По словам Анны, Ника послала Сашу куда подальше. Но предположим, что официантка не все знает, и старшие сестры договорились, не поставив младшую в известность об этом. Вероника и Александра потребовали у Касьянова денег. Открыто. Заявили ему в лицо: «Плати нам, отец родной». Тот не хотел расставаться с денежками и отправил дочек на тот свет. Так?

— Вроде того, — кивнула я.

— Эта версия лишена всякого смысла, — подал голос Кузя. — По документам отцом Вероники является Сергей Петрович Балабанов, начальник автобазы. А мать у нее Лидия Алексеевна, библиотекарь. После смерти мужа Лидия начала пить, покатилась по наклонной. Ну да нам судьба приемной матери неинтересна. Другое важно: задумай Вероника состричь деньги, то фига ей. Папа-то умер! А Касьянов ей, по официальным данным, никто. Моральную и материальную ответственность за дочь должен был нести Балабанов. Конец истории.

Собачкин схватил второе пирожное.

— Вот! Теперь взглянем на пейзаж с другой ели. Змей любит эпатаж, он автор провокационных инсталляций, которые покупают в основном зарубежные коллекционеры...

— Фридрих Шторм, Аделаида Монж, Эрик Боргезе, — быстро перечислил Кузя, — информация с сайта Змея. Текст на английском выложен пару недель назад. Читай, Дашута.

— Не владею этим языком, — улыбнулась я. — Можешь перевести?

Кузя запустил в волосы пятерню.

— «Дорогой друг Змей! Сообщаю, что приобретенная мной у тебя инсталляция «Смерть бабы» доехала в полной сохранности, собрана и выставлена в зале номер восемнадцать моего музея. Приятно сообщить тебе, что интерес к твоей работе огромен. Едва пресса объявила о моем новом приобретении, в выставочный комплекс потекла публика. Твори дальше, великий художник!» Как вам, а? Ну я хорош! Правда, тут дан перевод на русский... Кстати, здесь еще написано: «Великие коллекционеры мира дерутся за шедевры Змея». На сайте Касьянова много подобных хвалебных од, все они от уже названных мной собирателей. Семен, насчет эпатажа ты прав.

Кузя показал на другой ноутбук.

— Здесь полицейское досье художника толщиной со все тома энциклопедии. Вот вам одно из его очень старых приключений, зачитываю первое, что на глаза попалось. «Задержан за скандал в общественном месте». В скобках поясняется: в ресторане японской кухни. Мужик снял штаны и трусы при всех, кричал: «Поцелуйте меня в задницу». На сайте сего перца есть раздел: «Вся пресса». Заходим в него, находим давний год и число, когда сей господин попой сверкал. И что видим? А кое-что интересное. Замели живописца в обезьянник в двадцать три часа десять, а через пять минут на сайте «Желтуха» появилось сообщение: «Известный художник Змей, он же Федор Касьянов, только что был схвачен милицейскими во время очередного перформанса».

Собачкин цокнул языком.

— Показ голых ягодиц в трактире нынче произведение искусства? Я считал это хулиганством.

— Ты безнадежно отстал от прогресса, — обрадовался Кузя. — Небось восторгаешься всякими там Рубенсами, Рафаэлями и прочими, а теперь в почете иное. Например, изображение унитаза с плавающим в нем дерьмом. Вот это современно и креативно.

Сеня отложил в сторону очередное пирожное.

— Ну, спасибо, Кузя. Приятного нам всем аппетита... Похоже, Касьянов затевает скандалы не просто так. Сначала его пиар-агент звонит в «Желтуху», сообщает о предстоящей акции, корреспондент прилетает на место, и — Змей стягивает трусы.

— Или обливает краской витрину супермаркета, — подхватил Кузя. — Если сравнить раздел «Вся пресса» и досье полиции, публикации совпадают с задержаниями. В начале своей карьеры Федор малевал копии великих произведений, меняя личину какого-нибудь царя на изображение своего заказчика, но славы ему это не принесло. Тогда Касьянов принялся отчаянно безобразничать и рисовать какую-нибудь жуть, скажем, трупы с кишками наружу. Опять мимо кассы. Известен он стал благодаря идиотским выходкам. То есть его путь к славе начался именно с них. Сейчас Змей больше обнаженным по трактирам не бегает, он устраивает инсталляции. Всякий раз с громким скандалом. И чем больше вой, тем дороже уходит работа, поскольку в мире есть совершенно сумасшедшие и баснословно богатые коллекционеры. Например, уже названные мной Шторм, Монж и Боргезе. Вау! Я сейчас у Фридриха на сайте его музея... Ну и жуткие вещи он приобретает, фу-у!

Кузя уткнулся в ноутбук.

— Зачем Змею убивать Александру? — скривился Семен. — Вот смотрите... Касьянов был бы счастлив замутить очередной скандал. И угрозы Пуськиной ему в этом смысле были на руку. Поэтому странно, что он, найдя первое послание в какой-то булке, не стал зачитывать его вслух, не заявил громогласно: «Меня шантажируют», не швырнул торты с кремом в организаторов. Хотя, по-моему, должен был бы. А его пиар-агенту следовало бы в это время спешно оповещать о случившемся желтую прессу. Федор такое часто специально затевает, а тут само приплыло, вроде грех не воспользоваться. И для художника никакого риска: Балабанова удочерена другим, а у Александры по документам отца нет. Да Змей из этого набора мог шоколадную конфету сделать! Шоу на ТВ с прилюдным забором ДНК... Нападение на ведущего, если анализ подтвердит его отцовство... Коли результат отрицательный, Касьянов бросится лупить Сашу и Веронику. Пиар зашкалил бы — телевидение в экстазе, газеты воюют... Нет, точно говорю, девушек лишил жизни кто-то другой.

— Ты не прав, — возразила я.

— В чем? — удивился Сеня.

Глава 33

— Касьянову нужен скандал, не спорю, — согласилась я. — И при получении на вечеринке неизвестно от кого записки с текстом вроде «Заплати мне и сестре алименты» Змей должен был вести себя так, как ты только что обрисовал. Но он молчит. Делает вид, будто ничего не читал. Почему?

— Похоже, он испугался, — пробормотал Сеня.

— Вот-вот! — кивнула я. — Что такого страшного в записке? Возможно, Федор не хочет, чтобы кто-то узнал о том, что он — однажды, давным-давно — ушел в праздник Хеллоуина пугать людей, а потом одну его спутницу нашли убитой, вторая же просто пропала. Это единственное, что мне на ум пришло. Но, вероятно, я ошибаюсь. Дурацкая забава произошла много лет назад, дело об убийстве Татьяны Михайловой закрыто. Лену Орлову, которая куда-то делась, никто не искал. Отчего Змей струсил? Аня говорила, что, пробежав глазами по очередному посланию, художник с трудом удержал на лице кривую улыбку. А в день, когда я видела Змея на презентации чудовищной мебели Валерия Березова, он скомкал листок и засунул его в карман с таким видом, что стало понятно: Касьянов дико зол. Может, на его совести есть еще какие-то грехи? Вероятно, Саша наврала Ане, она шантажировала художника не смертью их матери. Знала какую-то другую его тайну. И Змей решил устранить проблему.

— На момент смерти Пуськовой у Касьянова алиби — художник сидел в обезьяннике, — сообщил Кузя. — Наш герой, выйдя с вечеринки, устроил свару с парковщиком, дал ему в нос и был доставлен в участок. Из-под стражи его вызволил адвокат. Когда Федор вышел на улицу, там уже стояли журналисты с камерами. Да уж, пиар-агент у дебошира мужик активный, своего не упускает. Но в данном случае это не только очередная акция ради привлечения внимания, а еще и надежное алиби.

— Рекламой у Федора занимается женщина, — поправила я. — Но ты прав, она, похоже, очень деловая. Только до сих пор мне список тех, кого пригласили на демонстрацию инсталляции «Смерть бабы», не прислала. Позвоню-ка ей!

Мой разговор с пиарщицей занял пару минут.

— Списка нет, — мрачно заявила я, пряча трубку. — Зоя думала, что он сохранился в компьютере, но случился глюк, и вся информация пропала.

Собачкин опять запустил руку в коробку с пирожными и одновременно покачал головой.

— Нет, просто мадам не захотела фамилии назвать. Итак, алиби на время гибели Саши у Змея железное...

— А в день кончины Ники бетонное, — перебил его Кузя. — Змей из Америки вылетал, и когда в Нью-Йорке в самолет сел, Вероника была еще жива. Приземлился в Шереметьево — а Балабанова уже на том свете.

— Дегтярев говорит, что лично его стопроцентное алиби всегда настораживает, — вздохнула я, — иногда эта железобетонность, наоборот, свидетельствует о виновности человека. У полковника недавно было дело — женщину сбила машина, а супруг во время ее гибели скандалил в магазине — обвинил продавщицу в хамстве, даже ударил ее. Мужа увезли в полицию. То есть он никак не мог наехать на жертву на угнанном автомобиле. Но Дегтярева железное алиби встревожило. И он выяснил, что муженек нанял исполнителя, а себя надумал обезопасить, решив: будет хорошо, если его невиновность засвидетельствуют полицейские. Но, знаете, иногда лучше недобдеть, чем перебдеть. Как говорила одна из моих свекровей: «Чего много, то уже плохо».

— Змей мог нанять киллера, — согласился Семен. — А зачем тебе список гостей Касьянова?

Я не успела ответить, потому что Кузя громко воскликнул:

— А вот это очень интересно!

— Что? — хором спросили мы с Семеном.

Кузя повернул к нам оба ноутбука.

— На правом компе открыт сайт коллекционера Эрика Боргезе. Он владеет огромным поместьем, где построил большой музей современного искусства. Мужик известен своей экстравагантностью. Он разрешает людям посмотреть свое собрание, но... впускает не каждого желающего, а только тех, кто ему нравится.

— Имеет право, — пожал плечами Собачкин, — это же его частная коллекция.

— Если вы хотите ее лицезреть, сначала надо прислать господину Боргезе запрос, — продолжал Кузя. — В ответ вам вышлют анкету. Получив ее, Эрик посмотрит сведения, которые там указаны, и решит, иметь ему дело с кандидатом на посещение его поместья или отправить чудака лесом. В случае положительного решения присылается лист с экзаменационным заданием. Сначала надо подробно ответить на один вопрос. Мне, например, пришел такой: «Римский папа Иоанн Восьмой женщина?» Я написал, что сие — темная страничка в истории католической церкви, о ней до сих пор говорят неохотно.

Якобы между папами Львом Четвертым и Бенедиктом Третьим был папа Иоанн Восьмой, который во время одной из процессий прямо на улице родил ребенка и был растерзан вместе с младенцем негодующей толпой. В принятом в настоящее время списке римских пап указано, что Иоанн Восьмой правил в 872—882 годах и точно не был дамой. То есть католическая церковь про папессу не говорит, но история эта все живет и живет. Ученые ее опровергают, но легенда не умирает. Слушайте дальше. Мне тут же после моего ответа про папу Иоанна Восьмого пришло письмо: «Уважаемый господин Гений Сто. Рад сообщить, что вы прошли на второй экзаменационный тур. Вам выслан план. Выберите зал, в котором более всего хотите побывать, отметьте его, отошлите план назад и получите тест из сорока двух вопросов. Ответить на них надо в течение часа. Разрешается сделать одну ошибку. Если не справитесь с заданием, вход в музей для вас закроется навечно».

— Ну и ну! — покачал головой Собачкин. — Сурово.

— Да нет, ничего особенного, — пожал плечами Кузя. — Кстати, я понимаю Боргезе. Он не хочет, чтобы в его владениях бродили идиоты, жующие жвачку и отмечающие на карте достопримечательности. Он ждет только тех, кто увлечен искусством и хорошо с ним знаком.

— Зачем тебе этот музей? Для чего ты туда писал? — с запозданием удивился Сеня.

— Мне интересно посмотреть, что у коллекционера есть и где работы Змея размещены, — ответил Кузя. — Такой вот я любознательный человек.

У меня зазвонил телефон, я глянула на экран. Маша!

— Мусик, — зашептала Манюня, — ты где?

— В гостях у приятелей, — тоже почему-то понизив голос, ответила я.

— Далеко находишься?

— В соседнем поселке.

— Можешь домой приехать?

— Что случилось? — испугалась я.

— Дом не сгорел, никто не заболел, — зачастила Маша, — маленькое недоразумение.

— Переверните ее вниз головой и потрясите! — донесся до меня голос Геннадия.

— Нет, нет! — завопила в ответ Манюня. — Привратник не даст ей выпасть, пусть идет своим путем!

— Совсем дура? — завизжал Погодин. — Делай, как я сказал!

— Никогда! — отрезала Манюня. — Ты у нас дома, не в офисе, не в своем дворце. Тут не твои порядки. Не трогай ее!

Телефон замолчал, я вскочила.

— Ребята, простите. У нас дома что-то случилось: Погодин хочет кого-то вниз головой перевернуть, а Маша не разрешает.

— Да, да, езжай в Ложкино, — засуетился Сеня.

— Все равно ничего интересного за один час я не раздобуду, — меланхолично заметил Кузя. — Надо покопаться в разных местах, по сусекам поскрести, по амбарам помести, потом еще колобок испечь придется...

Глава 34

Въехав на участок, я перевела дух. В саду весело поют птички, деревья не повалены, кусты рододендронов не вырваны с корнем, скамейки не разломаны. Дом выглядит целым, из окон не валит дым, стекла не разбиты, крыша на месте. На парковочной площадке нет машин «Скорой», МЧС и пожарных.

Нет и джипа охраны поселка. Я выдохнула с облегчением. И тут парадная дверь резко распахнулась, из дома вылетел потный, встрепанный Геннадий и, выкрикивая слова, которые воспитанные мужчины никогда не произносят ни при женщинах, ни при детях, ни при пожилых людях, ни при коллегах, побежал к своему дорогому «Бугатти Вейрон», сел за руль и унесся прочь, оставив за собой облако пыли.

Я, кашляя и чихая, поспешила в дом и сразу наткнулась на Манюню, которая гладила Мафи, приговаривая:

— Все хорошо, моя дорогая. Он больше не придет.

— Что случилось? — спросила я.

Мафуша опустила уши, поджала хвост и сгорбилась.

— Ну ладно, с каждым могло случиться, — утешала собачку Маруся, — я тебя понимаю, пахло уж очень вкусно.

— Не ожидал, что Гена так себя поведет, — вздохнул Феликс, выходя в холл. — Столько лет с ним дружим, и ни разу Погодин не позволял себе на меня орать.

Манюня прищурилась.

— Уж извини, скажу правду: твой приятель хам.

— У Гены непростой характер, — согласился Феликс, — он может резко высказаться, но его гнев всегда был направлен только на служащих, со мной и Дашей, с тобой тоже Погодин был другой.

Маша встала.

— Если начальник унижает подчиненных, это свидетельствует о том, что он гадкий человек. И рано или поздно такой тип оскалится на друзей, на близких. Нельзя быть хамом немножко, грубить одним и улыбаться другим. Геннадий сегодня явил нам свое настоящее лицо.

— Да что случилось? — занервничала я. — Говорите правду!

— Пошли в столовую, не здесь же беседовать, — сказал Феликс.

Мы переместились в комнату, я увидела Игоря, который восседал за столом.

— Скандалист это забыл, — со злорадной улыбкой сказал Гарик, показывая на бархатную коробочку для ювелирных изделий.

— Погодин оставил свой подарок, приготовленный для Натальи? — удивилась я. — Медальон дорогой, надо вернуть его Геннадию.

— Нет! — захихикал Игорь.

Феликс взял коробочку, попытался ее открыть и потерпел неудачу.

— Дай сюда, — велел Гарик.

Маневин протянул ему упаковку, Игорь вмиг поднял крышку и занудил:

— Феликс, ты, конечно, жутко умный. Но почему ты свой ум в обычной жизни не используешь? Какой от тебя в быту прок? Надо же соображение иметь! Эта коробка не дешевка из лавки у метро, а дорогая вещь для эксклюзивных украшений. Чтобы ювелирка случайно не выпала, тут есть кнопка, надо на нее нажать и держать, только тогда она откроется. И закрывается она прикольно.

Гарик поставил бархатную коробку на стол.

— Смотрите, я не трогаю крышку... И что происходит?

Послышался щелчок.

— Сама захлопнулась, — отметил Маневин.

— Точно, — сказал Игорь. — Все для сохранности содержимого придумано, чтобы оно случайно не вывалилось. Забыла хозяйка прикрыть «домик» для колечка? Ничего, он сам люки задраит. И не откроется, пока в кнопку не ткнешь. Вообще говоря, эту конструкцию с магнитами придумал я. Хотел запустить ее в производство, но Дарья денег не дала. Как всегда, пожадничала, отказалась мне помочь. Пришлось искать инвестора. Я пошел в «Эйнштейн», где за процент от будущей прибыли помогают таким, как я, гениальным изобретателям, найти дураков с деньгами...

Моя память услужливо развернула картину. Вот я стою на ресепшен в здании фирмы, мой разговор с администратором прерывает мужчина, который ищет офис «Эйнштейна», он, мол, открытие сделал, изобрел... давным-давно придуманный кем-то шредер... Остается лишь пожелать сотрудникам «Эйнштейна» крепкого психического здоровья. Наверное, нелегко им, бедным, приходится. Общаясь каждый день с армией таких, как Гарик, самому можно с ума сойти.

— И что я услышал в «Эйнштейне»? — нудил Игорь. — Похожие упаковки уже лет двадцать выпускают. Тот, кто их придумал, состояние сделал. Он! Не я! А почему не я? Дарья денег не дала.

— Двадцать лет назад она о тебе даже не слыхала! — возмутилась Маша.

— Послушайте, пока коробочка стояла открытой, я заметила, что в ней пусто. Где медальон? — спросила я.

— Его Мафи сожрала, — доложил Игорь и захохотал. — Вот прикол! Ам — и нету...

Я оторопела.

— Правда?

Маша кивнула. Гарик продолжал веселиться:

— Вхожу в столовую и вижу у псины в зубах медальон. Крикнул ей: «Дура, выплюнь!» А она его хоп! Ням-ням!

Я повернулась к Маше и повторила:

— Это правда?

Манюня развела руками.

— Я прибежала сюда, когда Геннадий стал вопить, увидела, что он трясет Мафи, держа ее вниз головой...

Маша и Игорь заговорили, перебивая друг друга, я остановила их:

— Отвечайте на мои вопросы. Мафи проглотила медальон, который Погодин купил в подарок Наталье?

— Да, — кивнула Манюня, — у него же очень вкусный запах.

— Печенья, — уточнил молчавший до сих пор Феликс. — Честно говоря, я понимаю собаку, тоже бы на ее месте не выдержал.

— Ужас! — испугалась я. — Мафушу надо срочно везти к ветеринару.

— Недаром говорят, нет пророка в своем отечестве... — улыбнулся Маневин. — Ты забыла, что доктор Айболит уже с нами?

— Добрый день! — вступила в разговор Манюня. — Я Маша, владелица клиники для собак-кошек и разных других животных. Прошу всех успокоиться, так как украшение гладкое, острых граней не имеет, бриллианты не снаружи, а внутри подвески. Через несколько дней мы получим медальон в целости и сохранности.

— Каким образом? — спросила я.

Маневин кашлянул. Гарик заржал. Манюня ухмыльнулась и пояснила:

— Мафуня покакает.

— Я так испугалась за псинку, что не сообразила, — засмеялась я. — Так, сейчас возьму в чулане совочек и найду украшение, когда наступит нужный момент. А почему Погодин в истерику впал?

— Он хотел кулон из собаки вытряхнуть, вниз головой ее перевернул и тряс, а Маша псину отняла, — наябедничал Гарик.

— Конечно, я запретила ему это делать, — покраснела Манюня. — У собак в желудке есть клапан под названием привратник. Когда пища падает по пищеводу в желудок, он открывается и сразу закрывается, не дает еде назад в пищевод попасть. Медальон из Мафуши не вытряхнуть. Хотя если очень постараться, то, возможно, и получится. Но из-за того, что клапан сработает неестественным образом, он может ослабнуть, и тогда псинку всю жизнь будет мучить изжога. У людей, кстати, та же проблема бывает. Рисковать здоровьем Мафи из-за какой-то дряни? Да никогда!

— Дряни? — вскинул брови Гарик. — Знаешь, сколько это «сердце» стоит? Офигеть просто! Я цацку в Интернете на сайте магазина нашел.

— Да хоть бы его ранее носила царица Савская[1], — отмахнулась Маша. — Кусок золота с дурацкими бриллиантами ничего не значит, если речь идет о здоровье собаки.

— Геннадий собрался именно сегодня преподнести Наташе презент, — пояснил Маневин. — Я извинился, сказал, что очень сожалею о произошедшем, пообещал через пару дней вернуть подвеску в целости и сохранности...

— А Погодин вдруг завопил, — перебила профессора Маша. — Тогда я ему предложила: «Можем сейчас вернуть деньги за медальон. Легко ведь купить новый». Но этот вариант ему тоже не подошел. Собственно говоря, это все. Но если посмотреть в корень вопроса, то Погодин сам виноват. Зачем открыл коробку и оставил сладко пахнущую драгоценность на столе без присмотра?

---

[1] Царица Савская — X век до н. э., правительница аравийского царства Саба (Шеба), чей визит в Иерусалим к израильскому царю Соломону описан в Библии.

— Совершенно согласен, — подал голос до сих пор молчавший Юра. — Такое поведение трактуется как провокация или даже как доведение до преступления. Мафуня просто не справилась с собой. Многие люди не способны, например, пройти мимо куска колбасы, обязательно схватят его и слопают. Чего тогда от псинки ждать? И Погодину же предлагали деньги прямо сейчас.

Я молчала. Что-то в этой истории кажется мне странным. Но что?

Так и не сообразив, почему в душе возникло беспокойство, я выпила чаю и легла спать.

Глава 35

Собачкин позвонил в полдень и, забыв поздороваться, спросил:

— Можешь приехать?

— Конечно, — обрадовалась я. — Что-то нашли?

— Ждем, — коротко сказал Сеня.

Я схватила сумку, приготовленный совок, спустилась вниз и, протягивая пластиковую лопаточку Ирке, попросила:

— Если Мафи...

— Знаю, знаю, — не дала мне договорить домработница, показывая на пару разноцветных совочков, лежащих на консоли. — Сначала Маша, потом Феликс мне их вручили и указание дали, теперь вот и вы. Ну почему именно мне досталась роль ковыряльщика дерьма?

— Во-первых, все уехали на работу, а во-вторых, назови то, что предстоит делать, иначе, — посоветовала я. — Скажи лучше так: «Сегодня я являюсь охотницей за золотом с бриллиантами».

— Как ни обзови, суть одна, — вздохнула Ирка.

— Может, Мафи дождется моего возвращения, — попыталась я утешить помощницу.

— Ага, как же, дождется она, — запричитала Ирина, — вечно мне не везет.

— Давай поступим так: ты не будешь ничего искать, — решила я. — Просто поставь около места, где Мафуша совершит свои делишки, опознавательный знак. Вернусь домой и сама произведу раскопки.

— Роскошная идея! — заорала Ира. — Именно так я и поступлю. Никогда еще не искала в собачьем дерьме ювелирку, но уверена: копание в какашках по вкусу мне не придется.

Я взяла ключи и поспешила к машине. «Копание в какашках мне по вкусу не придется». Фраза звучит странно. Меня тоже нельзя назвать профессионалом в искусстве изучения собачьего гуано, но, похоже, именно мне и придется им стать.

До дома Собачкина я добралась быстро и потребовала от Сени:

— Рассказывай. Что нашли?

— Вернее, не нашли, — поправил Кузя. — Боргезе никогда не приобретал работ Змея. Я ответил на все вопросы коллекционера, получил от него разрешение на посещение музея, изучил план и написал послание: «Хочу полюбоваться на инсталляции Федора Касьянова, но не нашел их». Мне живо прилетел ответ: «Извините, об этом художнике мы впервые слышим».

— Ну и что? — спросила я. — Многие знаменитости врут, что их произведения имеют бешеный успех за границей. Им кажется, что популярность в России никого не интересует, а вот примкнуть к сонму звезд в Европе и Америке круче некуда. Помню, как один весьма популярный писатель сообщил журналистам: «Один из моих романов вот-вот экранизируют в Голливуде. Договор уже подписан». Время шло, много лет пробежало, а премьеры мы так и не дождались.

— Знаю, о каком литераторе идет речь, — ухмыльнулся Сеня. — Но, понимаешь, он активно издается в России, по тиражам почти как Смолякова. Он хорошо обеспечен и легко может объяснить, откуда у него дом в Подмосковье, квартира на Патриарших, «Порше» и прочие блага. А теперь изучим состояние Змея. Он имеет особняк в тысячу квадратных метров, апартаменты в центре Москвы, новенький «Бентли», и, если посмотреть на фото многочисленных тусовок, где красавец веселится, одевается Федор в лучших бутиках. Я залез в его счета. Мужик не стеснен в средствах. Кстати, налоги платит исправно. Но! Источником дохода он указывает суммы, вырученные от продаж инсталляций западным коллекционерам: Фридриху Шторму, Аделаиде Монж, Эрику Боргезе. Цифры большие, но меньше тех, которые упоминает пресса. В России Змей ничего не продает, его творчество здесь ни один музей или собиратель ни разу не приобрел.

— И что? — не поняла я.

— Повторяю: Боргезе Касьянова не закупает, — напомнил Кузя. — Монж и Шторм со мной общаться отказались, прислали почти одинаковые ответы: «Коллекция является частным владением, содержание ее не разглашается». Боргезе единственный, у кого не просто собрание произведений искусства, а музей, но он, как ты уже знаешь, более чем придирчив в выборе посетителей, просто так к нему не попасть.

— Значит, по поводу Боргезе Федор наврал, а есть ли его инсталляции у Монжа и Шторма, узнать невозможно, — подвела я итог.

Кузя задрал подбородок.

— Простой человек никогда не узнает, что за рубежом ничего сотворенного Федором нет. В налоговые органы он подает идеально составленные документы. По бумагам деньги ему переводит один швейцарский банк. Но! Касьянов часто летает за границу и, возможно, сам себе все бабки и отправляет. Или у него есть хакер, способный на разные фортели. Налоговая копаться не станет, раз ей вовремя мзда капает, но я узнал точно: инсталляций Змея нигде за кордоном нет.

— Как тебе удалось это выяснить? — изумилась я.

Хакер прищурил один глаз.

— На самом деле желаешь узнать весь объем информации, что я перелопатил? Или удовлетворишься известием о том, что никто из коллекционеров понятия не имеет о Змее?

— Федор делает все возможное и невозможное, чтобы о нем писали газеты и кричали из телевизора, — снова вступил в разговор Сеня. — Конечно, он понимает, что у налоговой возникнет вопрос, откуда у него деньги. И вот его ответ: бабки текут с Запада. А оказывается, Касьянов никому ни дома, ни за его воротами не нужен. Он дутая фигура, скандалист, светский персонаж, специализирующийся на эпатажных выходках, ловко смог внушить всем, что он гений, признанный во всем мире. А в реальности же мужик — пустышка.

— Но есть же у него дом, квартира, машина, — перечислила я. — Они-то существуют?

— Да, — подтвердил Кузя, — находятся в собственности «великого художника».

Я подпрыгнула на стуле.

— Откуда же у него деньги?

Кузя крякнул.

— Ты не любишь читать с экрана, поэтому я сделал распечатку. Изучай.

Я взяла пачку листов и погрузилась в чтение. Процесс занял около двух часов.

— Ну как? — поинтересовался Кузя, когда я наконец оторвалась от текста.

— С ума сойти... — прошептала я.

— Значит, клиент доволен, — отметил Собачкин.

— Клиент просто не верит тому, что прочитал, — ошарашенно покачала я головой. — Мне надо срочно... прямо сейчас...

Я вытащила из кармана телефон и быстро ткнула пальцем в нужный контакт.

— Занят, — буркнул Дегтярев.

— Я знаю, кто убил Веронику Балабанову и Александру! — закричала я.

Полковник издал смешок.

— Да ну?

— Иди в кафе «Голубой цыпленок», — приказала я, — буду там через полтора часа.

— У меня нет времени на глупости, — отрезал Дегтярев.

— Сейчас пришлю тебе несколько фото, — не сдалась я, — если возникнут вопросы, звони.

Я быстро сделала снимки нескольких страниц отчета Кузи, отправила толстяку и замерла с трубкой в руке. Минут через десять сотовый затрезвонил, и я услышала вопль Александра Михайловича:

— Где ты это взяла?

— Секрет фирмы, — ответила я. — Все, пока. Хотела все тебе подробно рассказать, но ты же очень занят. Потом как-нибудь поболтаем, через месячишко-другой.

— Немедленно рули в «Голубой цыпленок»! — заорал полковник. — На эту тему нельзя в кабинете беседовать.

— То, о чем нельзя беседовать в кабинете, нельзя обсуждать, сидя в этом самом кабинете, — съязвила я.

— Уж не дурак, — другим тоном сказал толстяк, — я как раз вышел из здания. Разговариваю по мобильному, который предназначен только для своих. Зарегистрирован он на другого человека, в контактах члены семьи.

— Да ты прямо Штирлиц! — восхитилась я.

— Хватит ерничать, — устало попросил Александр Михайлович. — Все, жду тебя в «Цыпленке». Сбрось мне эсэмэску за полчаса до приезда.

— Уже бегу к машине, — сказала я.

— Ты хоть понимаешь, что нарыла? — воскликнул Дегтярев. — Настоящую бомбу! Рванет — весь мой отдел накроет!

— Поэтому я и попросила тебя прийти в кафе, — ответила я. — Если уверен, что этот твой номер не прослушивается, могу начать рассказывать по дороге...

Глава 36

Прошла неделя. Теплым майским вечером мы с Дегтяревым сидели в кафе у открытого окна.

— Прямо лето пришло, — заметила я.

— Хорошая погода, — кивнул полковник.

— Беседа долгая у нас будет, — вздохнула я.

— Да хоть на сутки, — мрачно заметил Дегтярев.

Я сделала глоток из чашки.

— Мне не по себе.

— Ох, с трудом вас нашла, — прощебетал знакомый голос.

Я оторвала глаза от листа бумаги и увидела Татьяну Панину, мать эксперта Лёни. Бросила взгляд на Дегтярева, тот незаметно кивнул.

— Танечка, садись, нам надо поговорить. Втроем, без чужих ушей.

Владелица агентства схватилась за сердце.

— Лёник?

— Жив и здоров, — утешил ее полковник.

Панина рухнула на стул.

— Когда сын служит в полиции, пусть даже экспертом, все равно понимаешь, что может настать момент, когда в твой дом приедет его начальник с парой коллег, снимут головные уборы и скажут: «Дорогая Татьяна, нам очень тяжело сообщать...»

У Паниной перехватило горло.

— С Лёником пока все хорошо, — заверила я.

— Пока? — мигом насторожилась Панина. — Что это значит?

— Выслушай Дашу, — попросил полковник.

Я откашлялась и заговорила...

— Синицын переулок, дом десять, квартира один, расположенная в подвале. Жилье принадлежит Надежде Фоминой. У нее единственной из всех студентов-первокурсников захудалого художественного вуза есть свое жилье, причем огромное, метров триста квадратных. Из документов явствует, что сии хоромы ей достались от близкого родственника, известного советского скульптора. Дядя обожал Наденьку и прописал ее в мастерской. Но когда девочка поступила в институт, ваятель уже умер, родителей у Надюши не было. Мама покончила с собой, про отца ничего не известно. Наденька нищая, как алтарная мышь, подчас ей денег не хватает на кефир, зато у нее свой подвал. И там весело гуляет студенчество.

Фомина вспоминает четыре года своей учебы в вузе как бесконечные гулянки с пьянством, сексом с разными партнерами. Через ее подвал пронеслась армия людей. Но нам интересны лишь ближайшие друзья Надюши, которую в узком кругу тогда Синицей звали. Узкий круг — это Федор Касьянов по кличке Змей, Таня Михайлова, она же Белка, и Лена Орлова, Лиса. Был еще Ежик, по паспорту Боря Ткачев, но он в истории, которую я расскажу далее, не замешан.

Компания жила коммуной. Змей без угрызений совести спал со всеми девушками. У Тани была дочь Александра. По словам Михайловой, она ее родила в школьном возрасте от мужа, с которым прожила меньше месяца. Татьяна веселая, обожает вечеринки, но о личной жизни помалкивает. А ее приятелям знать об отце малышки Саши не интересно. Зато мой знакомый, которого я ласково зову Кузей, этим поинтересовался. И что выяснилось? Ни в одном загсе Москвы брак несовершеннолетней Татьяны Михайловой ни с кем никогда не регистрировался. Да и не мог он состояться. Думаю, Саша дочь Змея. Зачем студентка врала о мифическом супруге? Закон о совращении малолетних всегда работал. Если бы выяснилось, что Касьянов совратил школьницу, мало бы парню не показалось. Поэтому Змей и Михайлова разыграли комедию, изображали, будто впервые познакомились на вступительных экзаменах.

Все считали, что у Тани нет родителей. Вроде бы те погибли, до поступления в институт девушка жила с бабушкой Ольгой Сергеевной, подробности компании неизвестны. Но на самом деле отец Татьяны постригся в монахи, мать тоже ушла в монастырь. Узнать их дальнейшую судьбу не представляется возможным. Перед тем как бросить мирскую жизнь, старшие Михайловы переписали свою квартиру на старушку, а та завещала жилплощадь внучке. Именно Ольга Сергеевна воспитывала потом правнучку, маленькую Сашу. А Таня жила, что называется, без царя в голове, как ей хотелось, бабушка не могла управлять ею. Школьные характеристики Михайловой полны таких «комплиментов»: ленива, непослушна, ворует вещи у одноклассников, плохо учится, легко попадает под дурное влияние... В аттестате у выпускницы одни тройки, но и их, полагаю, учителя поставили ей, лишь бы поскорей избавиться от школьного позора, пусть уж получит аттестат и исчезнет с глаз долой. Остается загадкой, как Михайлова ухитрилась поступить в институт. Правда, вуз заштатный, это не Строгановка, не Суриковский, а учебное заведение самой низшей категории. Но все равно ведь пришлось сдавать вступительные экзамены.

Став студенткой, Танюша разошлась еще больше. О дочери она вообще не вспоминала, «гудела» в подвале дни и ночи напролет, кое-как сдавала сессии, переползая с курса на курс. Потом умерла Ольга Сергеевна, Таня на тот момент оказалась беременной. От Змея, естественно. Зачем ей второй ребенок, если она и первым никогда не занималась? Нет ответа на вопрос.

Михайлова вернулась в родительскую квартиру. Ей пришлось заботиться сначала о Саше, а потом еще и об Ане. Змей вроде жил с любовницей, но денег на содержание детей не давал. Федя, Таня и обе девочки постоянно пасутся у Нади, питаются за чужой счет — к Фоминой ведь потоком текут гости, которые приносят еду. Взрослые живут, как птички, ни о чем не думают. Дети просто подзаборники — едят, что и когда найдут, спят, где лягут. Ни о каком режиме, о занятиях речи нет, подросшая Саша не посещает школу — мать забыла ее туда записать.

Можно было бы сказать, что ребята росли, как цыганята. Но это неправильно. Цыганки прекрасные заботливые матери, просто у них иной образ жизни, чем у нас. Цыганский ребенок может клянчить у прохожих деньги, врать, что неделю не ел, но на самом деле бегать голодным мать ему не позволит. И в семье у него строгий порядок, полное подчинение старшим...

Выложив эту часть истории на одном дыхании, я ненадолго умолкла. А когда перевела дух, продолжила свой рассказ:

— По словам Фоминой, Змей всегда тяготился ролью отца семейства, его раздражала необходимость думать о том, что детям нужны одежда, обувь, еда, лекарства. Таня вечно просила, а то и требовала что-то купить. Но настроение Касьянова стало еще хуже, когда выяснилось, что Лиса, то есть Лена Орлова, уже довольно давно родила от него девочку Веронику.

Федор знал, что любовница забеременела, и дал ей денег на аборт. Но безголовая Лена потратила рубли на платье-туфли. Затем она уехала к себе на родину, произвела там на свет Нику и оставила ее у своей бабушки. Вот как хорошо сначала все складывалось: у Тани самоотверженная Ольга Сергеевна, у Лены тоже прекрасная бабуля. На таких бабушках мир держится. Но увы, они не вечны. Орловой в конце концов пришлось забирать Веронику в Москву. Квартиры у нее не было, поэтому Лиса не нашла ничего лучшего, как поселиться у... Тани. Михайлова, Орлова и Касьянов стали жить шведской семьей. А потом наступило тридцать первое октября, и троица, обожавшая голливудское кино, решила развлечься в американском стиле...

Не переставая говорить, я бросила взгляд на Панину...

— Тут надо отметить, что все это происходило много лет назад. Хеллоуин в России еще был непопулярен, основная масса населения о празднике понятия не имела. Федор, Таня и Лена нарядились в зомби, оставили у Фоминой детей и ушли гулять по ночному городу.

Безголовые родители могли кинуть маленьких девочек одних дома, но не иначе как добрый Господь надоумил их притащить крошек к Наде. В противном случае те могли умереть от голода, потому что Змей, Белка и Лиса... пропали. Несколько дней Фомина исполняла роль многодетной мамаши, потом терпение ее лопнуло, и она позвонила в органы опеки. Однако чиновницы не спешили явиться на зов. Зато Надежду побеспокоили из милиции — велели приехать, чтобы опознать труп Татьяны Михайловой. Как представители закона узнали, что Таня и Надя знакомы?

Замолчав на пару секунд, я победоносно посмотрела на Дегтярева.

— Мой знакомый Сеня Собачкин аккуратный, дотошный, въедливый и трудолюбивый, как муравей. Это он раскопал много чего по убийству Татьяны Михайловой, чей труп нашли в переулке около ювелирного магазина-ломбарда. В Таню стреляли дважды. Первая пуля ее убила, но преступнику показалось этого мало, он сделал контрольный выстрел и превратил лицо мертвой в кашу. Неподалеку от Татьяны обнаружили еще два трупа, мужских. Личность парней установили быстро, они неоднократно попадали в зону интереса милиции, оба отсидели по малолетству за воровство. А у Михайловой в кармане обнаружили студенческий билет, который она не сдала, потому что хотела пользоваться всякими льготами. Следователь позвонил в институт, узнал, что Татьяна уже получила диплом, родных покойная не имеет, зато у нее есть ближайшая подруга Надя Фомина.

Ювелирный магазин-ломбард, около которого разыгралась трагедия, был ограблен, из него унесли все. Хозяин его рвал на себе волосы. Оказалось, что именно в тот день, когда произошло ограбление, туда принесли уникальные, очень дорогие вещи: колье, серьги, перстни, кольца, ожерелья... Драгоценности принадлежали Сергею Алексеевичу Н., потомку древнего аристократического рода, передавались в семье из поколения в поколение, имели большую историческую ценность. Одна часть изделий была работы самого Карла Фаберже, другая вышла из рук Луи Картье, третью изготовил Чарльз Тиффани, четвертую

Фредерик Бушерон. И, поверьте, это были не колечки «для всех». Нет, члены этой семьи носили эксклюзивные украшения, созданные адресно для них. Потомки великих ювелиров Картье, Фаберже и других с огромной радостью приобрели бы украшения, авторами коих были их предки, сохранили бы раритеты в своих музеях. Почему же драгоценное собрание оказалось в небольшом ломбарде, который скупал в основном простенькие золотые изделия и столовое серебро?

Владелец скупки Дмитрий, не будем называть его фамилию, оказался другом детства аристократа, а тот владел банком, который, увы, лопнул. Все происходило в девяностых годах прошлого века, во времена разгула бандитизма, банк дворянин открыл на паях с главарем одной преступной группировки. Сергей Алексеевич отлично понимал, что его партнер потребует вернуть вложенные им в банк деньги. Причем он не станет стесняться, а просто прихватит своих братков, приедет к нему домой, под дулом пистолета заставит вскрыть сейфы и заберет все. Наличие уникальной коллекции Сергей не афишировал, но энное количество человек о ней знало. Бандиты обыщут апартаменты и найдут наследственные украшения. Вот Н. и принял решение — спрятать ценности в ломбарде у друга. Об этой акции он никому не сообщал, собственноручно вынес из дома кейсы, лично доставил их к Дмитрию. Тем не менее бандитам каким-то образом стало известно о том, что драгоценности сменили «месторжительство», и они явились в ломбард.

Следователь позже задал Сергею Алексеевичу вопрос:

— Очень глупо отправлять бесценные вещи в убогий ломбард, в котором нет ночной охраны. Почему вы не спрятали раритеты в другом месте?

— В каком? — мирно уточнил Н. — Дима мне как брат, мы с детских лет вместе. Ломбард семейное предприятие, там работают его жена, сестра, мать, отец, тетка... Ни одного постороннего человека нет. Все эти люди для меня родные, они всегда знали о драгоценностях, потому что являлись ближайшими друзьями моих родителей. Наши семьи много лет жили рядом. По-моему, «убогая скупка» была самым правильным местом для хранения бесценных вещей. А вот как бандиты узнали, куда я отвез свою собственность...

Я взяла бутылку воды и сделала глоток.

— И все-таки похоже, что именно кто-то из близких оказался болтуном или предателем. Но сейчас не о Н. речь и не о той коллекции. Нам больше интересен другой вопрос: как в эту историю оказались замешаны Федор, Таня и Лена? У меня есть предположение. Вот послушайте внимательно. Татьяна оделась в костюм полицейского, но не настоящего, в смысле не живого, а зомби. Мы же помним, что троица решила весело отметить Хеллоуин? Страшный из нее служитель закона получился — Федор зачернил ей зубы какой-то краской, намалевал на лице язвы, шрамы. У Лисы, нарядившейся проституткой, и Змея вид тоже был потусторонний. С помощью грима они превратились в оживших мертвецов. Полагаю, дело обстояло так. Троица шла по улице. Куда она направлялась? В гости. По дороге молодые люди хотели напугать чью-то охрану, но натолкнулись на грабителей, а те приняли Михайлову за настоящего стража порядка и убили ее. Так, Танечка?

Панина не ответила.

Глава 37

Александр Михайлович вздохнул, потер ладонью затылок и наконец заговорил:

— Танюша, учитывая наши отношения, мне очень трудно вести этот разговор. Но ты, наверное, понимаешь: сколь веревочке ни виться, а конец обнаружится. Да, ты попыталась скрыться. Однако бумажный след остался, и его не слишком сложно найти. Особенно если знать, что искать. Итак... Татьяна Михайлова, она же Белка, была убита на улице теми, кто ограбил ломбард. А спустя два года после гибели матери Саши и Ани некая Татьяна Николаевна Михайлова, чей день и год рождения совпадают с данными погибшей, вышла замуж за вдовца, педиатра Максима Михайловича Панина и, конечно же, взяла фамилию мужа.

Дегтярев вынул из портфеля две фотографии.

— Вот, посмотри. Слева Таня Михайлова времен своей студенческой юности. Она худенькая шатенка с длинными вьющимися волосами, глаза смотрят зорко. А супруга врача — блондинка с короткой стрижкой, носит очки, перед тобой фото из ее паспорта. Рост у женщин совпадает, метр шестьдесят два, и по физическому строению они похожи, а вот цвет волос и прически разные, и одна плохо видит.

— Саша говорила Ане про мать, что та высокая брюнетка, — вставила я словечко. — Но Александра была ребенком, когда в последний раз видела маму, а детям все взрослые кажутся ростом с каланчу. Изменить внешность можно безо всяких операций, что вы и проделали: постриглись, покрасились и обзавелись окулярами. Да еще уехали в Питер. Долгие годы Панины жили в Северной столице, в Москву перебрались, когда Леониду исполнилось семнадцать. Переезд был вызван болезнью мужа, врачи посоветовали педиатру уехать из города, где всегда сыро. Петербург очень красив, но климат в нем неблагоприятен для людей, у которых есть проблемы со здоровьем. Полагаю, вы уже не опасались встретить в столице знакомых времен бурной юности, к тому же время изменило не только вашу внешность, но и характер. Безалаберная Таня Михайлова, способная забыть о том, что надо покормить детей, гуляка, сторонница беспорядочного секса, любительница выпить, лентяйка и неряха, превратилась в образцовую жену, прекрасную мать. Вот только одного не могу понять. Вы воспитали Лёню, своего пасынка, любите его по-настоящему, всегда поддерживаете сына, которого не рожали. А как же родные дочки?

Панина продолжала молчать. Александр Михайлович достал из кейса еще два фото.

— Не ждал, что ты сразу закричишь: «Да, да, вы правы, я та самая Таня Михайлова!» Поэтому вот тебе еще снимки. Криминалистика — быстро развивающаяся наука, а с появлением компьютеров эксперты получили массу новых методик. Теперь можно взять детское фото человека и снимок некоей особы в зрелости, изучить их, а потом сказать: это одна и та же личность. Или наоборот — это разные люди. Определение делается компьютером по основным точкам лица. Вот они, отмечены желтым. Видишь результат исследования? Ты — Татьяна Михайлова, которую «убили» возле скупки. Если, на твой взгляд, мало компьютерного «диагноза», то можем взять ДНК у тебя и Анны. Анализ покажет, что вы мать и дочь. Почему ты убила Веронику Балабанову? Она узнала тебя, несмотря на изменившуюся внешность и другую фамилию? Есть какая-то примета, известная Нике, — родинка, шрам? Никого из посторонних отметина не интересует, а Веронике подсказала, что перед ней тетя Таня?

Дегтярев поманил официантку.

— Мне еще кофе, но не в этом наперстке, а в нормальной чашке.

Когда девушка ушла, полковник продолжил:

— Ну да, Веронику Балабанову нельзя назвать порядочным человеком. Я тут навел о ней справки, поэтому со стопроцентной уверенностью могу сказать: все, что Ника рассказывала о себе людям, наглая ложь. Во-первых, ни в каком институте она никогда не училась.

— Да ну? — удивилась я. — Фомина говорила, что поселила у себя девушку, когда та сдавала вступительные экзамены. Хозяйка подвала рассчитывала, что гостья поживет у нее месяц, а потом переберется в общежитие. Но позже выяснилось, что теперь иногородним учащимся койку предоставляют за большие деньги, и Ника надолго осела у Надежды Павловны. Фомина зарегистрировала ее по своему адресу, о чем потом пожалела. Потому что к ней после того, как Ника съехала, стали приходить люди и требовать вернуть им деньги, которые разными способами выманивала у них мошенница Балабанова.

— Точно, девица была ловкой аферисткой, — кивнул полковник. — Чем она занималась в первый год приезда в Москву, неизвестно, где жила, тоже не выяснено. Скорей всего, тратила средства, кои назанимала у добрых жителей Бугайска, пожалевших сироту. Приемная мать Вероники спилась после того, как ее мужа посадили за мошенничество. Но соседи ничего не знали о делишках Сергея и хорошо относились к беспризорной девочке. А та, похоже, с раннего детства умела притворяться, обманывала окружающих с самым честным видом. На ее удочку не попалась только Евдокия Тимофеевна, мать Марфы. Она не дала Нике ни копейки и не отпустила с ней в Москву свою дочь.

Подошла официантка с заказанным Дегтяревым кофе. Александр Михайлович сделал паузу, отпил из чашки и только затем продолжил:

— Примерно через год после появления в столице Ника постучалась в дверь подвала Фоминой и осталась там жить. Художница считала, что Балабанова ходит на занятия, но вот тут у меня заявление некоего Валерия Семенова из Новосибирска. Он поселился в гостинице, спустился в ресторан пообедать, а там среди прочих посетителей находились две девушки. Одна стала строить глазки Валерию, вторая осталась равнодушной. Семенов позвал бойкую красотку в номер, там договорился с ней о цене. Но перед тем, как лечь в кровать, потребовал у проститутки паспорт и увидел, что ее зовут Вероника Балабанова. Валерий потерял бдительность, выпил вина и заснул. Проснулся гость столицы с головной болью, зато без кошелька, золотой цепочки, часов и перстня. Милиция живо нашла Веронику, ее привели в отделение, показали Семенову. Тот сказал: «Нет, это не она. Эта сидела с той, которая меня обокрала, за одним столом и не обращала на меня внимания». «Верно, — без тени смущения согласилась Балабанова. — Я ищу работу и прочитала в газете, что некая фирма нанимает девушек для службы аниматорами за рубежом. В ресторане у меня была встреча с сотрудницей агентства. Женщина назвалась Катей, она мне совсем не понравилась — во время нашей беседы начала кокетничать вот с этим мужчиной, поэтому я ушла. Но перед тем, как покинуть ресторан, заглянула в туалет, попросив сотрудницу агентства приглядеть за моей сумкой. Наверное, в тот момент она мой паспорт и украла». Балабанову отпустили.

Дегтярев криво улыбнулся.

— Дураку ясно, что девицы работали в паре. Расклад такой: сидят вместе, одна соблазняет мужика, другая от него демонстративно отворачивается. Красотки обменялись документами, и в случае неприятностей обе вылезали сухими из воды. Уловка стара как мир. Следовало нажать на Веронику, но в милиции поленились. Полагаю, Ника продавала себя за деньги. Доказать факт занятия проституцией не могу, но, думаю, я не ошибаюсь. Почему Балабанова спешно покинула подвал, не забыв обокрасть женщину, которая ее пригрела? Понятия не имею. Известно лишь то, что Ника потом вымогала у людей деньги, об этом рассказала Фомина. Затем мошенница как бы исчезла. Где она жила, чем занималась, установить не удалось. Но пару-тройку лет назад Вероника выныривает из мрака. Она появляется на светских вечеринках под руку с Энрике, итальянцем, известным фотографом, который делает снимки для журналов мод. Наступает звездный час Балабановой — дамочка прекрасно одета, живет на Патриарших прудах, работает корреспондентом в глянцевом издании «Стиль плюс красота». Там же активно печатается Энрике, он летает по всему миру, делает для издания фотосессии известнейших моделей. Понятное дело, «Стиль плюс красота» платит деньги как «вешалке», так и фотографу. И вдруг Энрике с Вероникой пропадают из зоны видимости, а глянец закрывается.

Я воспользовалась паузой, чтобы продолжить вместо Дегтярева.

— Мой приятель Семен Собачкин связался с Анютой Красновой, владелицей почившего в бозе издания, задал ей вопрос: «Что случилось с вашим журналом?» В ответ из Анюты полились такие выражения, что даже Сеня, опытный оперативник, смутился. Опуская весь мат-перемат, коим госпожа Краснова владеет виртуозно, оглашу суть. Итак...

Энрике делал для Красновой фотосессии. Анюта платила моделям большие деньги, но немного меньше, чем те, которые они обычно просят. Звезд первой яркости Энрике не приводил, работал со вторым эшелоном. Те, кто стоит на ступеньку ниже, тоже требуют о-го-го сколько, но с Энрике фотодевушки соглашались работать за усеченную цену. Почему? Когда Краснова задала этот вопрос итальянцу, тот загадочно улыбнулся: «Дорогая, интеллигентный мужчина никогда не станет рассказывать о своих победах».

Иностранец был очень хорош собой, и Краснова поверила, что он спит с моделями, была почти без ума от привалившего ей счастья. Теперь в «Стиль плюс красота» раз в месяц появлялись эксклюзивные снимки и откровенные интервью манекенщиц. Тираж издания пополз вверх. Но примерно через год случилась катастрофа: Анюта получила гневное письмо от агента одной из девиц, тот сообщал, что модель Мари Клеман никогда не работала с Энрике, даже имени его не слышала и уж тем более не давала никакого интервью, в связи с чем на владелицу журнала подадут в суд за мошенничество.

Анюта отправила скандалисту фото с вопросом:

— Разве это не Мари?

— Да, она, — ответил через какое-то время агент. — Прямо волшебство. Снимки якобы сделаны в Париже на бульваре Монпарнас летом, в материале указано, что Энрике работал с Клеман двадцать первого — двадцать пятого июля. Но вот вам скан нашего расписания, авиабилетов и счетов за гостиницу: в это время мы с Мари находились в Пекине, у Клеман рекламный контракт с китайской фирмой. Было по две сессии в день, перерыв длился с тринадцати до пятнадцати часов.

Анюта изучила документы и снова связалась с представителем манекенщицы.

— Ничего не понимаю. Может, утром девушка была в Китае, потом улетала в Париж и снова возвращалась в Пекин?

— Звезда подиумов может порой за один день сменить три страны, — протянул фотограф, — но это происходит в Европе, где государства расположены недалеко друг от друга. Например, передвижения будут такими: Испания — Франция — Англия, Италия — Франция — Швейцария, Италия — Сербия — Хорватия. У меня есть приятель, который живет в Париже, а работает в Милане. Каждое утро Марк садится в семь утра в самолет, проводит день в Италии, а в районе двадцати одного часа возвращается на свой бульвар Сен-Жермен. Но слетать по маршруту Пекин — Париж — Пекин за два часа невозможно. Нас обоих обманывают.

Глава 38

Я допила кофе.

— Не стоит долго живописать, как Краснова выясняла правду, но она ее узнала. Энрике и Вероника на самом деле жили вместе в квартире на Патриарших прудах. Но! Парень вовсе не итальянец, с моделями высокого уровня никогда не работал, зато он умелый компьютерщик. И у парочки есть манекен, на лицо которого можно приделать фото любого человека... Понятно, как получались «эксклюзивные» снимки и интервью? Энрике преображал куклу, наряжал ее в арендованные платья, потом на компьютере мастерил фото из Парижа, Милана, Нью-Йорка. А Ника писала тексты, состоявшие в основном из выжимок откровений, которыми модель ранее делилась с журналистами, все интервью красавиц легко можно было найти в Интернете. В порыве вдохновения Балабанова кое-что и придумывала. Да, чуть не забыла: квартира на Патриарших не принадлежала мошенникам, их пустил туда пожить один человек. Бесплатно. А агент Мари Клеман подал-таки в суд на журнал «Стиль плюс красота», о чем, очевидно, оповестил своих коллег, потому что вскоре на бедную Краснову посыпались иски от других «вешалок». Издание пришлось закрыть. Слава богу, Анюта вскоре удачно вышла замуж за богатого англичанина, укатила в Лондон и сейчас живет без хлопот. Куда подевались Энрике с Вероникой, она понятия не имеет, но от всего сердца желает им только самого плохого.

— Вот откуда у Ники манекен! — воскликнул Дегтярев.

— Да, — подтвердила я. — Когда разгорелся скандал, Балабанова с любовником где-то спрятались. Где сейчас Энрике, неизвестно, а Ника спустя какое-то время начала выпускать онлайн-журнал «Фэшн-красота» и делать рекламные съемки. Думаю, она всякий раз использовала куклу. Вот почему Балабанова никому не показывала контакты своих моделей — их не существовало. Была лишь лежащая в морозильнике фигура, которую легко можно было превратить в любую красотку. И, кажется, я оказала владельцам дома в Ложкине медвежью услугу, порекомендовав их коттедж Балабановой. Сомневаюсь, что она собиралась честно им платить. Но помочь ей меня просила Настя, очень порядочная женщина. Я позвонила Цветковой и стала расспрашивать, как она познакомилась с Никой. Выяснилось, что Анастасия знает Веронику поверхностно — они случайно встретились в салоне, сидели рядом, пока у них краска на волосах была, и разговорились. Ника сказала, что начала возводить особняк и хочет жить, пока идет строительство, где-нибудь неподалеку. Цветкова оценила внешний вид девицы: дорогая сумка, обувь, платье, украшения, ключи, лежавшие на столике, были от пафосного автомобиля, да и салон, где сидели женщины, не копеечный, на чай Вероника мастеру щедро дала. Вот Анастасия и сказала ей: «Моя близкая знакомая живет в Ложкине, она говорила, что там несколько коттеджей сдается».

— И Дашенька бросилась Цветковой на помощь, — перебил меня полковник. — Вот, вот, поэтому такие, как Ника, и процветают. Одна увидела аферистку в парикмахерской и мигом сделала заключение о ее материальном благополучии, глянув разок на ее дорогие шмотки, другая согласилась помочь, даже не подумав проверить личность Балабановой.

Я принялась отбиваться.

— Не мое дело изучать биографию Вероники, она не у нас дом арендовала, я просто сообщила Насте телефон тех, кто особняк сдает.

— А теперь вспомним бесхитростный рассказ Марфы, молодой женщины не особо большого ума, — продолжил Дегтярев. — Она искала в соцсетях Нику, свою единственную подругу детства, но никак не могла ее обнаружить. А потом, едва умерла ее мать Евдокия Тимофеевна Медведева, успешная бизнесдама, наследница получила сообщение в «Фейсбуке» от журнала «Фэшн-красота». Марфа невероятно обрадовалась — как же, ее нашла Ника! Балабанова зазывает бывшую одноклассницу в Москву, обещает ей помочь купить квартиру, найти жениха, работу, а пока все эти радости жизни не случились, Марфа может спокойно поселиться в ее собственном доме.

Дегтярев нахмурился:

— Понятен план?

Я горестно вздохнула:

— Ну да. Наивная Медведева, никуда дальше Бугайска не выезжавшая, не очень умная, не образованная, беспредельно верила Веронике. Марфа рассказывала нам с тобой такие вещи, на которые непременно следовало бы обратить внимание: Ника приехала за ней на электричке, просила не переводить через банк деньги, полученные за продажу наследства, а везти сумму наличкой, сказала, что «Инвестзданиемонтаж» может продать Медведевой апартаменты с большой скидкой, забрала у подруги деньги и стала заниматься проблемой ее жилья. Но дело шло туго.

— Да, да, — хмыкнул полковник, — Балабанова «внезапно» нашла в Сети Марфу, когда та стала наследницей умершей матери. Думаю, Ника давно заходила на страницу подруги, из чистого любопытства читала ее. А когда Марфа получила наследство, Балабанова решила его отнять, поэтому и велела везти ассигнации наликом. Ведь путь любой суммы через банки можно отследить, а передали деньги из рук в руки, и концы в воду. На момент приезда Марфы в столицу дела у Балабановой шли совсем плохо. Последний заказ на пиар-ролик котлет «Счастье в доме» она получила полгода назад, с тех пор клиентов не было. Журнал «Фэшн-красота» никому не нужен, на него подписана жалкая кучка читателей, как рекламная площадка он ни одной фирме не интересен. Я быстро выяснил, что Балабанова ходит пешком — взятую ранее в кредит машину банк у нее за неуплату отобрал. И тут вдруг Марфа с приличными деньгами!

— Спустя пару дней после приезда подруги Вероника купила белый джип «БМВ», — пробормотала я.

— В этом вся Балабанова, — кивнул полковник, — ей надо пускать людям пыль в глаза. Сама в долгах как в шелках, но ездит на элитной машине. Впрочем, такие колеса для многих людей являются как бы доказательством надежного материального положения. Не исключаю, что ради этого аферистка и приобрела авто. Изображала из себя богатую и успешную бизнесвумен, врала заказчикам, что привлекает к съемкам лучших актрис и фотомоделей.

— А в реальности использовала манекен, на который можно с помощью нехитрого устройства нанести фото лица любого человека. Вот интересно...

Я замолчала.

— Что? — спросил Дегтярев.

Я отпила чаю.

— Когда мы с тобой пришли к Балабановой, чтобы выяснить, на чей труп наткнулась Марфа в холодильнике, то увидели на льду куклу, у которой была внешность Ники. Нам Балабанова объяснила, что сделала свою копию из-за того, что ей попался на редкость недоверчивый клиент. Мол, она устроила для него сюрприз. Мужчина ничтоже сумняшеся принял манекен в гостиной за сестру владелицы агентства, а когда понял, что перед ним ростовая фигура нового поколения, живо подписал договор. Но ведь Балабанова скрывала от клиентов правду, выставляла им счет за услуги настоящих, живых актрис и моделей. Почему же этому заказчику она продемонстрировала манекен? Нелогично, однако.

Полковник наступил мне под столом на ногу. Я ойкнула и прикусила язык. Дегтярев прав, не стоило сейчас вылезать с этим вопросом. Мы договорились, как будем вести беседу, нельзя отступать от плана.

— У меня нет ответа, — произнес Дегтярев. — Ника нас точно обманула, никакому клиенту она ничего не показывала. Зачем сделала своего двойника, мы никогда не узнаем. Наверное, замыслила очередную аферу. А тут мы внезапно явились, упали, как сосульки на голову, стали спрашивать про труп в морозильнике. Вот ей и пришлось показывать куклу, чтобы избежать визита полиции, про заказчика на ходу выдумывать.

Александр Михайлович взглянул на молчащую Панину.

— Таня, мы сказали достаточно, чтобы тебе стало понятно: Вероника беспринципный человек, мошенница, аферистка, ради денег готовая на все. Мы с тобой старые друзья, я тебя уважал, любил...

— А теперь перестал уважать и любить? — неожиданно звонко спросила мать Леонида.

— Трудно хорошо относиться к человеку, который совершил преступление, — вместо Дегтярева сказала я. — Расскажите нам, что случилось в доме Балабановой. Эксперт сделал заключение: Ника умерла, поранив голову. Она ударилась затылком об угол мраморного столика в гостиной. Следы крови говорят о том, что она упала с высоты своего роста. После смерти на груди трупа проявились два синяка, свидетельство того, что Балабанова не сама упала, а ее толкнули.

— Вероника узнала тебя и стала шантажировать, требовать денег? — спросил полковник. — Ты приехала к ней в дом, хотела просто поговорить, в процессе беседы вышла из себя и толкнула ее — без желания убить, преступного умысла не было, — а Ника не устояла на ногах и, падая, ударилась головой об угол стола. Несчастный случай. Суд учтет личность жертвы, факт шантажа, твой возраст. Конечно, тебе следовало вызвать «Скорую», полицию, тогда бы адвокат мог говорить о раскаянии, но опытный защитник и так добьется для тебя минимального, вероятно, даже условного срока. И к тому же...

— Я ее не убивала, — перебив его, отрезала Татьяна. — Не встречалась с Балабановой, понятия не имела, где она живет, чем занимается.

— Таня, — с укоризной сказал полковник, — я очень хочу тебе помочь, не лишай меня этой возможности. Предлагаю оформить явку с повинной. Адвокат скажет: «Моя клиентка испытала глубокий шок, поэтому убежала из дома Балабановой, но как только она пришла в себя, сразу явилась в полицию!»

— Если ты на самом деле хочешь мне помочь, почему бы тебе не найти настоящего преступника? — пожала плечами Панина. — Могу подсказать его имя: Змей.

— Вероника его шантажировала? — удивилась я. — Она отказалась кооперироваться с Сашей, выгнала ее вон и решила сама потребовать алименты с отца?

— Алименты... — рассмеялась Танюша. — Дело круче. Вы ничего не знаете. Ладно, так и быть, расскажу. Я в этой истории со всех сторон жертва. Все закрутил Касьянов. Только нам придется вернуться мысленно в ту ночь, когда я, по уши влюбленная в Федьку дурочка, пошла праздновать Хеллоуин. Хотя нет. Придется даже вспомнить кое-что из школьных лет, иначе вы не поймете, какие отношения связывали нас с Федей.

— Мы готовы выслушать все, что ты скажешь, — быстро заверил Дегтярев. — Правда, Даша?

Я закивала.

— Конечно, говори, Татьяна, перебивать не станем.

— Вот и хорошо, — спокойно заметила Панина и начала рассказ.

Глава 39

Танечка Михайлова познакомилась с Федей Касьяновым, когда училась в школе. Тот был старше на несколько лет, работал дворником во дворе дома, где жила девочка.

Юноша приехал в столицу поступать в Суриковский институт, но срезался на творческом конкурсе, приемная комиссия не сочла работы абитуриента талантливыми. Парень решил не сдаваться, зацепиться в столице, пребывая в уверенности, что непременно добьется признания и успеха. Жить ему было негде, в кармане пусто, поэтому пришлось вооружиться метлой — кооператив «Колос» дал дворнику комнату в коммуналке. А Таню воспитывала слишком ласковая бабушка. Она изо всех сил жалела ребенка, чьи родители, забыв о дочери, подались в монастырь, и нещадно баловала внучку. Симпатичный юноша с метлой очень понравился Тане. В результате этой любви она забеременела.

Ольга Сергеевна узнала о том, что произошло, когда делать аборт было уже нельзя, и схватилась за голову.

— Упаси вас бог, ребята, рассказать кому-нибудь, что согрешили. Феденьку живо упекут в тюрьму за растление малолетних, ведь ему уже восемнадцать, а Тане еще нет. Ох и наворочали вы дел. Ладно, справимся, Господь поможет.

И бабуля все устроила. Живот у Тани стал заметным поздней осенью, поэтому очень удачно прятался от любопытных взглядов под широким пальто, а затем под шубой. В школу Ольга Сергеевна принесла справку о том, что у внучки болезнь крови, убедила директора, что она сможет заниматься на дому. Раз в неделю к девочке приходили учителя. Таня встречала их, лежа в постели, заваленная одеялами. Педагоги быстро ставили ей хорошие отметки за выполненные задания и уносились. Потом бабушка вновь предложила преподавателям:

— Зачем вам к нам бегать? Давайте я сама буду тетради в школу приносить.

Учителя, не испытывавшие никакой радости от посещения недужной Михайловой, согласились. Поэтому и не знали, что в квартире появился младенец. Через пару месяцев после родов Таня вернулась в класс, где никто не знал, что она стала матерью. А Федор к тому времени уволился из дворников, та же Ольга Сергеевна пристроила его лаборантом на кафедру в художественный институт. Не в тот, куда он безуспешно пытался поступить, а в другой, рангом пониже.

— В этот вуз ты точно поступишь, — сказала она парню, — надо лишь отработать тут два года. Как раз

Таня получит аттестат, вместе вступительные экзамены сдавать будете. Никому о своем ребенке не рассказывайте. А потом сделайте вид, будто познакомились, когда сочинение писали.

— Ба, чего ты так боишься? — смеялась Таня.

— Не чего, а кого, — поправила старушка. — Людей. Я пережила тридцать седьмой и пятьдесят первый годы, знаю, на что люди способны. Слушайте меня — и не стрясется беды.

Таня и Федя втихаря посмеивались над дрожавшей от страха бабкой, но приказы ее выполняли. А как иначе? Они же зависели от нее, та была для юных лоботрясов доброй феей. Ольга Сергеевна зарегистрировала в загсе Александру, принесла домой метрику, где в графе «отец» стоял прочерк, и сказала:

— Знаю, Феденька, ты очень любишь Танюшу и никогда ее не бросишь. Через некоторое время вы поженитесь, вот тогда и удочеришь Сашеньку.

Вот наивная старушка! Она не понимала, что Федор держится за Таню потому только, что ее бабка оплачивает за него комнату в коммуналке. А еще Ольга Сергеевна состояла в тесном знакомстве с заведующей кафедрой, куда пристроила любовника внучки, а та пообещала ей непременно сделать Касьянова студентом. И вообще эта бабуля — просто волшебная палочка, что попросишь, то и выполнит.

Пожилая женщина предусмотрела все. Когда соседка спросила, откуда у Михайловых ребенок, Ольга Сергеевна, не моргнув глазом, ответила:

— Племянница родила и умерла. Не сдавать же несчастного младенца в приют. Вот, взяла над крошкой опеку.

Пока бабушка была жива, Таня ни о каких бытовых проблемах не думала. Позже, когда родила вторую дочку, Михайлова тоже спихнула ее на руки

Ольге Сергеевне. В конце концов верная рабочая лошадка умерла, и жить Танечке стало трудно. Да что там, просто невыносимо: денег нет, дети все время отнимают, Змей злится... Юной матери двух дочерей смертельно хотелось отдохнуть, поэтому идею развлечения на Хеллоуин она восприняла с восторгом.

Тридцать первого октября Федор, Таня и Лена Орлова, мать Ники, решили отправиться в гости, куда было велено явиться в карнавальных костюмах. Денег на их покупку у молодых людей, естественно, не было, да и не торговали тогда аксессуарами для Хеллоуина. Лена решила нарядиться проституткой-зомби. Натянула красную мини-юбку, сетчатые колготки, туфли, а ноги от щиколоток до середины бедра замотала эластичными бинтами, которые выкрасила черными чернилами. Издали казалось, что на ногах у девушки ботфорты. Маечка с неприлично глубоким вырезом да куртка из блестящей клеенки дополняли образ. Под стать одежонке сделали макияж и прическу. Змей нарядился Квазимодо — к внутренней стороне его свитера пришили подушку, получился внушительный горб. Однокурсница Надя Фомина, у которой в закромах подвала валялась бездна всякой всячины, дала Федору парик с длинными косматыми волосами и здоровенный пистолет.

— Не надо нам оружия, — испугалась Лена. — Вдруг выстрелит?

— Ну ты сказала... — рассмеялась Фомина. — Он же не настоящий. Змей, учти: все вещи, включая пукалку, на время даю, потом вернешь.

— А мне как нарядиться? — чуть не заплакала Таня. — Идти в обычном виде?

— Не реви, — фыркнула Надя. — О, есть идейка!

Фомина порылась в узлах и вытащила... форму полицейского.

— Откуда у тебя столько всего? — ахнула Таня. — И пистолет, и шмотки?

— Подвал раньше был мастерской моего родственника, скульптора, — пояснила Фомина, — он всякую хрень лепил, лишь бы покупали. Брал натурщика, наряжал как надо и ваял. После него много чего осталось. А я не выбрасываю. Конечно, стоило бы разобрать завалы, да желания нет.

— Надька, ты Плюшкин! — развеселилась Таня, примеряя форму.

— Однако хорош борец с преступностью был, — расхохотался Змей, — одежонка-то на Танюху как влитая села, а в ней роста метр с башмаками.

— Не думаю, что прикид настоящий, — протянула Фомина. — Любовница дядьки служила костюмером на «Мосфильме», она ему шмотье со складов перла. Галина рассказывала, что тряпок там — океан! Дядя ее всегда просил нужное притащить. Эти брюки с кителем наверняка в каком-то кино про Америку снимались. И пистолет небось оттуда же. Танюха, тебе тоже лицо надо размалевать...

Чтобы прервать рассказчицу, я подняла руку.

— Прости, Танюша, Фомина мне сказала, что все необходимое для переодевания вы раздобыли в своем бывшем институте, обокрали кафедру театрального костюма и грима.

— Надька врать горазда, — поморщилась Панина. — Нет, все было так, как я говорю. Просто бывшая подруга не хочет, чтобы ее посчитали хоть с какого-нибудь боку причастной к той истории, вот и брешет. Нет, мы ничего не крали, весь реквизит от Фоминой получили. Мне продолжать?

— Конечно, — кивнул полковник.

— Больше не перебью, — пообещала я и снова навострила уши.

...Экипированная лучше некуда и страшно довольная троица, оставив на попечение Фоминой детей, убежала, предвкушая веселье. Гостей в той компании, куда направлялись Змей, Белка и Лиса, собирали к часу ночи. Денег на такси у обалдуев не нашлось, поэтому колоритная группа пошла на своих двоих. До дома, где должна была состояться ночная тусовка, было примерно минут сорок ходу. По дороге великовозрастные дурачки развлекались тем, что пугали редких прохожих. Один парень засмотрелся на Лену, а та распахнула куртку и продемонстрировала «окровавленную» майку и синий след от веревки на шее. Ловелас заорал и убежал. Орлова, Касьянов и Михайлова чуть не скончались от смеха. Трус не знал, что полосу от удавки нарисовали театральным гримом, а кровь — это томатная паста.

В распрекрасном настроении компания подошла к пустырю, двинулась по тропинке в сторону домов, топать туда предстояло примерно километр. На пути было лишь одно маленькое здание, вроде магазин. Из него как раз вышли три человека, и Таня решила их напугать. Обогнав своих спутников, она заорала:

— Эй вы, а ну, ложись, иначе застрелю!

Мужчины резко обернулись.

Змей решил поддержать прикол любовницы, вытащил бутафорский пистолет, наставил его на одного из незнакомцев и крикнул:

— Мы отмороженные! Армия Сатаны, прямо из ада!

И раздался выстрел. Татьяна знала, что оружие в руке Федора бутафорское, но оно произвело такой грохот, что Михайлова от неожиданности упала на тротуар. А над ее головой началась самая настоящая перестрелка. Девушка не понимала, что происходит, лежала не двигаясь, уткнув лицо в грязный асфальт, прикрывая голову руками. Даже когда наконец стало тихо, она все равно еще долго боялась пошевелиться.

— Эй, Танюха, — раздался шепот Змея. — Жива?

Михайлова села и чуть не потеряла сознание. Неподалеку лежали два мужика, ей почему-то сразу стало ясно: они мертвы, вернее, убиты. Левее на тротуаре виднелось тело Лены, из-под него вытекала лужа крови.

— Вставай, — приказал Федор.

Таня с трудом поднялась. Змей подошел к джипу, который был припаркован неподалеку, открыл дверь, мгновение смотрел внутрь салона, потом выдохнул:

— Ох и ни фига себе...

Тане стало еще страшнее, однако она нашла в себе силы приблизиться к любовнику, который успел достать из внедорожника открытую спортивную сумку. На улице было темно, но около стоящего на пустыре магазинчика горело два мощных фонаря. Луч света падал на содержимое сумки, и оно искрилось, переливалось разноцветными огнями.

— Что это? — прошептала Таня.

— Заткнись! — велел Федор. — Так, слушай меня. Иди вон туда...

— Куда? — не поняла Михайлова.

— К мусорным бакам, — зашипел Змей. — Документы с собой есть?

— Да, — удивилась Таня, — в сумке паспорт и старый студенческий.

— Давай сюда студенческий, — приказал Федор.

— Зачем? — удивилась девушка.

Змей залепил ей затрещину, схватил сумку с драгоценностями, быстро отнес к помойке, потом пинками отправил к бачкам любовницу, сбегал к джипу, принес оттуда еще два рюкзака, подошел к Тане и торопливо заговорил:

— Слушай внимательно. Дом, около которого мы находимся, ювелирный магазин и ломбард. Мужики, с которыми ты пошутить решила, бандиты. Они тут ограбление затеяли, добычу в машину складировали, зачем-то опять в лавку подались и вышли на улицу. И тут ты в форме полицейского давай визжать: «Ложись, а то застрелю». Фиговая шуточка получилась. Бандюганы оружие вытащили и давай палить, попали в Ленку. Ты тоже упала. Я решил, что и тебя задело. Что мне было делать? Бежать? Так ведь пуля быстрее. От отчаяния я пистолет, который Фомина дала, вынул, стал на спусковой крючок жать. Двое рухнули.

— Почему? — прошелестела Таня.

— Потому что оружие оказалось настоящим, — пояснил Змей. — Я бандитов уложил. Понимаешь, я же в детстве в тире занимался. Мой отец военный был, фанат оружия, он меня стрелять научил. Но в людей... никогда... И вон чего получилось, двое наповал... А третий убежал.

— Надо вызвать милицию, — прошептала Таня.

— Хочешь в тюрьму сесть? — зашипел Федор.

— За что? — затряслась Таня.

— Дура, да? — обозлился Змей. — Мы двоих людей замочили!

— Не нарочно же, — всхлипнула Михайлова. — Надька сказала, что пистолет скульптор как реквизит использовал. Это она виновата.

— Осудят того, кто на курок жал, пули выпустил, — усмехнулся Касьянов.

— Я ни при чем, — заметила Таня, — пистолет ты держал.

— Ах ты!.. — вскипел любовник. — Кто все затеял? Это же ты из себя крутого копа изображать начала, из-за тебя все случилось. А кроме того... Ты только посмотри какое богатство. Тебе деньги нужны?

Таня кивнула. Змей показал на сумки.

— Вот же они! Сами в руки упали! Пошли домой, спрячем драгоценности, потом продадим...

Договорить Касьянов не успел — к магазинчику подъехали две машины. Из них вылезли водители и еще один парень. Змей и Михайлова притаились за мусорными баками.

— Жирный, глянь, есть кто живой? — спросил один.

— Не-а, — ответил второй через мгновение. — О, гляди, баба...

Раздался выстрел. Федор и Таня скорчились среди контейнеров, боясь пошевелиться.

— Колобок, садись в джипешник, гони его к Куму, — приказал первый браток.

Тот, кого назвали Жирным, повиновался, влез во внедорожник и крикнул:

— Слышь, Филя, тут бумажник!

— Дай сюда! — велел Филя. А через секунду присвистнул. — Тут ксива! Касьянов Федор...

— Мабуть, тот, кто наших покрошил, попер джипешник потрошить, наше рыжье[1] стырил, а свой лопатник[2] с ксивой обронил.

— Ничего, голова его найдет! — пообещал Жирный.

— Валим отсюда! — велел Филя. — Жирный, ты совсем того? За каким хреном бабе в голову сливу вогнал[3]?.. за ... бакланить[4]. Дать бы тебе по батареям![5] Давно пора отремонтировать бестолковку[6]. Вениамин узнает, вылетишь петухом на венике[7].

---

[1] Рыжье — золото.
[2] Лопатник — кошелек.
[3] Сливу вогнать — выстрелить.
[4] Бакланить — делать глупость.
[5] Дать по батареям — избить.
[6] Отремонтировать бестолковку — ударить по голове.
[7] Вылететь петухом на венике — быть изгнанным откуда-то — из камеры, комнаты, машины и т. д. Сленг уголовников.

Продолжая сыпать выражениями, которых Таня не понимала, и отчаянно материться, два парня запрыгнули в свои машины и были таковы. Третий влез в джип и тоже уехал.

— Почему они не пошли к бачкам? — пролепетала Михайлова.

— Быки, — пояснил Федор, — низшая каста. Тупые исполнители. Ума у них нет, что им велели, то и делают. Не догадались территорию обыскать, кретины.

— Зато ты умный, потерял бумажник с паспортом, — напомнила Таня. — Теперь бандиты знают, кто в их джип лазил.

— М-да-а... Наверное, из кармана выпал... — протянул Касьянов.

— Они нас найдут и убьют, — запаниковала Михайлова.

— Заткнись! — рявкнул Федор. — Так, берем сумки и уходим.

— Куда? — еще сильней перепугалась девушка.

— Хочешь сидеть тут и ждать, когда громилы вернутся и сообразят помойку обшарить? — задал вопрос Змей.

— Нет, нет, я с тобой, — заспешила Татьяна... Панина замолчала.

Глава 40

Пауза затянулась, и я решила ее прервать.

— Вы поделили добычу?

— Нет, — ответила Татьяна. — Федор отвел меня на чердак какого-то дома, а сам ушел. Потом вернулся с деньгами, чьими-то джинсами, пуловером. Дал мне немного налички, билет в Питер и велел: «Уезжай. Вот тебе адрес Наташи Волиной. У нее кафе возле станции метро «Автово». Она даст тебе работу официантки, койку. Пересидишь там некоторое время.

Я тоже спрячусь. Ювелирку сейчас продавать нельзя. Надо залечь на дно, иначе нам не жить.

Татьяна Николаевна вздрогнула, вновь переживая давние события.

— Я была до ужаса напугана. Когда мы уходили с места происшествия, Федька тащил сумку и рюкзак, второй у меня на спине висел. Невероятно тяжелый был, поясница вмиг заболела. Я на мгновение притормозила, чтобы передохнуть, и увидела, что стою над трупом Ленки. А у нее нет лица, сплошная кровавая рана. Один из уехавших бандитов выстрелил Орловой в голову. Палил в мертвую! Мне в ту жуткую минуту стало ясно: такие люди ни перед чем не остановятся, они хуже зверей. Так страшно стало! Дальше я побежала, уже не ощущая тяжести ноши.

Я молча слушала Панину. Конечно, она испытала животный страх при виде убитой подруги. Но... но мешок с «золотым запасом» не бросила. Жадность у Тани явно превалировала над ужасом.

— Значит, тебе ничего из добычи не досталось? — уточнил Дегтярев.

Татьяна скрестила руки на груди.

— Нет. Проработала официанткой почти год, познакомилась с доктором Паниным. И началась новая жизнь. Собственно, я уже к тому моменту кардинально изменилась.

У Александра Михайловича звякнул телефон. Полковник взял трубку и прочитал пришедшую эсэмэску. Выражение его лица осталось прежним, но я очень хорошо знаю своего давнего приятеля, поэтому поняла: он получил неожиданную новость.

А Панина продолжала:

— Когда мы поженились, я рассказала мужу всю правду про себя, включая ту страшную историю.

Спустя годы нам пришлось переехать в Москву, но я уже не опасалась за свою жизнь. И Змей, похоже, тоже — о нем начали писать газеты. Когда Максим Михайлович умер, мы с Лёником остались без средств, и я нашла Федора. Ни малейшей злобы я к нему не испытывала. Я понимала, что перестрелка случилась из-за моей глупой выходки. Змей меня спас, положив мой студенческий в одежду Лены Орловой. Поэтому умершей посчитали меня. Я об этом знала — на следующий день после приезда в Питер у метро газету купила, и там прямо на первой странице фото тела Ленки с подписью: «Трое погибших во время бандитской перестрелки. Два братка и проститутка Татьяна Михайлова». Я тихо работала, даже в кино не ходила, из кафе сразу домой. И старалась не обслуживать клиентов в зале, чаще просилась на кухне помогать. Муж, вскоре после того как мою историю узнал, принес мне паспорт с моими именем-отчеством, с моими же днем и годом рождения, только номер и серия были другие и прописка питерская. И еще Панин добавил: «Дом, в котором ты якобы жила, разрушен как аварийный, жильцы выселены. Тебе квартиру не дали, потому что ты замуж вышла, к супругу переехала». И протянул мне коробочку с кольцом. Мы жили счастливо до самой смерти Максима. Потом начались трудности. Только, повторяю, когда совсем невмоготу стало, я занялась поисками Змея.

Татьяна опустила глаза.

— Я ничего не говорила Касьянову про те ювелирные изделия, сказала только: «Много лет прошло, я теперь иная, и ты другой. Не хочу никому рассказывать о прошлом, но сейчас мы с сыном остались на мели. У меня есть план открыть агентство по устройству праздников, но нет средств. Дай в долг». И он принес нужную сумму. Всю до копейки. В подарок.

С той поры мы приятельствуем. Я у него более ни рубля не взяла, но Змей всегда приходит на мои мероприятия, если я прошу его об этом.

— Ты не узнала свою старшую дочь Сашу? — спросила я.

— А мы встречались? — опешила Панина.

— И не раз, — ответила я. — Александра Пуськова, корреспондент телевидения, она приезжала на твои тусовки, прикидывалась фанаткой Змея, которая хочет о нем почаще репортажи делать.

— Блин... — вырвалось из уст матери Лёни.

Мне стало понятно, что Татьяна растерялась. Но она быстро взяла себя в руки.

— Как можно опознать во взрослой толстой бабе маленькую девочку? И фамилия у нее другая, Пуськова. Но даже останься она Михайловой, мне бы в голову ничего такого не пришло.

— Тебя она шантажировать не пыталась? — не успокаивалась я, прекрасно зная, что Александра была уверена: Змей убил ее мать.

Дегтярев кашлянул, Панина усмехнулась:

— Но, Даша, меня же все считают мертвой. Поэтому Александра не искала Татьяну Михайлову.

— А официантка Анна Герасимова не кто иная, как твоя вторая дочь, — буркнула я. — Ты находилась рядом со своими детьми, но не узнала их.

В глазах Паниной зажегся нехороший огонек.

— Ясно... Александра вовсе не фанатка Змея, прикинулась ею, чтобы свои мерзкие дела проворачивать. Я понятия не имела, кто такая Пуськова. Встречалась с ней на мероприятиях, всегда ее угощала. Аню знаю хорошо — приятная, трудолюбивая женщина. Охотно зову Герасимову обслуживать гостей, но даже в бреду представить себе не могла, что она — девочка из моего умершего прошлого. С Вероникой никогда дел не имела, ее судьба меня вообще не волнует.

— Почему Саша решила, что ее мать убил Змей? — не утихала я.

Панина пожала плечами:

— Интересный вопрос. Но не ко мне его адресовать надо. Откуда я могу знать, что творилось в голове Саши? Она с детства странно себя вела — то плакала весь день, то хохотала.

Дегтярев протянул Паниной чистый бокал.

— Возьми его так, чтобы получились четкие отпечатки.

— Зачем? — не поняла Татьяна Николаевна.

— Если ты находилась в доме Вероники, то где-то там непременно остались твои «пальчики», — пояснила я. — Современные криминалисты могут снять их даже с одежды. Тот, кто толкнул Нику, оставил на ее платье...

— Поняла, — кивнула Панина. — А в кино показывают другую процедуру — мажут ладони чем-то черным.

— Ну, если ты желаешь сделать все официально... — протянул полковник. — Можем, конечно, пойти в офис, но я хотел по-тихому. Если твоих следов нигде в коттедже Балабановой нет, то никто не будет знать, что ты имеешь к ней какое-то отношение. Сейчас я не имею права принудить тебя сдать отпечатки пальцев, но когда человек отказывается от процедуры, возникают большие сомнения в его невиновности.

Татьяна быстро схватила фужер.

— Мне опасаться нечего. Но есть просьба: когда узнаете, что я и близко не подходила к Балабановой, не рассказывайте Лёне о моей юности. Таня Михайлова давно похоронена, закопана, ее могила травой заросла.

— Ты бросила двух маленьких дочек, — не выдержала я, — они росли в приютах, и ты равнодушна к их судьбе. Зато воспитала чужого ребенка и очень любишь его. Как такое могло получиться?

Панина положила руки на стол.

— Уже говорила и снова повторяю: история, которая случилась в тот Хеллоуин, за одну ночь сделала меня другим человеком. Я не могла тащить в новую жизнь старый багаж. Мне никогда не нравилась Саша, она с детства вела себя отвратительно, потому что моя бабушка ее до предела избаловала. Это была вздорная, капризная, наглая девчонка. Я Александру не выносила и не стесняюсь в этом признаться. Многие матери терпеть не могут своих детей, но боясь, что их осудит общественное мнение, скрывают истинные эмоции. Я же предельно честна перед вами: обожала Змея, дети получились по глупости, они мне были не нужны. С Лёней другая ситуация. Он был умным, послушным мальчиком, который сразу полюбил меня, мачеху. Если я пыталась поцеловать маленькую Сашу, та меня кусала и кричала: «Хочу к бабушке!» А Лёник сам бежал меня целовать и говорил: «Можно около тебя в кресле посижу, прижамшись?» Смешное такое слово — прижамшись...

— Аня тоже была плохой? — вздохнула я.

— Да нет, могла тихо книжки рассматривать, — ответила Панина. — Но зачем она мне?

Дегтярев крякнул. Меня же, что называется, понесло по кочкам.

— А Вероника? Тебе не пришло в голову, что малышка вырастет и начнет искать родную мать? Ведь убитую Орлову, благодаря твоему студенческому билету и тому, что Надя Фомина не смогла как следует разглядеть изуродованный труп, считали Татьяной Михайловой. Значит...

— Ничего это не значит, — оборвала меня Татьяна Николаевна. — Вероника выросла и стала мошенницей. О родной матери она не думала. И если у вас более нет вопросов, я удалюсь. Саша, проверь мои отпечатки, и поймешь, что я к Балабановой никогда не приходила.

Глядя в спину уходящей Паниной, я пробормотала:

— Железные нервы...

Дверь за Татьяной Николаевной захлопнулась, и я спросила у Дегтярева:

— Почему ты не поговорил с ней о смерти Саши? Молодая, вроде на вид здоровая Александра умерла внезапно, хорошо угостившись на презентации, которую устраивала мать Леонида. Вдруг Панина нам наврала? Может, в действительности она узнала Сашу и отравила ее? Мало кому хочется услышать, что говорит брошенная тобой в детстве дочь.

Полковник взял свой телефон.

— Только что прислали результат вскрытия Александры. У Пуськовой была очень редкая опухоль головного мозга, которая росла-росла да и перекрыла сосуд, а тот разорвался. Инсульт. Мгновенная смерть. Сашу не убивали. Патологоанатом считает, что болезнь Александры развивалась в течение лет трех-четырех. Этот вид новообразования не дает болей, но у человека резко портится характер, появляется гневливость, истеричность, злопамятность, обидчивость. Люди начинают строить невероятные, несбыточные планы и делать все возможное и невозможное для их осуществления, практически превращаются в одержимых, могут помутиться рассудком. Увы, этот вид опухоли неоперабелен.

Александр Михайлович вынул свой ноутбук.

— А теперь послушай, какую информацию мне прислали одновременно с протоколом вскрытия. Александра перебралась в Москву несколько лет назад. До этого она трижды побывала замужем и в связи с новым браком каждый раз меняла место жительства. Похоже, у женщины был не самый сладкий характер, она всегда потакала своим желаниям. Но в крушении первых браков ее нельзя обвинить. Один супруг пил запоем, второй оказался вором, его посадили. А вот третий муж — добропорядочный педагог Владимир Пуськов, никакого компромата на него нет. Пара вела тихую жизнь в небольшом городке, по местным меркам была зажиточной: квартира, машина, дача. Александра работала парикмахером, о телевидении не мечтала. И вдруг! Пуськова бросает Владимира, оформляет развод, перебирается в Москву, и начинается вся эта история. В комнате, где жила Александра, мои ребята нашли горы документов. Молодая женщина, проявив недюжинную сообразительность, изворотливость, способности детектива и даже артистизм, выяснила правду о своем детстве, нашла сестер. Я бы человека, сумевшего отрыть столько сведений, к себе в отдел взял. Не знаю, как она убедила сотрудника архива, но у Пуськовой были копии всех бумаг из детских домов, ее собственное дело и Анино. Саша сработала круче Шерлока Холмса.

— У нее образовалась опухоль, — понимающе кивнула я, — поэтому появилось навязчивое желание найти родителей и получить с них деньги в качестве компенсации за детство в приюте.

— Похоже на то, — согласился Дегтярев. — Чем иначе объяснить разрыв с хорошим мужем и переезд в Москву? Недуг медленно, но верно прогрессировал. Сашино желание становилось все острее — она изводит Змея, третирует Аню, приезжает к Нике...

— Почему Балабанова, которая постоянно нуждалась в деньгах, по возможности — в больших деньгах, отказалась от охоты за алиментами? — удивилась я. — Ника же аферистка, ей такое предложение должно было понравиться.

Полковник взял из корзинки булочку с сыром.

— Да, Вероника мошенница, но далеко не дура. Наверное, она поняла, что Саша не совсем здорова. Или решила: Пуськова неуправляемая агрессивная хамка, с таким человеком связываться опасно. Вот и выгнала единокровную сестрицу. Аня человек иного склада: по-детски наивная, она была рада встрече с родным существом. Потом, правда, начала тяготиться общением с напористой, наглой Александрой, не хотела выполнять ее приказы, но все равно подчинялась.

Мне стало жалко старшую дочь Татьяны.

— Саша оказалась тяжело больной, поэтому и решила стребовать со Змея алименты, не понимала, что это невозможно, была одержима этой идеей, нашла Аню, Веронику. Значит, никто ее не убивал... Бедняжка, ей с детства не везло.

— Да, Александру лишила жизни опухоль, — вздохнул Дегтярев. — Вот как бывает. Ну и что мы имеем на данном этапе? Узнали некрасивую правду о прошлом Татьяны Паниной, нарыли много неприглядной информации про Балабанову, но кто убил Веронику и отравил Марфу, до сих пор покрыто мраком.

Я вынула из сумки айпад и положила его перед полковником.

— Давай отвлечемся на другую проблему. Кто-то открыл в Интернете сайт «Ведьмы Подмосковья». А Семен Собачкин и Кузя...

Дегтярев молча выслушал меня, потом спросил:

— Как удалось установить, что именно этот человек прислал тебе фото инсталляции «Смерть бабы»? Пиар-агент Змея не дала ведь тебе список гостей.

Я стала быстро объяснять, каким путем Собачкин и Кузя дошли до истины, и вдруг замерла на полуслове.

— Эй, ты что? — занервничал полковник. — Язык прикусила?

— Нет, — пробормотала я, — просто вспомнила кое-что про Балабанову. Она снимала в своих рекламах манекен, которому можно наклеить любое лицо и сделать любую прическу. И она же состряпала ролик «Счастье в доме».

— И что? — не понял полковник.

— Только сейчас сообразила: коробка с медальоном, который проглотила Мафи, закрывается с помощью магнита. Ну, до тебя дошло? — продолжала я.

— Да... — протянул Дегтярев. — Если добавить сюда сведения, добытые Собачкиным...

Я вскочила.

— Помчались!

— Куда? — предусмотрительно поинтересовался полковник.

— В Ложкино, — ответила я. — Созовем всех и поговорим.

— Остынь, — попросил приятель, — не надо спешить. Давай лучше поступим так...

Глава 41

Через несколько дней вечером, когда вся семья собралась в столовой, Феликс сказал:

— Мы с женой попали в неприятную историю. Некий человек использовал наши имена для создания сайта «Ведьмы Подмосковья» и брал деньги за консультации. Но сегодня страница навсегда закрыта. Я обратился к кое-каким своим друзьям, и те помогли справиться с проблемой.

— Отличная новость! — обрадовалась Маша. — Негодяя нашли?

— Да, — кивнул Дегтярев. — И знаете, что интересно? Отпечатки его пальчиков найдены на одежде мертвой Вероники Балабановой, и в гостиной ее дома их полно. Преступник водил знакомство с аферисткой.

— Ника была мошенницей? — удивился Юра.

— Верно, — сказала я, — за ней числится немало грехов. В частности, она обманывала клиентов своего агентства. Показывала им каталог с фотографиями актрис, манекенщиц, брала гонорар, но никогда не сообщала заказчику настоящих имен девушек. Объясняла это просто: девушки боятся, что клиенты начнут к ним приставать. Но Погодин разыскал координаты Наташи Кузнецовой, снявшейся в рекламе котлет. И как ему это удалось?

— Дал небось побольше денег Веронике, и та сообщила ему номер телефона, — озвучил свою версию Игорь.

— Некоторые люди за золотые пиастры мать родную продадут, — кивнул Дегтярев.

— Кстати, куда подевался Геннадий? — спросила Маша. — Что-то давно он не заходил к нам.

— Хочешь ему медальон отдать? — с ухмылкой спросил Игорь.

— Пока не получила украшение, — ответила я, — но уже в ближайшее время, надеюсь, найду его в отходах жизнедеятельности Мафи.

Гарик расхохотался:

— Прикольно, наверное, совочком в собачьем дерьме ковыряться.

Я развела рукам:

— Иногда приходится этим заниматься.

— Геннадий и Наташа улетели за границу, — подал голос Феликс.

— Куда? — полюбопытствовал Игорь.

— Понятия не имею, — ответил Маневин. — Хотел поговорить с ним, но услышал сообщение на автоответчике: «Вы все мне надоели. Мы с женой навсегда уехали».

— У Геннадия небось не один номер, — не успокоился Гарик.

— Мне известны два, — кивнул Феликс, — рабочий и личный. Первый находится сейчас в руках управляющего фирмой «Парк прогресса», а по второму включается запись, о которой я сказал.

— Не хочешь его найти? — наседал его родственничек.

— Не вижу смысла, — спокойно ответил Феликс. — Я ничем Гену не обижал, но если он решил прервать отношения, не имею права протестовать.

— Установлена причина смерти Марфы, — сменил тему беседы Дегтярев. — Она принимала таблетки, розовые с буквой «W» на каждой пилюле. Медведева сказала, что их ей через Нику передала верховная колдунья Дарья. Помните, наверное, что Марфа нашла в Интернете сайт общества «Ведьмы Подмосковья», где якобы Даша и Феликс дают консультации. Страница создана мошенниками, которые воспользовались шуткой Маневина.

— Прямо скажем: дурацкой шуткой, — мрачно заметил мой профессор.

— Никаких лекарств наша Дарья, естественно, Марфе не посылала, — продолжал Александр Михайлович. — А пилюли эти оказались сильным успокаивающим средством. Чего ради девушка их принимала? Сейчас объясню.

Полковник обвел своих слушателей строгим взглядом, как бы призывая к вниманию, затем продолжил:

— Вероника вызвала Марфу из Бугайска в Москву, потому что решила ограбить ее. Балабанова подбила наивную Медведеву продать все наследство, полученное от матери: магазин, квартиру, дачу, пообещала Марфе жилье в Москве, мужа, работу. Уж не знаю, как аферистка планировала потом избавиться от Медведевой, но она поселила ее у себя. А та увидела на улице Маневина, пришла в восторг, прибежала к нам... Чтобы остановить Марфу, которая во что бы то ни стало решила стать ведьмой и наколдовать себе вагон счастья, Ника вручила ей успокаивающие таблетки, солгала, что они от Дарьи. Средство якобы нужно для очищения организма перед посвящением в колдуньи. Принимать пилюли надо длительное время, в течение которого ни в коем случае нельзя даже думать о Васильевой, встречаться с ней и Феликсом. Лекарство это является довольно сильным антидепрессантом, вообще-то его выписывает врач. Марфа покорно глотала таблетки, у которых есть побочный эффект — обострение чувства голода. Именно поэтому Марфе как-то ночью страшно захотелось мороженого, и она отправилась его искать. А нашла труп своей подруги в морозильнике. Марфа, естественно, испугалась, побежала в ужасе по коридору и увидела, как «мертвая» Балабанова душит ее няню. Таблетки затуманили мозг Медведевой, на самом же деле в холодильнике лежал манекен, а «убийство» показывали в телесериале.

— Никогда не глотала антидепрессантов, но я тоже приняла сцену из фильма за реальность, — призналась я. — Марфа, забыв о запрете посещать меня и профессора, принеслась к нам в дом. Ее колотило, она кашляла, я налила ей чаю. Белую фарфоровую чашку взяла с полки из тех, что там всегда стоят. Медведева сделала несколько глотков, стала кашлять еще пуще и — умерла. На другой день Дегтярев, придя домой, налил себе заварочки, выпил ее, и у него изо рта повалили разноцветные клубы.

— Идиотский прикол! — взвился полковник. — Называется «Веселый чай», эта забава для подростков продается в магазинах, где торгуют всяким барахлом. Высыпаете пару крупинок в чашку, белый порошок не виден на белом фарфоре, жертва розыгрыша наливает себе чаек, пьет, а вскоре начинает чихать и кашлять разноцветным дымом. Всем смешно. А вот Марфе оказалось не до веселья. В организме девушки накопилось серьезное лекарство, которое в соединении с основным составляющим «Веселого чая» превратилось в сильнейший аллерген для Медведевой, и у нее остановилось дыхание.

— Бедняга умерла в результате чьей-то шутки? — ахнул Юра.

— Таблетки плюс глупый прикол, — повторил полковник. — Игорь, зачем ты требовал от Дарьи миллионы, прикидываясь братом умершей женщины, которая скончалась во время обряда посвящения в ведьмы? Мол, она выпила что-то и уехала к праотцам!

— Жадная Васильева мне денег на производство чашек не давала, — брякнул Гарик, который никак не ожидал подобного вопроса.

Выпалив эту фразу, он замер, а через пару секунд зачастил:

— Какие миллионы? О чем речь? Не понимаю!

Александр Михайлович поморщился:

— Не стоит актерствовать. Мы все знаем. Игорь, ты был в списке приглашенных на домашнюю выставку Змея.

— Помощница художника не дала мне фамилий посетителей, — подхватила я, — но Собачкин сообразил: Змей живет в доме, во двор которого без пропуска нельзя въехать. В тот день, когда проводили вернисаж, организаторы вручили секьюрити перечень номеров автомобилей, на которых приедут гости к Касьянову. Твоя машина находилась в перечне. На входе у всех отнимали мобильные, но у тебя их несколько, и одну трубку ты припрятал. Как тебе пришла в голову идиотская идея вымогать у меня миллионы? Глупее ничего и не придумать! Ты же звонил мне по бесплатному телефону, который установлен около ресепшен в здании, где находится фирма «Эйнштейн». Сам мне рассказывал, что ходил в эту организацию, но там очередное твое гениальное изобретение не приняли.

— Ну... с деньгами — это просто шутка... — занудил Игорь, — хохма... меня на вернисаж пригласила пиарщица Змея... она вообще-то Глорию звала, с которой дружит...

Я молча слушала Гарика. Для тех, кто не знает, поясню.

Глория — мать Феликса. Моя свекровь чудесный человек, совсем не похожа на свою мамашу и младшего брата Игоря. Зоя Игнатьевна произвела на свет сына в том возрасте, когда у женщин уже есть внуки-школьники. Гарик дядя Феликса. Правда, племянник старше его, не говоря уж о том, что во много раз умнее и порядочнее. Однако я понятия не имела, что Глория состоит в хороших отношениях с пиар-агентшей Касьянова.

— Ну послал фотку... так просто, повеселиться... прикол, — бубнил Игорь.

— А сайт тоже розыгрыш? — загремел Феликс. — Думал, никто не узнает, что это ты его запустил? Решил, что в Интернете тебе гарантирована полная анонимность?

— В корне неверная мысль, — заметил Юрий. — Вы, конечно, попытались замести следы, но не очень ловко. Понимаю, почему вы решили шантажировать Дашу несуществующей жертвой ее колдовства —

страница в Интернете, которую вы создали в надежде получить много денег, приносила жалкие гроши.

— Вот и нет! — взвился Гарик. — Это была гениальная идея, как и все остальное, что я делаю! Я заработал миллиарды!

Юра рассмеялся:

— Лучше не говорите подобных слов. Во-первых, вы признались в афере. Во-вторых, если доход исчисляется огромными суммами, значит, это мошенничество в особо крупных размерах. В-третьих...

— В-третьих, у меня есть вопрос, — перебил мужа Маши Дегтярев. — Зачем ты насыпал в несколько кружек в нашем доме «Веселый чай»?

— Вот еще придумали! — фальшиво возмутился дядя Феликса. — Понятия не имею, что это за хрень!

— Правда? — усмехнулась я. — Полковник ведь только что рассказал про белый порошок.

— Ага, тогда я впервые о нем и услышал, — слегка изменил свою версию Гарик.

— Сколько ни работаю с людьми, всегда удивляюсь, — развел руками Александр Михайлович. — Неужели не понятно? Если полицейский о чем-то вас спрашивает, то явно неспроста. Мы же не в ресторане сейчас обедаем, и я не вкусом пирожков с мясом интересуюсь. Юра, покажи запись.

Мой зять повернул свой ноутбук экраном к Игорю. Я, сидевшая рядом, прекрасно видела надпись «Охранная система «Гадкого дракона».

— Во времена моей молодости... — завел муж Манюни.

Я с трудом удержала на лице серьезное выражение. Ну да, сейчас у Юры началась глубокая старость. Большинство тех, кто перешагнул за двадцатипятилетний рубеж, считает себя старцами. Ничего, ближе к сорока пяти они будут называть себя юнцами. На мой взгляд, пожилым человек становится, когда говорит: «Сегодня был в незнакомой компании, там все удивились, что мне шестьдесят, сказали, выгляжу на тридцать». Именно когда тебя начинает беспокоить, на сколько лет ты выглядишь, скажи юности «прощай». По-настоящему молодые люди над вопросом возраста не задумываются, они-то знают, что не являются стариками.

— Когда мне исполнилось четырнадцать, — мерно продолжал Юрий, — розыгрыши находились на пике популярности, но сейчас в моде иное. Глупость вроде исчезающих пятен краски сегодня никому не интересна. «Веселый чай» ранее продавался по всей Москве, а теперь есть лишь в магазине «Гадкий дракон». Два этажа этой торговой точки занимают всякие прибамбахи для компов, но есть небольшой зал с шутками. Во всех помещениях установлены звукозаписывающие камеры нового поколения. С одной стороны, для безопасности, с другой — это реклама. Когда посетитель направляется к выходу, ему показывают на мониторе, где он побывал, дают послушать беседу с продавцами и предлагают купить такую систему слежения. А теперь, внимание, кино!

На экране возникло изображение: прилавок, продавец и Игорь. Зазвучала речь:

— Что желаете?

— «Веселый чай» есть?

— Да. Вам какой?

— Он разный?

— Есть обычный и экстрасильный.

— Давайте второй.

— Триста пятьдесят рублей.

— За маленький пакетик? Обираловка!

— В упаковке двести граммов, вам на всю жизнь хватит. Две-три крупинки — и нужный эффект достигнут. Использовали такой ранее?

— Нет. Брал обычный.

— Почитайте инструкцию.

— Одну штуку дайте.

— Обращаю ваше внимание на то, что «Веселым чаем» нельзя угощать людей с рядом заболеваний, так как это может навредить их здоровью.

— Вы врач?

— Нет, — отрицательно покачал головой продавец.

— Тогда сам разберусь, хватит балаболить.

Продавец вручил Игорю покупку и на прощание сказал:

— Непременно изучите инструкцию. Потому что «Веселый чай» несовместим с антидепрессантами, антибиотиками, так как в соединении с некоторыми препаратами может вызвать аллергию...

Но говорил он все это уже в спину уходящему Игорю.

Юра закрыл ноутбук.

— Вы заходили в лавку.

— И что? — пожал плечами дядя Феликса. — Нельзя зарулить в магазин?

— А говорил, что не знаешь про розыгрыш, — поддела я его.

— Забыть о том, как гулял по магазину, — преступление? — огрызнулся Гарик. — Ну да, я насыпал немного в кружку.

— С той, из которой пил я, случился перебор. Зачем ты воспользовался «Веселым чаем»? — резко спросил полковник. — Какую цель преследовал?

— Поржать захотелось, — ответил Гарик.

Мне разговор начал надоедать.

— Дело в другом. Игорь выпрашивал деньги на разные проекты, но я их ему не давала. Тогда он решил сделать сайт «Ведьмы Подмосковья» и с его помощью хорошо заработать. Но, как и все прочие его проекты, этот тоже не принес успеха. А недавно наш изобретатель придумал кружку с пробкой...

— Да! — взвизгнул Гарик. — И чтобы убедить членов семьи проспонсировать мое великое изобретение, решил показать, что от обычной посуды жди беды — стоит она просто так, в нее любой что хочешь насыпать может. Подумал: вот станете вы разноцветными облаками чихать и кашлять, тогда поймете, что кружка с пробкой необходима, в нее нельзя ничего насыпать.

— Почему? — удивился Феликс.

Гарик постучал себя кулаком по лбу.

— Алло, гараж! Затычку можно вынуть и унести. Кто станет в посудину с дырой что-то бросать?

— Твое поведение привело к смерти Марфы, — перебила я его.

Любимый младшенький сынок бабушки Маневина бесцеремонно показал на меня пальцем и нагло заявил:

— Это она во всем виновата.

— В чем? — деловито уточнил Феликс.

— Сидит на деньгах, не хочет делиться, — пошел вразнос Гарик. — Все ей не нравится. Отстегни Дарья мне нужную сумму, я бы «Веселый чай» не купил. Не собирался Марфе вредить, не знал, кто чашку возьмет. И сайт бы не открыл, и фотку с кретинской выставки не прислал бы. Все Дарья! Ее вините! Я просил ерунду, несколько миллионов для раскрутки. Но получил фигу! Мы одна семья, обязаны поддерживать друг друга. А где ваша помощь? Вот я ради вас...

Мне стало любопытно.

— И что же ты готов для нас сделать?

— Все! — воскликнул Игорь. Потом добавил более сдержанно: — Многое.

— Например? — не отставала я. — Перечисли. Покупать продукты, мыть посуду?

— Я не мешаю никому из вас работать, — заявил младший Маневин.

Я засмеялась:

— Отлично. Кстати, еще кое-что. Ведь акция с «Веселым чаем» не последний твой проект.

— Что она постоянно гундит? — возмутился «гений».

— Давайте вернемся в тот день, когда Погодин показывал нам кольцо, купленное для Наташи, — продолжила я. — Гена тогда обронил фразу, что телефон актрисы дал ему Игорь, который, в свою очередь, за немалые деньги приобрел информацию у Балабановой. Меня это сообщение удивило, и я попыталась выяснить у Геннадия, где Игорь познакомился с Вероникой. Но Погодин отмахнулся: «Это мне не интересно».

Я посмотрела на Игоря.

— Ты взял деньги у Погодина, положил их себе в карман и...

— Опять она врет! — возмутился Игорь. — Вероника продала мне номер.

— Нет, — возразила я, — она бы никогда этого не сделала.

— Все любят бабло! — отрезал Гарик.

— Балабанова была аферисткой, — медленно произнес Дегтярев, — она обманывала своих клиентов. Актрис, манекенщиц, которых дамочка якобы снимала в рекламе, не существовало. Ника задействовала манекен, компьютерные технологии и двух парней студентов, которые снимали «кино». Обращались к Балабановой малоизвестные фирмы, самый удачный ее проект — котлеты «Счастье в доме», рекламу фирмы некоторое время крутили на одном популярном кабельном канале. Наташи Кузнецовой в реальности не существовало, Гена влюбился в куклу, которую оживили с помощью компьютера. Хотя, если честно, я не понимаю, как это возможно.

— Могу объяснить, — оживился Юра.

— Не надо, — живо остановил парня Дегтярев, — технические хитрости не важны. Главное другое: никакой Наташи на свете нет. Ее лицо было собрано из частей, как фоторобот: глаза от одной модели, нос от другой, губы от третьей, а Игорь этим воспользовался. Балабанова узнала, что младший Маневин дурит семью, потребовала у мошенника денег за молчание, а тот ударил ее в грудь. Ника упала, разбила голову и умерла.

— Нет! — завопил Гарик. — Не так! Все не так! Ничего она не узнала!

— Ты не прикасался к Веронике? — уточнил полковник.

— Нет! — взвизгнул Игорь. — Она сама!

— Сама себя высекла? — хмыкнул Феликс. — Где-то я эту фразу уже слышал[1].

— Игорь, пару лет назад вас сняли с поезда за проезд без билета, — заговорил Дегтярев. — «Заяц» затеял драку с контролером, оказался в отделении, но и там продолжал буянить. Парни обозлились и оформили вас как человека, оказавшего сопротивление сотрудникам полиции, поэтому взяли отпечатки пальцев. Глупое поведение могло доставить вам большие неприятности, но... все завершилось отправкой домой.

— Зоя Игнатьевна сына выкупила, — понимающе кивнул Феликс.

— Подумаешь, — скорчил рожу Гарик, — каждый может из себя выйти.

— Согласен, — сказал Дегтярев, — но для нас важно то, что ваши «пальчики» остались в базе. А что туда попало, то осело навечно. Эксперт снял следы с одеж-

---

[1] Намек на цитату из комедии Н. В. Гоголя «Ревизор»: «Унтер-офицерша налгала вам, будто бы я ее высек, она врет, ей-богу, врет. Она сама себя высекла».

ды, которая была на Балабановой в момент смерти. Вы каким-то кремом руки покрываете? Лечебным?

— У меня экзема, — мирно пояснил Гарик. — А что?

— Ладони и пальцы того, кто сильно толкнул в грудь Веронику, покрывал гель «Белая роза», — уточнил Александр Михайлович. — Он применяется при дерматитах, создает защитную пленку. Балабанова в день кончины надела платье из искусственной кожи, поэтому на нем остались отличные оттиски. Вы с силой толкнули Веронику. Это подтверждают улики.

Игорь стукнул кулаком по столу:

— Все было не так! Я вообще ни при чем! Виновата Нинка, которая работала секретарем у Гены. Тот реально над ней издевался, имени ее запомнить не мог. Один раз иду я по дорожке к дому, слышу — кто-то плачет у гаража. Пошел посмотреть.

Гарик почесал кончик носа.

— Увидел девушку, поговорил с ней, выяснил, что Погодин велел Нине найти актрису, которая в рекламе котлет снималась, а секретарь не смогла. И... опля! У меня родился план. Как всегда уникальный. Я ей сказал: «Наплюй, покажи мне ролик». А потом...

Гарик заулыбался, словно сытый кот.

— Вы же меня знаете, я гений! Нинке надо было уволиться, но она мне рассказала, какой Погодин гад: если кто из работников у него расчет просит, никогда не даст, задержит у себя человека исключительно из вредности. Припишет ему материальный ущерб, типа тот чайник из офиса спер. Значит, надо было сделать так, чтобы он ее сам выпер. По моему совету Нина стала поручения шефа плохо выполнять. Попросит Погодин принести ему черную папку, тащит синюю. И что? Урод только орал, ругался, слюной плевался, но не выгонял помощницу. И тогда она, опять же по моему совету, чайник у вас в гостях на пол грохнула. Гениально, да?

Игорь расхохотался:

— Погодин идиот, вмиг Нинку лесом отправил, а нам того и надо. Нина понеслась к стилисту, показала ему ролик с теми котлетами и вышла из салона копией актрисы. И прикиньте везуху: у Нины фамилия Кузнецова, а Балабанова говорила, что модель зовут Наташей Кузнецовой. То есть фамилии совпали! Я пообещал Гене телефон модели найти, сказал: «Вероника его даст за бабки».

— Не растерялся, решил хорошую сумму срубить, — процедил Феликс.

— Почему нет? — пожал плечами Игорь. — Погодин первый сказал: «Скажи Веронике, что я заплачу ей». У дурака же лом лавэ, не знает куда девать. Будет только справедливо, если он со мной поделится. Короче, принес я кретину номерок, Гена начал Нинку осаждать. Называл ее Наташей, и она ему объяснила, что «Наташа» ее псевдоним для съемок, на самом деле ее зовут Ниной, но ей это имя не нравится.

— Неужели Погодин ничего не заподозрил? — удивилась Маруся.

— Не-а, — заржал Гарик, — вообще ни минуты не сомневался. Имени своей секретарши он не помнил, и выглядела та теперь совершенно иначе.

— Верно, — согласилась я, — хозяин называл помощницу по-разному, Ниной никогда. Но черты лица? Как можно не понять, что женщины разные?

Дядя Феликса хлопнул ладонью о стол:

— Ха! Рекламу котлет видела?

— Нет, — ответила я.

Игорь расхохотался, вынул из кармана телефон, постучал пальцем по экрану и сунул трубку мне под нос. Я увидела шатенку со стрижкой каре, одетую в белую маечку, обтягивающую пышную грудь, широкую синюю мини-юбку с красным поясом, обнажавшую стройные ноги в красных же туфельках на каблучке. А вот лица ее было не разглядеть, потому что его почти полностью закрывали две большие румяные котлеты. Я вздрогнула, а потом сообразила, что это очки.

— Жуть, да? — веселился Гарик. — Где лицо? Лоб закрывает челка, на носу бифштексы, на виду только губы, которые бордовой помадой намазюкали, и подбородок. А уж поет красавица... Вообще чума!

Вытянув руку, Игорь нажал на экран.

— Тра-ля-ля, тра-ля-ля, — зазвучало из трубки, — котлеты, котлеты, котлеты мои, прекраснее нету котлет...

— В общем, кошмар, — резюмировал сынок Зои Игнатьевны. — Как можно влюбиться в такое? И как она смотрела сквозь бифштексы?

— Наверное, в них маленькие дырочки сделали, — предположила Маша.

— Она — манекен, — напомнил Юра. — Зачем ей глядеть? Могу объяснить, как куклу плясать заставили. Это как раз просто и понятно. Изумляет другое: как можно испытывать любовь к женщине, не зная ее характера? Разве это реально — воспылать страстью, просто увидев ее на экране?

— Что пристали? — пожал плечами наш «гений». — У Геннадия спросите. А мне по барабану, почему он на герлу запал.

— Фигура у нее красивая, — заметил Юра.

— У Нинки такая же, — усмехнулся Гарик. — Да только Погодин всех своих секретарей заставляет носить балахоны.

Маневин взял у него телефон.

— Девушка-повидло! Вот оно что...

— Ты о чем? — удивилась я.

— В советские времена рекламы было мало, — вздохнул Феликс. — Помню вот эту: «Всем давно узнать пора бы, как вкусны и нежны крабы». В СССР народ любил мясо, от крабов нос воротил.

— Да ну? — удивилась Маша.

— Мне сейчас вспомнился плакат с толстощеким младенцем, очень похожим на хомячка, — оживилась я. — Он держал в руке ложку, сверху шла надпись: «А я ем варенье и джем». Еще был другой, с девушкой в стиле пин-ап. Странно, что это разрешила коммунистическая цензура — модель олицетворяла, как тогда говорили, «буржуазный образ жизни».

— Вот! — поднял указательный палец муж. — Как раз об этом я и хотел рассказать, да ты меня опередила. Помнишь, как выглядел плакат?

— Да, — кивнула я, — тоненькая темноволосая девушка в белой блузке и в коротенькой широкой синей юбочке с красным поясом, на ногах красные же туфельки на каблучке. Ах да, у нее была необычная для тех лет прическа: челка и прямые волосы. Типичный пин-ап. А у советских дам в моде были тогда локоны. Единственное отличие от любимых американскими шоферами картинок — у девушки с нашей рекламы не видно лица, модель держала на уровне носа две банки консервов. Полукругом шла надпись: «Морская капуста — полезно и вкусно». Все мальчики из нашего класса были влюблены в эту девушку, она казалась им невероятно сексуальной. Реклама висела в витрине магазина рядом со школой, и ребята на переменах около продмага пропадали. В конце концов классная руководительница догадалась, где ученики проводят свободное время, и устроила директору гастронома скандал, причем кричала так, что ее вся улица слышала: «Уберите этот разврат! Здесь дети!» И плакат исчез.

— Много лет назад у дома, где жил Гена, тоже висела эта реклама, — пояснил Маневин. — Я мимо нее равнодушно проходил, а Погодин простаивал возле картинки часами. Нам было по четырнадцать лет. Как-то раз мой друг сказал: «Женюсь на ней». Я развеселился. «Через десять лет она старухой станет. Будет у тебя бабка на кухне». И мы подрались.

— Вот эта реклама? — спросил Юра, поворачивая ноутбук.

— Да! — хором отозвались мы с мужем. — Где ты ее нашел?

— В Интернете, где же еще? — удивился парень. — На странице про плакаты советских лет. Девушка — один в один манекен с котлетами. Только одежда слегка другая, на современной не блузка, а майка, нет банок в руках, а на носу дурацкие очки.

— Погодин увидел копию своего подросткового секс-символа, — кивнул Маневин. — Детские впечатления самые острые, вот почему он влюбился в «актрису».

— Чем вам помешала Балабанова? — осведомился Дегтярев.

— Да все эта дура Нина... — обозлился Игорь. — Сейчас расскажу. В тот день, когда я Нинку под видом актрисы к вам привез, мы из машины вышли, а мимо Вероника идет. Увидела нас, остановилась, на секретаршу уставилась и говорит: «Интересное кино, вы мне очень рекламу котлет напоминаете. Прямо копия». И Кузнецова запаниковала: «Ой, она нас выдаст». Я стал ей объяснять: «Баба ничего не знает, просто удивилась твоему сходству с девицей из ролика. Не надо паниковать». Но дурища не послушалась меня и побежала за Вероникой. Я поспешил следом. Она догнала Балабанову, схватила за руку и понесла: «Я ничего плохого не задумала, сходство случайное, честное слово, не хочу сделать ничего дурного...» Ника, естественно, сразу просекла, что дело нечисто, и заявила:

— Пошли ко мне, поговорим в доме.

Я попытался все уладить, сказал:

— Мы заняты. Если моя подруга похожа на актрису из ролика «Счастье в доме», то это не преступление. Ничего плохого мы не задумали.

Балабанова дверь открыла и гаркнула:

— Вот теперь я уверена, что вы затеяли какую-то пакость. Реклама на заштатном канале шла, все о ней забыли, а вы даже помните название жратвы. Я распрекрасно знаю: если человек бормочет, что ничего плохого не задумал, то он точно именно плохое задумал. Ну! Или заходите и все объясняете, или уходите, но тогда я приду в дом к Васильевой, куда вы, ребята, лыжи навострили, и все розы на вашей клумбе потопчу.

Вон чего из-за Нинкиной глупости вышло! Ей не надо было на слова Балабановой про схожесть с героиней ролика реагировать, но она струсила. А дальше еще тупее себя повела. Вошли мы в дом, Вероника и говорит:

— Давайте, колитесь, голуби, какой спектакль затеяли? За пятьдесят процентов от того, что получить надеетесь, я молчать буду. А откажетесь платить, точно отправлюсь к Дарье и скажу: эта девица зачем-то под мою рекламу косит, наверняка у нее гадость на уме. Или рассказываете, что происходит, или ни фига у вас не получится.

Нина схватила со стола вазу и швырнула в хозяйку. Не попала. Вероника вскочила, кинулась на Кузнецову, а я ее оттолкнул... Балабанова упала и разбила голову. Это все. Несчастный случай...

— И вы с Ниной побежали к нам, — сказала я, — пришли, словно ничего не случилось, вели мирную беседу, пока домработница Балабановой не прибежала... У меня еще вопрос: зачем ты скормил Мафи медальон?

— Что за бред? — зашумел Игорь. — Собака его сама со стола сперла и проглотила. Геннадий, болван, оставил коробку открытой, идиотская ювелирка воняла печеньем, а кретинская псина унюхала!

— Экий вы добрый, для всех ласковые слова нашли, — саркастически заметил Юра.

Я встала.

— Знаете, когда Геннадий затеял скандал, кричал, что Мафуша украла украшение, что-то мне показалось странным. Но когда люди устраивают выяснение отношений, у меня перестает работать мозг. И только недавно я сообразила... Помните, Погодин объяснил: для украшения с ароматом предназначена особая коробка с магнитами, она сама закрывается. Сделано это, чтобы дорогое изделие не потерялось, если хозяйка крышку не захлопнет. Открывается крышка нажатием на кнопку, а собаке такой фокус не проделать. Так что никто, кроме тебя, Гарик, не мог дать медальон Мафи. Зачем тебе это понадобилось?

Игорь покраснел, забормотал:

— Нинка совсем офигела, боялась, что Геннадий передумает жениться, что вы о чем-то догадаетесь, бубнила мне в уши: «Дарья смотрит на меня с подозрением... полковник ухмыляется... Маневин что-то Гене в уши нашептывает... Феликсу я не нравлюсь...»

— Таким образом часто ведут себя вруны и те, кто совершил преступление, — заметил Александр Михайлович, — им постоянно кажется, что их вот-вот разоблачат.

— Ясно, со страху Нина решила рассорить нас с Геной, — догадался Маневин, — сделать так, чтобы

Погодин больше не общался с друзьями. И попросила Игоря что-нибудь придумать, чтобы отвадить ее жениха от дома в Ложкине.

— И ты дал собаке медальон? — возмутилась Маша. — Совесть у тебя есть?

— А что в этом плохого? Мафи все подряд жрет, — пожал плечами Гарик. — Ничего, скоро он назад вывалится. Дарья, когда найдешь кулон, помой и верни мне. Украшение мое. Нинка так и сказала: «Золото твое, Гена мне другое подарит».

От такой наглости я буквально лишилась дара речи. А Игорь продолжал:

— Геннадий в самом деле на вас разозлился и — упс! — до свиданья, теперь Нинке вы не навредите.

Маневин опешил, я молчала, полковник, тоже не говоря ни слова, смотрел на Игоря, Маша встала.

— Простите, больше не могу находиться с ним в одной комнате.

— Мы сейчас уедем, — пообещал Дегтярев.

— Куда? — не понял Гарик.

— В полицию, — отрезал Дегтярев.

Игорь пожал плечами:

— С какой стати? Я не совершил ничего дурного.

— Ага, совсем ничего, только убил Марфу, Веронику, создал мошеннический сайт, обманул Геннадия Погодина, пытался шантажировать Дашу, — методично перечислил Юра.

— У Марфы была аллергия, Вероника сама упала, сайт и шантаж шутка, а насчет Гены меня Нина попросила, — оправдал себя наш родственничек. И спокойно добавил: — Сейчас позвоню маме, она сюда примчится, и вам всем, а тебе, Феликс, в особенности, мало не покажется.

Эпилог

На следующий день рано утром я пошла провожать Феликса к машине. Перед тем как муж сел за руль, сказала ему:

— Надеюсь, Игорю достанется за все. Извини, понимаю, он твой дядя, но скажу правду: это очень подлый человек.

— И рад бы возразить, да не могу, — вздохнул мой профессор. — Но, похоже, шельмец, как всегда, выйдет из лужи, не замочив пятки. Я перед завтраком поговорил с Дегтяревым, и он мне объяснил: эксперты считают, что Игорь толкнул Балабанову один раз, она упала, ударилась головой и скончалась. Повторяю: один раз!

— И что? — не поняла я.

— Это позволит адвокату сказать: «Игорь не желал смерти Балабановой, он вышел из себя из-за того, что Вероника решила их с Ниной шантажировать, и, находясь в состоянии аффекта, ее толкнул. Всего один раз, что доказывает отсутствие преступного замысла и аффект. Вот если б он толкнул женщину второй раз, третий, тогда другое дело. А так смерть Балабановой несчастный случай».

— Ничего себе... — протянула я.

— Про Марфу полковник сказал вот что, — продолжал Маневин. — Сам по себе «Веселый чай» безобиден и не мог навредить Медведевой, смертельно опасным напиток стал из-за того, что Балабанова велела Марфе таблетки пить. То есть хороший адвокат и тут найдет что сказать. А Зоя Игнатьевна уже наняла Глеба Сухорукова, лучшего из лучших, он вытащит Игорька из неприятностей.

— Сухоруков людей даже от пожизненного срока спасает, — пробормотала я. — Неужели Гарику ничего не будет? А сайт? Попытка развести меня на деньги?

Маневин смутился.

— Мы теперь точно знаем, кто открыл ночной клуб на Лысой горе — Гарик. Он стопроцентный прохвост! Но понимаешь, пока нет заявления от потерпевших, дело не возбуждают. Ты способна заявить на моего дядю? На любимого сыночка бабушки своего мужа?

— Нет, — мрачно ответила я. — Единственное, что меня радует в данной ситуации, так это закрытие ночного клуба на Лысой горе. Думаю, то, что они придумали с Ниной, тоже сойдет Игорьку с рук. Единственное, как мы можем наказать его, — разорвать отношения с ним. Однако, полагаю, и эта акция обречена на провал. Если не позовем мерзавца на твой или мой день рождения, Зоя Игнатьевна закатит истерику... О! Медальон, который съела Мафи! Его нельзя как-то использовать?

— В Уголовном кодексе нет статьи, предусматривающей наказание за подначивание пса слопать золотое украшение, пусть даже и очень дорогое, — пояснил муж.

— И на жестокое обращение с животным сжор драгоценности не тянет, — вздохнула я.

— «Сжор драгоценности»? — улыбнулся Маневин. — Смешно.

Я взяла его под руку.

— А как сказать правильно? Сожратие? Ты в курсе, что эксперт Лёня ушел от Дегтярева? Панин подался в самое крупное частное детективное агентство. А Татьяна как ни в чем не бывало продолжает организовывать вечеринки.

Феликс обнял меня.

— Леонид ко всей той истории отношения не имеет. Татьяна... Ну да, в юности она вела безалаберный образ жизни, не любила своих дочерей. Но что с ней можно сделать спустя много лет? Ничего. Александра скончалась от болезни. Панина ее не убивала. Аня жива-здорова, а то, что Татьяна с ней общаться не желает, не уголовное преступление.

— Вот они где! — закричал визгливый голос. — Обнимаются!

Я повернула голову на звук и увидела стоящую на соседнем участке полную женщину в цветастом платье, за которой маячил щуплый мужчина в шортах.

— Ваша собака нас с ума сведет! — продолжала орать тетка.

— Доброе утро, Елена Владимировна, — хором сказали мы с Феликсом.

Потом муж спросил у соседки:

— Что-то случилось?

— Ваша Мафия! — заорала тетка.

Я подавила вздох. У дома, расположенного рядом с нашим особняком, трудная судьба, там постоянно меняются хозяева. Пару недель назад его заняла супружеская пара, Елена и Виктор. Муж тихий, молчаливый, зато жена — петарда, брошенная в костер. Мадам постоянно всем недовольна и каждый день начинает с бурного выяснения отношений с окружающими.

— Собаку зовут Мафи, — уточнил мой муж, — это сокращение от слова «маффин», то есть кекс.

Слова Маневина пролетели мимо ушей скандалистки.

— Ваша Мафия опять через забор перепрыгнула, бегала по нашему участку, а потом наложила кучу! Немедленно уберите!

— Лен, не надо, — робко обратился к супруге Виктор, — сам уберу.

— Еще чего! — взъярилась жена. — Вот только не хватало нам чужое дерьмо сгребать! Я, по-твоему, ассенизатор?

Мы с Феликсом переглянулись, быстро взяли из гаража перчатки, совок, пакет, флакон мирамистина и поспешили на соседний участок.

— Напишу заявление коменданту поселка! — продолжала бушевать Елена, пока Феликс аккуратно с помощью совочка убирал в пакет «визитную карточку» Мафи. — Эту собаку надо усыпить! А вам штраф выписать! Научили ее гадить у соседей!

— Лен, не надо... — ныл Виктор, — хорошая собачка, нам бы такую...

— Или я, или пес! — отрезала супруга.

Я отвернулась. На месте Виктора я точно бы ответила: «Выбираю собаку, она намного лучше скандальной бабы».

— Дашуня! — радостно воскликнул Маневин. — Медальон!

Я посмотрела на Феликса. Супруг держал совок, на котором лежало украшение.

— О-о-о! — заликовала я. Затем схватила мирамистин, облила обеззараживающей жидкостью ювелирное изделие, нажала пальцем в перчатке на крышку, та открылась.

— Что это? — ахнула Елена. — Бриллианты?

— Да! — радостно подтвердила я. — А само «сердце» золотое.

— Камней фигова туча, дорогая вещь, однако, — оценил нашу находку Виктор.

— Но как... почему... откуда драгоценность? — ошалело моргала Елена.

Я открыла рот, чтобы рассказать, мол, Марфуша проглотила украшение, но меня опередил муж.

— Слышали сказку про курочку Рябу? — спросил он, укладывая медальон в пакет.

— Да, — хором ответили соседи.

— Она для деда с бабкой золотые яйца несла, а у нас собака Мафи эксклюзивной ювелиркой какает, прошу прощения за глагол, — с самым серьезным видом сообщил Феликс. — Яйца-то она нести не способна, потому что не курица. Это порода такая — золотокакающая собака. Правда, у нее не каждый раз медальон с бриллиантами получается, иногда приходится полгода ждать нужного результата. И никогда не знаешь, что получишь: ожерелье, браслет или...

— Где такую купить? — перебила его Елена.

— Мафуня единственная представительница сего славного племени, — ответил Маневин. — Ну все, мы тут убрали... Извините нас! Наверное, надо сделать забор повыше, чтобы Мафи больше к вам не залезала.

— Ну что вы, — заворковала Елена, — пусть забегает, нам она в радость. Правда, милый?

Муж молча кивнул.

— Щеночков у нее не предвидится? — продолжала соседка.

— Пока нет, — мило улыбнулась я.

— Поставьте нас первыми в очередь, — нежно попросила тетка.

— Конечно, — пообещала я.

Когда мы с Маневиным покинули участок соседей, я расхохоталась.

— Золотокакающая собака, говоришь? Мне бы такое в голову не пришло. Не предполагала, что у меня столь ехидный муж.

— Я был предельно вежлив с дамой, — улыбнулся Феликс. — Отлично знаю: с каждым человеком надо вести разговор, приводя понятные ему аргументы. Те, что я подобрал для Елены, ее убедили. Теперь она не причинит вреда Мафи, если безобразница снова через забор перелезет. Но все равно надо быстренько построить Великую Ложкинскую стену, чтобы наша хулиганка не носилась по чужому участку. Знаешь, милая, я испытываю настоящий восторг, когда сталкиваюсь с дамами, подобными Елене.

— Тебе по душе такой тип женщин? — оторопела я.

— Нет, нет. Просто я сразу думаю, как хорошо, что ты не такая, и я люблю тебя с каждым днем все больше и больше. Ты занимаешь все мое сердце, как в день нашей свадьбы, — ответил Феликс. — Ну, мне пора, опаздываю на лекцию.

Я проводила Маневина к машине и пошла в дом.

Надо же, муж никогда не говорит мне о своей любви, а тут... Видно, встреча со сварливой особой здорово его взбудоражила. Приятно слышать, что я занимаю все сердце супруга, прямо как в день нашей свадьбы.

Остановившись у входа в особняк, я вздохнула.

В момент бракосочетания невеста занимает все сердце жениха, но спустя годы брака многие жены меняют место обитания — переселяются в печень мужа.

Литературно-художественное издание
ИРОНИЧЕСКИЙ ДЕТЕКТИВ

Донцова Дарья Аркадьевна

НОЧНОЙ КЛУБ НА ЛЫСОЙ ГОРЕ

Ответственный редактор *О. Рубис*
Младший редактор *П. Рукавишникова*
Художественный редактор *В. Щербаков*
Технический редактор *Н. Духанина*
Компьютерная верстка *Г. Клочкова*
Корректор *Д. Горобец*

ООО «Издательство «Э»
123308, Москва, ул. Зорге, д. 1. Тел. 8 (495) 411-68-86.
Өндіруші: «Э» АҚБ Баспасы, 123308, Мескеу, Ресей, Зорге көшесі, 1 үй.
Тел. 8 (495) 411-68-86.
Тауар белгісі: «Э»
Қазақстан Республикасында дистрибьютор және өнім бойынша арыз-талаптарды қабылдаушының
өкілі «РДЦ-Алматы» ЖШС, Алматы қ., Домбровский көш., 3«а», литер Б, офис 1.
Тел.: 8 (727) 251-59-89/90/91/92, факс: 8 (727) 251 58 12 вн. 107.
Өнімнің жарамдылық мерзімі шектелмеген.
Сертификация туралы ақпарат сайтта Өндіруші «Э»
Сведения о подтверждении соответствия издания согласно законодательству РФ
о техническом регулировании можно получить на сайте Издательства «Э»

Өндірген мемлекет: Ресей
Сертификация қарастырылмаған

Подписано в печать 27.04.2017. Формат 80x100¹/₃₂.
Гарнитура «Ньютон». Печать офсетная. Усл. печ. л. 14,81.
Тираж 15 000 экз. Заказ 2761.

Отпечатано в ООО «Тульская типография».
300026, г. Тула, пр. Ленина, 109.

ISBN 978-5-699-95601-2

Дарья Донцова

Кулинарная книга лентяйки-3
Праздник по жизни

ПОДАРОК для всех читателей:

раздел
«ВЕСЕЛЫЕ ПРАЗДНИКИ»

0000-037

Дарья
ДОНЦОВА

*С момента выхода моей автобиографии прошло три года.
И я решила поделиться с читателем тем, что случилось со мной за это время...*

В год, когда мне исполнится сто лет, я выпущу еще одну книгу, где расскажу абсолютно все, а пока... Жизнь продолжается, в ней случается всякое, хорошее и плохое, неизменным остается лишь мой девиз: "Что бы ни произошло, никогда не сдавайся!"